まえがき

税法学習は、税理士への真の第一歩!

　本書を手にしたみなさんの多くは、税理士試験の会計科目（簿記論、財務諸表論）の受験をされた方や無事合格された方だと思います。よくぞ、ここまで来られました！

　そして、いよいよ税法科目の学習をはじめようとされる方にあらためて伝えておきたいことがあります。それは、税理士とは「税法のプロフェッショナルであり、法律家である」ということです。

　ですから、税法の学習は税理士への真の第一歩を踏み出したことになります。

　ここからまた気を引き締めていけば、税理士試験の合格も間近です。

　さて、ネットスクールでは税理士試験を目指す方への資格支援の学校として、画期的なことを行いました。それは、本来、高額な受講料を払ってのみ手にすることのできる講座使用教材を書店やネットショップで市販することでした。

　これにより、独学者にも平等に合格を目指す機会を提供することができましたし、また、独学者が同じ教材を使用して講座学習に切り替えられるという利便性を高めることができました。

　一方で、講座使用教材を誰もが購入できるということは、講座の付加価値の希薄化を招き、さらには講座のノウハウの流出というリスクも抱えてしまうことになりかねません。

　しかしそれでも、人生を賭けてチャレンジする受験生にとってよりよい教材は生命線であり、その気持ちを想像したときに、講座使用教材を市販することについて一縷の迷いも生じることはありませんでした。さらに言えば、基本問題から応用問題まで網羅することにより段階を追って学習できる問題集に仕上げることに注力しました。

　合格するための状況は我々が整えます。

　みなさんは、この本で勇気を持って始め、本気で学んでください。

　そうすれば、みなさん自身ばかりではなく、みなさんの周りの人たちをも幸せにできる、そんな人生が開けてきます。

　さあ、この一歩、いま踏み出しましょう！

税理士WEB講座
講師一同

JN102405

目次
Contents

税理士試験　問題集
法人税法Ⅱ　基礎完成編

合格に必要な知識を効果的に習得するために

本書の構成・特長

本試験対策に必要な問題を基本レベルから解くことができます。

解答時間の目安を示しています。試験ではスピードも合格に必要な要素です。

教科書の学習内容に応じた問題番号を記載しています。

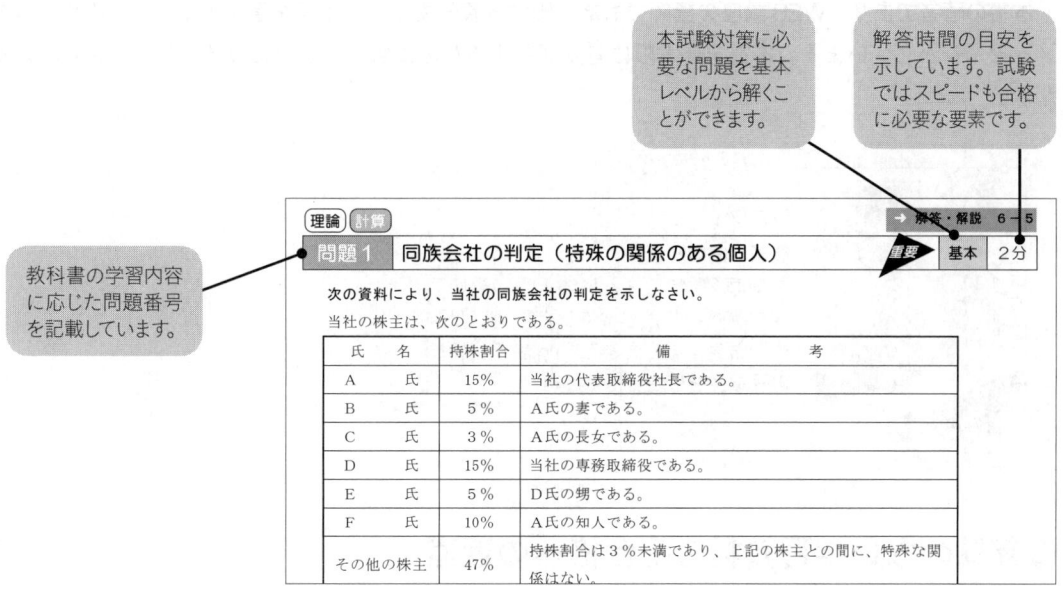

理論 計算 → 解答・解説 6 − 5

問題1 同族会社の判定（特殊の関係のある個人） 重要 基本 2分

次の資料により、当社の同族会社の判定を示しなさい。

当社の株主は、次のとおりである。

氏　　名	持株割合	備　　　　　考
A　　氏	15%	当社の代表取締役社長である。
B　　氏	5 %	A氏の妻である。
C　　氏	3 %	A氏の長女である。
D　　氏	15%	当社の専務取締役である。
E　　氏	5 %	D氏の甥である。
F　　氏	10%	A氏の知人である。
その他の株主	47%	持株割合は 3 ％未満であり、上記の株主との間に、特殊な関係はない。

答案用紙については、ネットスクールホームページにてダウンロードサービスを行っております。

学習をはじめる前に

著者からのメッセージ

本書の著者であり、WEB 講座の講師でもある田中政義先生から、本書を学習する前の心構えとして
メッセージがございます。本書を最大限に有効活用するためにも、まずはこのメッセージをお読みく
ださい。

プロフィール
講師 田中政義
（たなかまさよし）
講師歴 25 年。法人税法担当。懇切丁
寧な講義がわかりやすいと評判。受験
生の親身になった詳しい解説で、多く
の受験生を最短合格へと導く。

◆無駄のない学習教材こそ合格への近道

法人税法は、とにかくボリュームが大きい税法です。ただ、本試験で出題される問題の多くは基本
的なものです。その基本的な問題の正解率が合否を分けるといっても過言ではありません。本問題集
を何回も繰返し解き直しをすることによって、基本的な問題をミスなくスピーディーに解けるように
していきましょう。

◆合格への土台作りはここから

基礎完成編では、基本的な学習を行っていきますが、本試験で主に出題される内容となっています。
本試験に合格するためには、誰もができないところをできるようにするより、誰でもできるところを
しっかりできるようにすることが大事です。

すなわち、基礎完成編を征服できた者が税理士試験を征服できるといっても過言ではありません。
基礎完成編の完全マスターを目指しましょう！

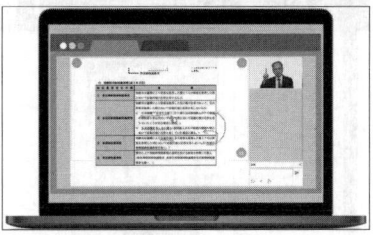

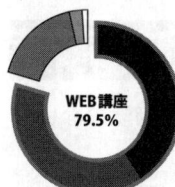
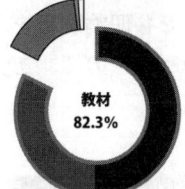
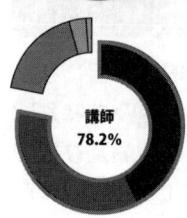

税理士試験合格に向けた学習

教科書・問題集　Ⅰ基礎導入編

基礎導入編は"教科書（テキスト）"と"問題集"の内容を1冊にまとめた構成となっており、『教科書編』ではインプットを、『問題集編』ではアウトプットを繰り返すことにより、効率的に学習を進めることができます。何事も最初が肝心となりますので、まずは本書で法人税法学習の土台を作りあげていきましょう。

教科書／問題集　Ⅱ基礎完成編

基礎導入編での学習が終わったら、基礎完成編に移ります。基礎導入編と同様に、税理士試験で頻繁に出題される重要論点の基礎的事項を学習していきます。

基礎完成編も基礎導入編と同様に、教科書でインプットしたことを必ず問題集（教科書と別売りとなります）を使ってアウトプットし、学習した知識を定着させましょう。

理 論 集

理論学習に特化したテキストで、効果的で無駄のない理論学習を行えます。

また、重要理論については音声＆デジタル版のWダウンロードサービスを付帯し、移動中や外出先でも理論学習を行えるようにしております（別途有料サービス）ので、あわせてご利用ください。

教科書／問題集　Ⅲ応用編

基礎完成編での学習が終わったら、応用編の学習に移ります。試験対策として重要となる応用的な内容及び特殊論点を学習していくことになりますが、基礎導入編及び基礎完成編で学習した内容を基に学習を進めていただければ、無理なく学習を進めることができますので、復習する際は、基礎導入編及び基礎完成編も併せて復習するようにしましょう。

全経　税法能力検定試験　公式テキスト（3級／2級・1級）

公益社団法人　全国経理教育協会（全経協会）では、経理担当者として身に付けておきたい法人税法・消費税法・相続税法・所得税法の実務能力を測る検定試験が実施されています。試験を受けることで、実務のスキルアップを図れるだけでなく、税理士試験の基礎学力の確認としても有効に活用することができます。税理士試験の学習と並行して、全経　税法能力検定試験の学習を進めることをお勧めします。

※検定試験の詳細は、全経協会公式ホームページをご確認ください。
https://www.zenkei.or.jp/

ラストスパート模試

教科書（テキスト）での学習が一通り終わったら、本試験形式で構成された模擬試験問題を解きましょう。本シリーズでは、ネットスクールの税理士講師の先生が作成した模擬問題を3回分収載しています。

試験問題を本体から取り外し、YouTube で配信している「試験タイマー」を流しながら解くことで、試験本番の臨場感の中で解くことができます。学習してきた力を試験本番で十分に発揮できるよう訓練をしましょう。

 試験合格！

ネットスクール公式 YouTube チャンネル

試験勉強や合格後の実務に役立つ動画も随時配信中！

☑ 出題予想や本試験の講評・解説

☑ 最新の実務の動向を解説する「ネットスクール学びちゃんねる」

☑ 試験会場の雰囲気を味わえる試験タイマーなど

アカウントをお持ちの方はぜひチャンネル登録のうえ、ご覧ください。

※掲載している書影は、すべて 2024 年 8 月現在の最新版、教科書／問題集シリーズは 2024 年度版のものとなります。
※書籍のお求めは全国の書店・インターネット書店、またはネットスクール WEB-SHOP をご利用ください。

多数の"合格者の声"が信頼と実績の証です！

ネットスクールWEB講座 合格者の声

ネットスクールで見事！合格を勝ち取った受講生様からのお言葉を紹介いたします。

イトウ　ハルカ様（20代女性／学生）　第72回試験／消費税法合格

私は他の予備校と併用する形で受講させていただいたのですが、画面を通しての講義でも質問などに親身に対応してくれてとても勉強しやすかったです。また、常に前向きな言葉をかけてくださる所にもとても勇気をもらいました。

勉強方法については、学生で本業の学業も手を抜くことができないため、試験勉強は、毎日何時から何をするかの計画を立てて勉強しました。また、直前期は毎日総合問題を解き、問題解答のフォームやルーティーンを定着させるようにしました。直前期は複数の予備校の直前対策問題を解くようにしましたが、ネットスクールの教材は、特に予想問題が主要論点を抑えつつ初見の問題もあったため何度も活用させていただきました。

YouTubeの解答速報を拝見し、丁寧な解説と勇気をもらえるような言葉を伝えてくれるネットスクールに興味を持ち、複数の科目を受講しましたが、丁寧な解説、教材、出題予想で本当に助かりました。受講してよかったです。

Y・K様（30代男性／一般会社勤務）　第72回試験／相続税法合格

相続税法の受験は3回目となりますが過去2回不合格となった際には、計算・理論共に基本論点で解答できておりませんでした。そのため、基本論点を見直し、ネットスクールの参考書や問題集を何度も回転させて記憶の定着を図りました。

また、単なる暗記ではなく理解力も伸ばさなければ本番の試験には対応できないので、制度の概要やなぜその制度が創設されたのかといった背景を理解することも重視しておりました。ネットスクールでは講義が分かりやすく、何度も気になったところは再生できるので納得いかないところは何度も視聴して理解することを心がけておりました。

最後になりますが、試験直前になるとSNS等で他校の生徒が高得点を取った情報や理論予想などの投稿を目にすることがありますが、そのような情報に惑わされずにまずはネットスクールのカリキュラムをしっかりと消化してその中での問題は確実に解けるようにすることが非常に重要だと思いました。実際に相続税法の理論では、ネットスクールで出題されたところを完璧に理解しておりましたので、他校の理論の出題ランクは低い論点でしたがしっかりと点数を取ることが出来ました。

これからは法人税法・消費税法の合格を目指して引き続きネットスクールにお世話になろうと考えております。引き続きどうぞよろしくお願いいたします。

M・S様（50代男性／一般会社勤務）第71回試験／国税徴収法・官報合格

以前は独学で市販の理論集や問題集を購入して勉強していましたが、配当額の計算でどうしてこのような計算結果となるのか、いまひとつ理解できないところもあり、本試験でも配当額を間違えて計算してしまったことから、その年度は残念ながら不合格となりました。

その後、国税徴収法のテキストを探していたところ、ネットスクールの通信講座を知り、もう一度勉強しなおそうと思い立ち、受講を決めました。

実際に講義を受けてみると、これまで理解が不完全だった「なぜこうなるのか」がすっきりと理解でき、まさに目からウロコが落ちる、という体験でした。

理論は、試験に直結する重要度が高いものに加え、「これは覚えておくべき」と自分が判断したものを全部暗記し、2〜3日間で一回転するやり方で精度の向上に努めました。ただ単に暗記するだけではなく、横のつながりを意識することが大切だと思いましたので、どことつながっているのかもいっしょに覚えるようにしました。

答練は、通信講座のなかの問題と過去問で練習を繰り返しました。「ラストスパート模試」は過去8年分と模擬試験4回分が収録されていましたので、これだけでも練習量としては充分だったと思います。答案の書き方自体もあまりよく知らず、以前は隙間なくビッシリと書いていましたので、適度にスペースを空ける書き方を教えてもらったことも受講してよかった、と思いました。

おかげさまで国税徴収法に合格することができました。ありがとうございました。

S・K様（40代男性）第72回試験／法人税法・官報合格 ❇

この度、ようやく官報合格となりました。これまでにお世話になった先生方、本当に本当にありがとうございました。私は他校の受講経験がなく比較することはできませんが、一番ありがたかったのは「学び舎」です。理解力不足や勘違いで何度もくだらない質問をしましたが、すぐに丁寧に詳しく解説を頂けたことが合格に結び付いたと確信しています。

受験勉強で私が一番苦労したのは、何と言っても勉強時間の確保です。仕事との両立はやはり厳しく、平日夜はほぼ時間がとれないため、毎朝3時に起床し朝に勉強するというスタイルで、1日約3〜4時間は勉強に充てていました。主な1日のスケジュールは、朝は計算メインの勉強、通勤時間は車の中で、自分が吹き込んだオリジナル理論音声を聞きながらブツブツ念仏を唱え、昼休みは理論集の暗記、ベッドに入って寝るまでの時間も理論集の暗記といった内容でした。

私の理論暗記法は、短期間で繰り返し理論集を何回転もさせるやり方です。最初は重要語句を暗記ペンでマーカーし、覚えたら次の理論という感じでどんどん進めていき、少しずつ暗記ペンでマーカーした部分を増やしていきます。30〜40回転目になると、ほとんどマーカーした状態になり、その頃からは、理論集を見ずに暗唱し、つまれば理論集を見て確認するというやり方に徐々にシフトしていきます。この方法は職場の先輩から教えてもらったもので、前回受験した国税徴収法と今回受験した法人税法はこの方法でほぼ全部暗記しました。直前期は数日で1回転できるようになり、最終的には60回転くらいさせたと思います。理論暗記に悩んでいる人にはお勧めです。

税理士試験はかなり長い年数を勉強に費やすことになり、それに比例して犠牲にしなければならないことも多いと思います。私も何度も諦めそうになりました。しかし、なんとか踏みとどまり、ネットスクールを信じて諦めずに継続したことで、5科目合格することができました。

税理士試験とは
試験概要

【試験科目】

税理士試験は、会計科目2科目・税法科目9科目の全11科目あります。このうち、会計科目2科目と税法科目3科目(選択必須科目1科目以上を含む)の合計5科目に合格する必要があります。1度の受験で5科目全てに合格する必要はなく、1科目ずつ受験することもできます。なお、1度合格した科目は生涯有効となります。

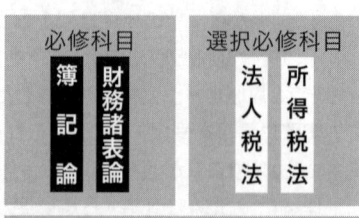

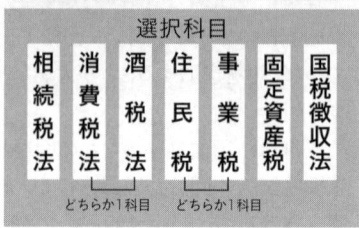

【試験日】

通常、8月第1又は第2週の火曜日〜木曜日に実施されます。

【合格点・合格発表】

合格基準点は各科目とも満点の60パーセントです。合格発表は11月下旬になります。

その他、税理士試験の詳細については、国税庁ホームページをご覧下さい。

https://www.nta.go.jp/index.htm

国税庁ホームページ ▶ 税の情報・手続・用紙 ▶ 税理士に関する情報 ▶ 税理士試験 ▶

本書シリーズ
法令等の改正情報の公開について

本書税理士シリーズについて、法令等の改正や会計基準等の変更があった場合には、改正・変更に関する情報を公開いたします。

https://www.net-school.co.jp/

読者の方へ ＞ 税理士試験 / 科目 ＞ 改正情報

凡例(略式名称……正式名称)

法……法人税法　　令……法人税法施行令　　規……法人税法施行規則

法附則……法人税法附則

措法……租税特別措置法　　措令……租税特別措置法施行令

基通……法人税法基本通達　　個通……法人税法個別通達

措通……租税特別措置法関係通達

耐令……減価償却資産の耐用年数等に関する省令

耐通……耐用年数の適用等に関する取扱通達

引用例

令28①一イ……法人税法施行令第28条第1項第一号イ

(注)　本書は、令和6年度までの税制改正による令和6年4月1日現在施行の法令等に基づきます。

　　　また、問題の資料中に特別な指示がある場合を除き、当期は「令和7年4月1日から令和8年3月31日」までの期間であるものとして解答してください。

　　　なお、ミニテストについては、答案用紙はついていないことをご了承ください。

Chapter 1

減価償却（普通償却）

No	内　　容		標準時間	重要度	難易度
問題1	償却限度額の計算	計算	5分	A	基本
問題2	償却超過額の調整	計算	5分	A	基本
問題3	グルーピング(1)	計算	5分	A	基本
問題4	期中供用資産	計算	5分	A	基本
問題5	償却可能限度額	計算	7分	B	基本
問題6	無形減価償却資産	計算	7分	A	基本
問題7	グルーピング(2)	計算	10分	B	応用
問題8	減価償却超過額の認容	計算	5分	A	基本
問題9	費用処理した付随費用	計算	5分	A	基本
問題10	少額減価償却資産	計算	5分	A	基本
問題11	中小企業者等の少額減価償却資産	計算	5分	A	基本
問題12	一括償却資産	計算	5分	A	応用
問題13	受贈益（原則）	計算	3分	A	基本
問題14	受贈益（広告宣伝用資産）	計算	5分	A	基本
問題15	ミニテスト	計算	12分	A	基本
問題16	ミニテスト	計算	5分	A	基本

問題1　償却限度額の計算　　　重要　基本　5分

次の資料により、当社の当期における償却限度額を計算しなさい。

当社の当期における償却限度額の計算に必要な資料は、次のとおりである。

種　類	取　得　価　額	期首帳簿価額	耐用年数
建物附属設備	90,000,000円	88,200,000円	50年
機　械　装　置	6,000,000円	2,100,000円	15年
車　両　運　搬　具	5,400,000円	450,000円	5年
器　具　備　品	3,000,000円	2,001,000円	6年

（注1）　建物附属設備は、前期首に取得し、事業供用したものである。

（注2）　機械装置には、前期において40,800円の償却不足額が生じている。

（注3）　車両運搬具は、平成19年4月1日から平成24年3月31日までの間に取得されたものであり、前期から繰越された償却超過額が、225,000円ある。

（注4）　器具備品は、平成24年4月1日以後に取得されたものである。

（注5）　届け出た償却方法等は、次のとおりである。

　　　　　建物附属設備：届出をしていない。

　　　　　機械装置：旧定率法

　　　　　車両運搬具：定率法

　　　　　器具備品：定率法

（注6）　耐用年数に応ずる償却率等の資料は、次のとおりである。

　　① 減価償却資産の旧定額法、旧定率法、定額法及び定率法（平成19年4月1日から平成24年3月31日取得分）の償却率等

耐用年数	定額法 償却率	定率法			旧定額法 償却率	旧定率法 償却率
		償却率	改定償却率	保証率		
5	0.200	0.500	1.000	0.06249	0.200	0.369
6	0.167	0.417	0.500	0.05776	0.166	0.319
15	0.067	0.167	0.200	0.03217	0.066	0.142
50	0.020	0.050	0.053	0.01072	0.020	0.045

　　② 平成24年4月1日以後に取得をされた減価償却資産の定率法の償却率等

耐用年数	償却率	改定償却率	保証率
5	0.400	0.500	0.10800
6	0.333	0.334	0.09911
15	0.133	0.143	0.04565
50	0.040	0.042	0.01440

→ 解答・解説　1-18

Ch 1
Ch 2
Ch 3
Ch 4
Ch 5
Ch 6
Ch 7
Ch 8
Ch 9
Ch 10
Ch 11
Ch 12
Ch 13
Ch 14
Ch 15
Ch 16
Ch 17
総合問題

理論　計算

問題2　償却超過額の調整

重要　基本　5分

次の資料により、当社の当期における税務上の調整を示しなさい。

⑴　当社の当期における減価償却等の資料は、次のとおりである。

種　類	取得価額	当期償却費	期首帳簿価額	耐用年数	取　得　日	備考
A 機 械	2,320,000円	200,000円	720,000円	12年	平成19年3月20日	注1
B 車 両	1,500,000円	700,000円	1,350,000円	5年	令和7年1月10日	
C 器 具	995,000円	60,000円	270,000円	15年	平成18年4月23日	注2

（注1）　A機械については、前期以前から繰り越された償却超過額が39,000円ある。

（注2）　C器具については、前期に生じた償却不足額が12,600円ある。

（注3）　上表の資産は、それぞれ取得日の翌日から事業の用に供している。

⑵　当社は減価償却の方法について、選定の届出をしていない。なお、減価償却資産の旧定額法、旧定率法、定額法及び定率法（平成24年4月1日以後取得分）の償却率等の資料は、次のとおりである。

耐用年数	定額法償却率	定率法			旧定額法償却率	旧定率法償却率
		償却率	改定償却率	保証率		
5	0.200	0.400	0.500	0.10800	0.200	0.369
12	0.084	0.167	0.200	0.05566	0.083	0.175
15	0.067	0.133	0.143	0.04565	0.066	0.142

問題3　グルーピング(1)

重要　基本　5分

次の資料により、当社の当期における税務上の調整を示しなさい。

(1)　当社の当期における減価償却の状況は、次のとおりである。

区　分	取得価額	期首帳簿価額	当期償却費	法定耐用年数
A 機 械 装 置	8,200,000円	2,500,000円	700,000円	11年
B 機 械 装 置	8,000,000円	2,400,000円	500,000円	11年
C 貨 物 自 動 車	1,100,000円	180,000円	80,000円	5年
D 貨 物 自 動 車	1,700,000円	250,000円	150,000円	5年
E 乗 用 車	4,400,000円	1,000,000円	400,000円	6年

(注1)　A及びB機械装置は、同一の設備の種類に属するものである。

(注2)　減価償却資産の旧定額法、旧定率法、定額法及び定率法（平成19年4月1日から平成24年3月31日取得分）の償却率等の資料は、次のとおりである。

耐用年数	定額法償却率	定率法			旧定額法償却率	旧定率法償却率
		償却率	改定償却率	保証率		
5	0.200	0.500	1.000	0.06249	0.200	0.369
6	0.167	0.417	0.500	0.05776	0.166	0.319
11	0.091	0.227	0.250	0.04123	0.090	0.189

(2)　上記の資産は、いずれも平成19年4月1日から平成24年3月31日までの間に取得し、事業の用に供したものである。なお、当社は、償却方法について何ら届出をしていない。

問題4　期中供用資産

重要　基本　5分

次の資料により、当社（期末資本金5億円）の当期における償却限度額を計算しなさい。

(1)　当期における減価償却の状況は、次のとおりである。

種　類	取得価額	期首帳簿価額	耐用年数	取得年月日
A建物	248,000,000円	―――円	50年	令和7年4月16日
B建物	44,000,000円	18,500,000円	40年	平成10年3月26日
構築物	12,000,000円	―――円	15年	令和7年8月20日
備　品	1,500,000円	―――円	6年	令和8年3月25日

(注)　当期中に取得した資産については、取得後直ちに事業の用に供している。

(2)　当社は、減価償却の方法について選定の届出をしていない。なお、減価償却資産の旧定額法、旧定率法、定額法及び定率法（平成24年4月1日以後取得分）の償却率等の資料は、次のとおりである。

耐用年数	定額法償却率	定率法			旧定額法償却率	旧定率法償却率
		償却率	改定償却率	保証率		
6	0.167	0.333	0.334	0.09911	0.166	0.319
15	0.067	0.133	0.143	0.04565	0.066	0.142
40	0.025	0.050	0.053	0.01791	0.025	0.056
50	0.020	0.040	0.042	0.01440	0.020	0.045

問題5 償却可能限度額 基本 7分

次の資料により、当社の当期における税務上の調整を示しなさい。

(1) 当期末に有する減価償却資産の償却に関する資料は、次のとおりである。

種　類	取　得　価　額	期首帳簿価額	当期償却費	耐用年数
建物附属設備	7,600,000円	440,000円	62,000円	15年
構　築　物	2,800,000円	140,000円	30,000円	6年
器　具　備　品	1,500,000円	80,000円	80,000円	4年

(2) 建物附属設備及び構築物は、いずれも平成19年4月1日前に取得、事業供用したものであり、当社は減価償却の方法として旧定率法を採用している。

(3) 器具備品は、平成19年4月1日から平成24年3月31日までの間に取得、事業供用したものであり、当社は減価償却の方法として定率法を採用している。なお、前期における償却限度額は、償却保証額以上であった。

(4) 減価償却資産の旧定額法、旧定率法、定額法及び定率法（平成19年4月1日から平成24年3月31日取得分）の償却率等は、次のとおりである。

耐用年数	定額法償却率	定率法			旧定額法償却率	旧定率法償却率
		償却率	改定償却率	保証率		
4	0.250	0.625	1.000	0.05274	0.250	0.438
6	0.167	0.417	0.500	0.05776	0.166	0.319
15	0.067	0.167	0.200	0.03217	0.066	0.142

理論　計算

→ 解答・解説　1−22

Ch 1

Ch 2

Ch 3

Ch 4

Ch 5

Ch 6

Ch 7

Ch 8

Ch 9

Ch 10

Ch 11

Ch 12

Ch 13

Ch 14

Ch 15

Ch 16

Ch 17

総合問題

問題6　無形減価償却資産

重要　基本　7分

次の資料により、当社（資本金の額は3億円である。）の当期における税務上の調整を示しなさい。

(1)　当期に減価償却費として費用に計上した金額の内訳及び償却限度額の計算に関する事項は、次のとおりである。

種　類	取　得　価　額	減価償却費	耐用年数	取得年月日
ソフトウエア	1,200,000円	240,000円	5年	令和7年10月20日
意　匠　権	1,800,000円	257,400円	7年	令和7年5月31日
営　業　権	600,000円	170,000円	5年	令和8年3月15日

(2)　当社は減価償却資産の償却方法につき、定率法を選定し届け出ている。なお、減価償却資産の定額法及び定率法（平成24年4月1日以後取得分）の償却率等の資料は次のとおりである。

耐用年数	定額法償却率	定率法		
		償却率	改定償却率	保証率
5	0.200	0.400	0.500	0.10800
7	0.143	0.286	0.334	0.08680

問題7　グルーピング(2)　　　　　　　　　　　　　　　応用　10分

次の資料により、当社（資本金の額は４億円である。）の当期における税務上の調整を示しなさい。

⑴　当期に減価償却費として費用に計上した金額の内訳及び償却限度額の計算に関する事項は、次のとおりである。

種　類	取　得　価　額	当　期　償　却　費	期　末　帳　簿　価　額	取　得　年　月　日	法　定耐用年数
Ａ建物	44,000,000円	900,000円	21,200,000円	平成10年３月31日	50年
Ｂ建物	43,000,000円	950,000円	34,500,000円	平成18年11月20日	50年
Ｃ機械	16,000,000円	600,000円	2,900,000円	平成19年４月１日	11年
Ｄ機械	25,000,000円	2,700,000円	22,300,000円	令和８年１月25日	11年

（注１）　Ａ建物及びＢ建物はいずれも鉄骨コンクリート造のものであり、取得日の翌日から事務所として事業の用に供している。

（注２）　Ｃ機械及びＤ機械はいずれも家具製造業用設備であり、取得日の翌日から事業の用に供している。

⑵　当社は減価償却資産の償却方法について、何ら選定の届出を行っていない。なお、償却率等は、次のとおりである。

①　減価償却資産の旧定額法、旧定率法、定額法及び定率法（平成19年４月１日から平成24年３月31日取得分）の償却率等

耐用年数	定額法償却率	定率法			旧定額法償却率	旧定率法償却率
		償却率	改定償却率	保証率		
11	0.091	0.227	0.250	0.04123	0.090	0.189
50	0.020	0.050	0.053	0.01072	0.020	0.045

②　平成24年４月１日以後に取得をされた減価償却資産の定率法の償却率等

耐用年数	定率法		
	償却率	改定償却率	保証率
11	0.182	0.200	0.05992
50	0.040	0.042	0.01440

理論 計算 → 解答・解説 1−24

Ch 1
Ch 2
Ch 3
Ch 4
Ch 5
Ch 6
Ch 7
Ch 8
Ch 9
Ch 10
Ch 11
Ch 12
Ch 13
Ch 14
Ch 15
Ch 16
Ch 17
総合問題

問題8　減価償却超過額の認容

重要　基本　5分

次の資料により、当社の当期における税務上の調整を示しなさい。

⑴　当期における減価償却の状況は、次のとおりである。なお、いずれも平成19年4月1日から平成24年3月31日までの間に取得したものである。

区　分	取得価額	期首帳簿価額	当期償却費	耐用年数	備　考
製　造　設　備	7,700,000円	1,600,000円	350,000円	11年	注1
乗　用　車	1,400,000円	600,000円	200,000円	6年	注2

（注1）　前期以前から繰越された償却超過額が100,600円ある。

（注2）　前期に生じた償却不足額が75,300円ある。

⑵　当社は、償却方法について選定の届出を行っていない。なお、減価償却資産の定額法及び定率法（平成19年4月1日から平成24年3月31日取得分）の償却率等は、次のとおりである。

耐用年数	定額法償却率	定率法		
		償却率	改定償却率	保証率
6	0.167	0.417	0.500	0.05776
11	0.091	0.227	0.250	0.04123

問題9　費用処理した付随費用　　　　　　　　　　重要▶　基本　5分

次の資料により、当社（期末資本金の額は3億円）の当期における税務上の調整を示しなさい。

(1)　当期における減価償却の状況は、次のとおりである。

種　類	取得価額	当期償却費 （損金経理）	期末帳簿価額	耐用 年数	取得年月日
A 機械装置	4,000,000円	441,000円	3,559,000円	17年	令和7年8月15日
B 機械装置	2,700,000円	50,000円	2,650,000円	10年	令和7年10月10日

（注1）　上記の資産に係る事業供用年月日は、次のとおりである。

種　類	事業供用年月日
A 機械装置	令和7年9月1日
B 機械装置	令和7年10月25日

（注2）　A機械装置に係る借入利子27,000円及び関税540,000円は、当期の費用に計上されている。

（注3）　B機械装置に係る据付費及び試運転費の合計額330,000円を支出し、当期の費用に計上されている。

(2)　当社は償却方法については、選定の届出書を提出していない。なお、減価償却資産の定額法及び定率法（平成24年4月1日以後取得分）の償却率等は次のとおりである。

耐用 年数	定額法 償却率	定率法		
		償却率	改定償却率	保証率
10	0.100	0.200	0.250	0.06552
17	0.059	0.118	0.125	0.04038

計算
問題10 少額減価償却資産

→ 解答・解説 1 −26

重要 基本 5分

次の資料により、当社（中小企業者等に該当する。また、適用除外事業者に該当せず、常時使用する従業員の数が500人以下である。）の当期における税務上の調整を示しなさい。

(1) 当社の当期に減価償却費として費用に計上した金額には次のものが含まれている。

種　類	取得価額	当期計上償却費	取得年月日	耐用年数
A 車両運搬具	200,000円（1台）	200,000円	令和7年10月25日	6年
B 車両運搬具	195,000円（1台）	195,000円	令和7年11月10日	5年
C 器具備品	85,000円（1台）	85,000円	令和8年2月20日	6年
D 工具	590,000円（2個）	590,000円	令和8年3月20日	5年
E ソフトウエア	190,000円（1個）	190,000円	令和8年1月15日	5年

（注）上記の資産は、すべて取得後直ちに事業の用に供している。

(2) 当社が選定し届け出た償却方法は定率法である。なお、減価償却資産の定額法及び定率法（平成24年4月1日以後取得分）の償却率等は、次のとおりである。

耐用年数	定額法償却率	定率法		
		償却率	改定償却率	保証率
5	0.200	0.400	0.500	0.10800
6	0.167	0.333	0.334	0.09911

Chapter 1 | 減価償却（普通償却） | *1-11* （21）

問題11 中小企業者等の少額減価償却資産　重要 基本 5分

　次の資料により、当社（中小企業者等に該当する。また、適用除外事業者に該当せず、常時使用する従業員の数が500人を超えたことがない。）の当期における税務上の調整を示しなさい。

(1) 当社の当期におけるパソコンの取得状況は次のとおりである。

単価	台数	取得価額の合計額	購入日	法定耐用年数
195,000円	19台	3,705,000円	令和8年3月10日	4年

　（注）当社は以前より、パソコンについてその取得と同時に事業の用に供するとともに、確定した決算において消耗品費として費用計上している。

(2) 減価償却資産の定額法及び定率法（平成24年4月1日以後取得分）の償却率等は、次のとおりである。
なお、当社は減価償却資産の償却方法について、何ら選定の届出を行っていない。

耐用年数	定額法 償却率	定率法		
		償却率	改定償却率	保証率
4	0.250	0.500	1.000	0.12499

(3) 租税特別措置法に規定する特別償却又は法人税額の特別控除については、一切考慮する必要はない。

問題12 一括償却資産

次の資料により、当社（資本金5億円）の当期における税務上の調整を示しなさい。

⑴ 当社の当期における減価償却の状況等は、次のとおりである。なお、下記以外の減価償却資産については、税務調整すべき金額はない。

種　類	取　得　価　額	当期償却額（損金経理）	耐用年数	事業供用年月日
電 気 機 器	188,000円	188,000円	6年	令和7年7月1日
容　　　　器	90,000円	89,999円	2年	令和7年6月30日

⑵ 当社は減価償却の方法として定率法を選定しており、減価償却資産の定額法及び定率法（平成24年4月1日以後取得分）の償却率等は次のとおりである。

耐用年数	定額法償却率	定率法		
		償却率	改定償却率	保証率
2	0.500	1.000	—	—
6	0.167	0.333	0.334	0.09911

問題13　受贈益（原則）   重要　基本　3分

次の資料により、当社の当期おける税務上の調整を示しなさい。

種　類	取　得　価　額	当期償却費	法定耐用年数	取　得　年　月　日
車両運搬具	2,000,000円	833,333円	5年	令和7年6月1日

（注1）　車両運搬具は親会社から購入したものであるが、取得時の時価は3,500,000円のものである。
　　　　当社は、その車両運搬具の取得のために支出した金額2,000,000円を取得価額として計上している。なお、取得してから直ちに事業の用に供している。

（注2）　車両運搬具の償却方法として選定している方法は定率法であり、その償却率等は次のとおりである。

減価償却資産の定額法及び定率法（平成24年4月1日以後取得分）の償却率等

耐用年数	定額法償却率	定率法		
		償却率	改定償却率	保証率
5	0.200	0.400	0.500	0.10800

問題14　受贈益（広告宣伝用資産）　　重要　基本　5分

次の資料により、当社の当期における税務上の調整を示しなさい。

(1)　当期に、減価償却費として費用に計上した金額の内訳及び償却限度額の計算に関する事項は、次のとおりである。

種類	取得年月日	取得価額	当期償却費	法定耐用年数
ネオンサイン	令和7年4月1日	400,000円	332,000円	3年
陳列ケース	令和7年5月1日	3,500,000円	1,000,000円	6年

（注1）　ネオンサインは、仕入先A社の商品名が塗装されているものであり、A社から購入したものである。A社における取得価額は1,000,000円であるが、当社は取得のために支出した金額を取得価額として計上している。なお、取得と同時に事業の用に供している。

（注2）　陳列ケースは、B社の商品名が塗装されているものであり、B社から購入したものである。B社における取得価額は6,000,000円であるが、当社は取得のために支出した金額を取得価額として計上している。なお、取得と同時に事業の用に供している。

(2)　当社は減価償却資産の償却方法として定率法を選定しており、その償却率等は次のとおりである。

減価償却資産の定額法及び定率法（平成24年4月1日以後取得分）の償却率等

耐用年数	定額法償却率	定率法		
		償却率	改定償却率	保証率
3	0.334	0.667	1.000	0.11089
6	0.167	0.333	0.334	0.09911

問題15　ミニテスト　　　　　　　　　　　　　　　　　　　　重要　基本　12分

次の資料により、当社（資本金2億円）の当期における税務上の調整を示しなさい。

(1) 甲社は減価償却資産の償却方法につき何ら選定の届出をしていない。

(2) 当期において償却費として費用に計上した金額及び償却限度額の計算に関する事項等は、次のとおりである。

種　類　等	取得年月日	取　得　価　額	当期償却費	期末帳簿価額	耐用年数
建　　　　物	平10.3.31	50,000,000 円	2,500,000 円	14,720,000 円	24年
機　械　装　置	令7.6.15	15,000,000 円	5,000,000 円	10,000,000 円	10年
車両運搬具A	令5.11.10	2,800,000 円	500,000 円	1,000,000 円	5年
車両運搬具B	令7.8.18	3,300,000 円	1,000,000 円	2,300,000 円	5年
器　具　備　品	令6.10.1	2,800,000 円	300,000 円	2,000,000 円	8年

（注1）上記の減価償却資産は、いずれも取得後直ちに事業供用している。

（注2）機械装置の取得時に据付費150,000円を支払い、雑費として費用に計上している。

（注3）車両運搬具A及び車両運搬具Bは、同一の用途・細目に属している。

（注4）器具備品には、前期に生じた償却超過額150,000円がある。

(3) 償却率等は次のとおりである。

① 平成24年3月31日までに取得した減価償却資産の旧定額法、旧定率法、定額法及び定率法の償却率、改定償却率、保証率の表（一部）

耐用年数	定額法償却率	定率法			旧定額法償却率	旧定率法償却率
		償却率	改定償却率	保証率		
5	0.200	0.500	1.000	0.06249	0.200	0.369
8	0.125	0.313	0.334	0.05111	0.125	0.250
10	0.100	0.250	0.334	0.04448	0.100	0.206
24	0.042	0.104	0.112	0.02157	0.042	0.092
50	0.020	0.050	0.053	0.01072	0.020	0.045

② 平成24年4月1日以後に取得した減価償却資産の定率法の償却率、改定償却率及び保証率の表（一部）

耐用年数	定率法		
	償却率	改定償却率	保証率
5	0.400	0.500	0.10800
8	0.250	0.334	0.07909
10	0.200	0.250	0.06552
24	0.083	0.084	0.02969
50	0.040	0.042	0.01440

理論 計算

→ 解答・解説　1 −32

Ch 1
Ch 2
Ch 3
Ch 4
Ch 5
Ch 6
Ch 7
Ch 8
Ch 9
Ch 10
Ch 11
Ch 12
Ch 13
Ch 14
Ch 15
Ch 16
Ch 17
総合問題

問題16　ミニテスト

重要 | 基本 | 5分

次の資料により、当社（資本金2億円）の当期における税務上の調整を示しなさい。

当社が当期末において有する減価償却資産につき考慮すべきものとして次のものがある。

なお、当社は選定した償却方法は、定額法である。

種　　類	構造、用途、細目等	取得日	法定耐用年数	定額法償却率	取得価額	損金経理した償却費等の額	(注)
建　　　　物	事務所	令和7年4月	50年	0.020	60,000,000円	1,000,000円	1
車両運搬具	貨物自動車	令和8年2月	5年	0.200	2,000,000円	500,000円	2

（注1）　事務所建物は、当社の仕入先であるA株式会社より60,000,000円で取得し、直ちに事業の用に
　　　　供した。なお、取得時における本来の市場価額は、100,000,000円である。

（注2）　当社の仕入先であるB社から2,000,000円で取得し、事業の用に供したものであり、B社の製
　　　　品名の塗装がされている。なお、B社においては4,800,000円で取得したものである。

解答 問題1 償却限度額の計算

1. 建物附属設備

   償却限度額　90,000,000×0.020＝1,800,000円

2. 機械装置

   償却限度額　2,100,000×0.142＝298,200円

3. 車両運搬具

   償却限度額　(450,000＋225,000)×0.500＝337,500円≧5,400,000×0.06249＝337,446円

   ∴　337,500円

4. 器具備品

   償却限度額　2,001,000×0.333＝666,333円≧3,000,000×0.09911＝297,330円　　∴666,333円

解説

① 建物附属設備で平成28年4月1日以後取得（前期首は令和6年4月1日となります。）のため、償却方法は定額法となります。

② 前期以前に生じた償却不足額は、前期以前に切捨てられているため、当期の償却限度額の計算には関係させません。

③ 前期以前の繰越償却超過額は、税務上の帳簿価額を構成します。したがって、税務上の帳簿価額は、会社計上の帳簿価額に繰越償却超過額を加えた金額となります。

解答 問題2 償却超過額の調整

1. A機械

   (1) 償却限度額

   　(720,000＋39,000)×0.175＝132,825円

   (2) 償却超過額

   　200,000－132,825＝67,175円

2. B車両

   (1) 償却限度額

   　1,350,000×0.400＝540,000円≧1,500,000×0.10800＝162,000円　　∴　540,000円

   (2) 償却超過額

   　700,000－540,000＝160,000円

3. C器具

   (1) 償却限度額

   　270,000×0.142＝38,340円

   (2) 償却超過額

   　60,000－38,340＝21,660円

（単位：円）

項　　　目		金　　額	留　　保	社外流出
加算	減　価　償　却　超　過　額			
	（A　機　械）	67,175	67,175	
	（B　車　両）	160,000	160,000	
	（C　器　具）	21,660	21,660	
減算				

解説

　平成19年3月31日以前に取得しているA機械及びC器具は、旧定率法により償却限度額を計算します。また、B車両は、平成24年4月1日以後に取得しているため200％定率法により償却限度額を計算します。

解答　問題3　グルーピング(1)

1．A・B機械装置

(1) 償却限度額

① A機械装置

　$2,500,000 \times 0.227 = 567,500$円 $\geqq 8,200,000 \times 0.04123 = 338,086$円　　∴　567,500円

② B機械装置

　$2,400,000 \times 0.227 = 544,800$円 $\geqq 8,000,000 \times 0.04123 = 329,840$円　　∴　544,800円

③　①＋②＝1,112,300円

(2) 償却超過額

　$(700,000 + 500,000) - 1,112,300 = 87,700$円

2．C・D貨物自動車

(1) 償却限度額

① C貨物自動車

　$180,000 \times 0.500 = 90,000$円 $\geqq 1,100,000 \times 0.06249 = 68,739$円　　∴　90,000円

② D貨物自動車

　$250,000 \times 0.500 = 125,000$円 $\geqq 1,700,000 \times 0.06249 = 106,233$円　　∴　125,000円

③　①＋②＝215,000円

(2) 償却超過額

　$(80,000 + 150,000) - 215,000 = 15,000$円

3．E乗用車

(1) 償却限度額

　$1,000,000 \times 0.417 = 417,000$円 $\geqq 4,400,000 \times 0.05776 = 254,144$円　　∴　417,000円

(2) 償却超過額

　$400,000 - 417,000 = \triangle 17,000 \rightarrow 0$

(単位：円)

	項　　　　　　目	金　　額	留　　保	社外流出
加算	減 価 償 却 超 過 額 （Ａ・Ｂ機械装置） （Ｃ・Ｄ貨物自動車）	87,700 15,000	87,700 15,000	
減算				

解　説

① いずれの資産も平成19年４月１日以後に取得したものであり、償却方法の選定の届出をしていないことから、償却方法は法定償却方法である定率法となります。

② Ａ装置及びＢ機械装置は（注１）より、設備の種類が同一です。また、耐用年数及び償却方法も同じことからグルーピングが必要です。

③ Ｃ貨物自動車及びＤ貨物自動車は、いずれも車両及び運搬具ですが、「貨物自動車」という細目が同一です。また、耐用年数及び償却方法も同じことからグルーピングが必要です。

なお、同じ車両及び運搬具ですがＥ乗用車については、「乗用車」であり「貨物自動車」とは細目が異なり、耐用年数も異なることからグルーピングはできません。

解　答　問題4　期中供用資産

1．Ａ建物

$248,000,000 \times 0.020 \times \dfrac{12}{12} = 4,960,000$円

2．Ｂ建物

$18,500,000 \times 0.056 = 1,036,000$円

3．構築物

$12,000,000 \times 0.067 \times \dfrac{8}{12} = 536,000$円

4．備品

$1,500,000 \times 0.333 = 499,500$円 $\geqq 1,500,000 \times 0.09911 = 148,665$円

∴　$499,500 \times \dfrac{1}{12} = 41,625$円

解　説

① 償却方法は、選定の届出をしていないことから、選定できる償却方法がある場合には法定償却方法となります。構築物については平成28年４月１日以後取得のため、定額法となります。

② 当期中に事業供用しているＡ建物、構築物及び備品に係る償却限度額の計算ついては、期中供用資産の月割計算が必要になります。なお、１月未満の端数は切り上げて１月とカウントします。

③ Ｂ建物は、取得日が平成10年３月31日以前であることから、法定償却方法である旧定率法により償却限度額を計算することになります。

Ch 1
Ch 2
Ch 3
Ch 4
Ch 5
Ch 6
Ch 7
Ch 8
Ch 9
Ch 10
Ch 11
Ch 12
Ch 13
Ch 14
Ch 15
Ch 16
Ch 17
総合問題

解 答　問題5　償却可能限度額

1．建物附属設備

(1) 償却限度額

① $440,000 \times 0.142 = 62,480$円

② $440,000 - 7,600,000 \times 5\% = 60,000$円

③ ①＞②　∴　60,000円

(2) 償却超過額

$62,000 - 60,000 = 2,000$円

2．構築物

(1) 償却限度額

$140,000$円 ≦ $2,800,000 \times 5\% = 140,000$円

∴ $(140,000 - 1) \times \dfrac{12}{60} = 27,999$円

(2) 償却超過額

$30,000 - 27,999 = 2,001$円

3．器具備品

(1) 償却限度額

① $80,000 \times 0.625 = 50,000$円 ＜ $1,500,000 \times 0.05274 = 79,110$円

∴ $80,000 \times 1.000 = 80,000$円

② $80,000 - 1 = 79,999$円

③ ①＞②　∴　79,999円

(2) 償却超過額

$80,000 - 79,999 = 1$円

(単位：円)

	項　　　　目	金　額	留　保	社外流出
加算	減 価 償 却 超 過 額			
	（建物附属設備）	2,000	2,000	
	（構　築　物）	2,001	2,001	
	（器 具 備 品）	1	1	
減算				

解 説

① 建物附属設備の償却方法は旧定率法ですが、期首帳簿価額が取得価額に比較して小さい場合（1桁違う場合）には、償却可能限度額を考慮してみる必要があります。

② 構築物の期首帳簿価額は、取得価額の5％以下となっています。つまり、償却可能限度額までの償却が終わっているため、取得価額の5％から1円を控除した金額を5年間で均等償却することになります。

③ 器具備品は、定率法により償却限度額を計算しますが、調整前償却額（通常の償却限度額）が償却保証額（取得価額×保証率）以下となるため、改定取得価額に改定償却率を乗じて計算した金額が償却限度額となるパターンに該当します。ただし、本問では、改定償却率が「1.000」であり、そのまま償却したのでは帳簿価額が「0」となってしまうため、期首帳簿価額から備忘価額1円を控除した金額を償却限度額とします。

　なお、改定取得価額は、調整前償却額が償却保証額に満たなくなった最初の事業年度の期首帳簿価額ですが、本問では、前期まで償却限度額（調整前償却額）は償却保証額以上であったという指示から、当期に初めて調整前償却額が償却保証額に満たなくなったことがわかります。したがって、当期の期首帳簿価額を改定取得価額として計算することになります。

解答　問題6　無形減価償却資産

1．ソフトウエア

(1) 償却限度額

$$1,200,000 \times 0.200 \times \frac{6}{12} = 120,000円$$

(2) 償却超過額

$$240,000 - 120,000 = 120,000円$$

2．意匠権

(1) 償却限度額

$$1,800,000 \times 0.143 \times \frac{11}{12} = 235,950円$$

(2) 償却超過額

$$257,400 - 235,950 = 21,450円$$

3．営業権

(1) 償却限度額

$$600,000 \times 0.200 \times \frac{1}{12} = 10,000円$$

(2) 償却超過額

$$170,000 - 10,000 = 160,000円$$

（単位：円）

	項　　　　　目	金　　額	留　　保	社外流出
加算	減　価　償　却　超　過　額			
	（ソフトウエア）	120,000	120,000	
	（意　匠　権）	21,450	21,450	
	（営　業　権）	160,000	160,000	
減算				

Ch 1
Ch 2
Ch 3
Ch 4
Ch 5
Ch 6
Ch 7
Ch 8
Ch 9
Ch 10
Ch 11
Ch 12
Ch 13
Ch 14
Ch 15
Ch 16
Ch 17
総合問題

解 説

　無形減価償却資産の償却方法は、定額法（平成19年4月1日以後取得のもの）のみです。

解 答　問題7　グルーピング(2)

1．A建物

(1) 償却限度額

$(21,200,000 + 900,000) \times 0.045 = 994,500$円

(2) 償却超過額

$900,000 - 994,500 = \triangle94,500 \rightarrow 0$

2．B建物

(1) 償却限度額

$43,000,000 \times 0.9 \times 0.020 = 774,000$円

(2) 償却超過額

$950,000 - 774,000 = 176,000$円

3．C機械

(1) 償却限度額

$(2,900,000 + 600,000) \times 0.227 = 794,500$円 $\geqq 16,000,000 \times 0.04123 = 659,680$円

∴　794,500円

(2) 償却超過額

$600,000 - 794,500 = \triangle194,500 \rightarrow 0$

4．D機械

(1) 償却限度額

$25,000,000 \times 0.182 = 4,550,000$円 $\geqq 25,000,000 \times 0.05992 = 1,498,000$円

∴　$4,550,000 \times \dfrac{3}{12} = 1,137,500$円

(2) 償却超過額

$2,700,000 - 1,137,500 = 1,562,500$円

（単位：円）

	項　　　目	金　　額	留　　保	社外流出
加算	減　価　償　却　超　過　額			
	（B　建　物）	176,000	176,000	
	（D　機　械）	1,562,500	1,562,500	
減算				

① 当社は、償却方法の選定の届出を行っていないため償却方法は法定償却方法によることになります。

② Ａ建物の償却方法は、平成10年３月31日以前に取得したものであることから、旧定率法です。

③ Ｂ建物の償却方法は、平成10年４月１日から平成19年３月31日までの間に取得したものであることから、旧定額法となります。Ａ建物とＢ建物は（注１）から細目が同じであり、耐用年数も同じですが、償却方法が異なるため、グルーピングはできません。

④ Ｃ機械の償却方法は、平成19年４月１日以後取得のため、定率法になります。

⑤ Ｃ機械及びＤ機械は、（注２）より設備の種類が同一であり、償却方法及び耐用年数も同じですが、同じ定率法でも平成19年４月１日から平成24年３月31日までの間に取得されたもの(250%定率法)と、平成24年４月１日以後に取得されたもの（200%定率法）では償却率が異なるため、グルーピングはできません。

解 答　問題８　減価償却超過額の認容

1．製造設備

(1) 償却限度額

　　$(1,600,000＋100,600)×0.227＝386,036円 ≧ 7,700,000×0.04123＝317,471円$

　　∴　386,036円

(2) 償却超過額

　　$350,000－386,036＝△36,036$

　　$36,036円＜100,600円$　　∴　36,036円（認　容）

2．乗用車

(1) 償却限度額

　　$600,000×0.417＝250,200円 ≧ 1,400,000×0.05776＝80,864円$

　　∴　250,200円

(2) 償却超過額

　　$200,000－250,200＝△50,200　→　0$

（単位：円）

	項　　　　　目	金　　額	留　　保	社外流出
加算				
減算	減 価 償 却 超 過 額 認 容 （製 造 設 備）	36,036	36,036	

　償却不足額は、原則として切捨てられますが、当期の計算で償却不足額が生じ、かつ、前期以前の繰越償却超過額がある製造設備については、減価償却超過額認容の調整を考慮する必要があります。

解 答	問題9	**費用処理した付随費用**

1．A機械装置

(1) 償却限度額

$(4,000,000+540,000) \times 0.118 = 535,720円 \geqq (4,000,000+540,000) \times 0.04038 = 183,325円$

∴ $535,720 \times \dfrac{7}{12} = 312,503円$

(2) 償却超過額

$(441,000+540,000) - 312,503 = 668,497円$

2．B機械装置

(1) 償却限度額

$(2,700,000+330,000) \times 0.200 = 606,000円 \geqq (2,700,000+330,000) \times 0.06552 = 198,525円$

∴ $606,000 \times \dfrac{6}{12} = 303,000円$

(2) 償却超過額

$(50,000+330,000) - 303,000 = 77,000円$

(単位：円)

	項　　　　目	金　額	留　保	社外流出
加算	減　価　償　却　超　過　額			
	（A 機 械 装 置）	668,497	668,497	
	（B 機 械 装 置）	77,000	77,000	
減算				

解 説

① A機械装置に係る借入利子は、取得価額に算入しないことができますが、関税については取得価額に含めなければなりません。

② B機械装置に係る据付費及び試運転費は、取得価額に含めなければなりません。

③ 取得価額に含めなければならない付随費用について、当社は費用に計上してしまっているため、付随費用を会社計上の取得価額に加え、償却費として損金経理をした金額として取り扱います。

1. 少額の減価償却資産

C器具備品 85,000円＜100,000円 ∴ 適 正

2. 中小企業者等の少額減価償却資産

(1) 単価判定

① A車両運搬具 200,000円＜300,000円 ∴ 該 当

② B車両運搬具 195,000円＜300,000円 ∴ 該 当

③ D工具 590,000÷2＝295,000円＜300,000円 ∴ 該 当

④ Eソフトウエア 190,000円＜300,000円 ∴ 該 当

(2) 総額判定

$200,000＋195,000＋590,000＋190,000＝1,175,000円 \leqq 3,000,000 \times \dfrac{12}{12}＝3,000,000円$ ∴ 適 正

解 説

① 当社は、取得価額相当額の全額を損金経理しています。本問では、当社は中小企業者等に該当（中小企業者等に該当しても適用できない場合もあります。）するため、少額の減価償却資産等は、取得価額（単価）の区分に応じて、次のように取り扱います。

　(イ) 10万円未満 ➡ 少額の減価償却資産として損金算入

　(ロ) 10万円以上、かつ、30万円未満 ➡ 中小企業者等の少額減価償却資産として損金算入

② C器具備品については、取得価額が10万円未満であり、取得価額相当額の全額を損金経理しているため、当期の損金の額に算入されます。

③ C器具備品以外の資産については、取得価額が10万円以上、かつ、30万円未満であり、取得価額相当額の全額を損金経理しています。したがって、取得価額の合計額が300万円以下の部分は損金の額に算入されます。

④ Eソフトウエアのような無形減価償却資産も減価償却資産です。したがって、少額の減価償却資産等の規定の適用があります。

解 答 問題11 中小企業者等の少額減価償却資産

1. 中小企業者等の少額減価償却資産

(1) 単価判定

195,000円＜300,000円 ∴ 該 当

(2) 総額判定

① $195,000 \times 19台＝3,705,000円＞3,000,000 \times \dfrac{12}{12}＝3,000,000円$

② $\dfrac{3,000,000}{195,000}＝15.3\cdots \rightarrow 15台$

195,000 × 15台＝2,925,000円 ≦ 3,000,000円 ∴ 2,925,000円（損金算入）

Ch 1

Ch 2

Ch 3

Ch 4

Ch 5

Ch 6

Ch 7

Ch 8

Ch 9

Ch 10

Ch 11

Ch 12

Ch 13

Ch 14

Ch 15

Ch 16

Ch 17

総合問題

2．パソコン（1．の残り）

(1) 判　定

195,000円＜200,000円　　∴　一括償却資産に該当

(2) 償却方法の判定

① 195,000×0.500＝97,500円≧195,000×0.12499＝24,373円

∴　97,500×$\frac{1}{12}$＝8,125円

② 195,000×$\frac{12}{36}$＝65,000円

③ ①＜②　　∴　一括償却有利

(3) 損金算入限度額

195,000×（19台－15台）×$\frac{12}{36}$＝260,000円

(4) 損金算入限度超過額

195,000×（19台－15台）－260,000＝520,000円

（単位：円）

	項　　　目	金　　額	留　　保	社外流出
加算	一括償却資産損金算入限度超過額	520,000	520,000	
減算				

解 説

① 中小企業者等の少額減価償却資産の規定は、少額減価償却資産の取得価額の合計額が300万円を超えるときは、その取得価額の合計額のうち300万円に達するまでの少額減価償却資産の取得価額の合計額が限度とされます。本問では、パソコン19台の取得価額の合計額は、300万円を超えているため、300万円に達するまでの15台分の取得価額の合計額について適用することになります。

② ①の適用を受けられない4台については、取得価額が20万円未満であるため、一括償却と通常償却のうち、有利な方法を選択することができます。

解 答　問題12　一括償却資産

電気機器、容器

(1) 判定

① 電気機器

188,000円＜200,000円　　∴　一括償却資産に該当

② 容器

90,000円＜200,000円　　∴　一括償却資産に該当

(2) 償却方法の判定

① 電気機器

(イ) $188,000 \times 0.333 = 62,604$円 $\geqq 188,000 \times 0.09911 = 18,632$円

∴ $62,604 \times \dfrac{9}{12} = 46,953$円

(ロ) $188,000 \times \dfrac{12}{36} = 62,666$円

(ハ) (イ) < (ロ)　　∴ 一括償却有利

② 容器

$90,000 \times 1.000 \times \dfrac{10}{12} = 75,000$円 $> 90,000 \times \dfrac{12}{36} = 30,000$円　　∴ 通常償却有利

(3) 一括償却資産

① 損金算入限度額

62,666円

② 損金算入限度超過額

$188,000 - 62,666 = 125,334$円

(4) 容器

① 償却限度額

75,000円

② 償却超過額

$89,999 - 75,000 = 14,999$円

(単位：円)

	項　　　　目	金　　額	留　　保	社外流出
加算	一括償却資産損金算入限度超過額	125,334	125,334	
	減　価　償　却　超　過　額			
	（容　　　　器）	14,999	14,999	
減算				

解 説

① 当社は、資本金が5億円であり、中小企業者等に該当しないため、中小企業者等の少額減価償却資産の適用はありません。

② 容器の取得価額は10万円未満ですが、取得価額相当額の全額を損金経理していない（89,999円しか損金経理していない）ため、少額の減価償却資産の規定の適用を受けることはできません。

③ 電気機器及び容器のいずれも、取得価額が20万円未満であるため、一括償却と通常償却のいずれか有利な方法を選択することができます。

解答 問題13 受贈益（原則）

(1) 償却限度額

$3,500,000 \times 0.400 = 1,400,000$円 $\geqq 3,500,000 \times 0.10800 = 378,000$円

∴ $1,400,000 \times \dfrac{10}{12} = 1,166,666$円

(2) 償却超過額

$(833,333 + {}^{※}1,500,000) - 1,166,666 = 1,166,667$円

※ $3,500,000 - 2,000,000 = 1,500,000$円

（単位：円）

	項　　　　目	金　　額	留　　保	社外流出
加算	減　価　償　却　超　過　額 （車　両　運　搬　具）	1,166,667	1,166,667	
減算				

解説

① 本問の車両運搬具は、親会社から低額で取得したものであり、時価が取得価額となります。したがって、時価と対価（支出した金額）の差額が受贈益の額となります。

② 当社は、受贈益の額を経理処理として認識していないため、償却費として損金経理をした金額として取り扱うことになります。

1．ネオンサイン

(1) 償却限度額

$400,000 \times 0.667 = 266,800$円 $\geqq 400,000 \times 0.11089 = 44,356$円

∴ $266,800 \times \dfrac{12}{12} = 266,800$円

(2) 償却超過額

$332,000 - 266,800 = 65,200$円

2．陳列ケース

(1) 受贈益の額

$6,000,000 \times \dfrac{2}{3} - 3,500,000 = 500,000$円 $> 300,000$円 ∴ $500,000$円

(2) 償却限度額

$(3,500,000 + 500,000) \times 0.333 = 1,332,000$円 $\geqq (3,500,000 + 500,000) \times 0.09911 = 396,440$円

∴ $1,332,000 \times \dfrac{11}{12} = 1,221,000$円

(3) 償却超過額

$(1,000,000 + 500,000) - 1,221,000 = 279,000$円

（単位：円）

	項　　　　目	金　額	留　保	社外流出
加算	減　価　償　却　超　過　額 （ネオンサイン） （陳　列　ケ　ー　ス）	 65,200 279,000	 65,200 279,000	
減算				

解 説

① ネオンサインは、広告宣伝専用資産であるため、受贈益の額はありません。したがって、当社が支出した金額が取得価額となります。

② 陳列ケースは特定の広告宣伝用資産に該当するため、B社の取得価額の3分の2から当社が支出した金額を控除した金額は、受贈益の額として取り扱います。本問では、この金額が300,000円を超えているため受贈益の額を認識しなければなりません。

解答 問題15 ミニテスト

1．建物

(1) 償却限度額

$(14,720,000＋2,500,000)×0.092＝1,584,240$円

(2) 償却超過額

$2,500,000－1,584,240＝915,760$円

2．機械装置

(1) 償却限度額

$(15,000,000＋150,000)×0.200＝3,030,000$円$≧(15,000,000＋150,000)×0.06552＝992,628$円

∴　$3,030,000×\dfrac{10}{12}＝2,525,000$円

(2) 償却超過額

$(5,000,000＋150,000)－2,525,000＝2,625,000$円

3．車両運搬具Ａ・Ｂ

(1) 償却限度額

① A　$(500,000＋1,000,000)×0.400＝600,000$円$≧2,800,000×0.10800＝302,400$円

∴　$600,000$円

② B　$3,300,000×0.400＝1,320,000$円$≧3,300,000×0.10800＝356,400$円

∴　$1,320,000×\dfrac{8}{12}＝880,000$円

③　①＋②＝$1,480,000$円

(2) 償却超過額

$(500,000＋1,000,000)－1,480,000＝20,000$円

4．器具備品

(1) 償却限度額

$(300,000＋2,000,000＋150,000)×0.250＝612,500$円$≧2,800,000×0.07909＝221,452$円

∴　$612,500$円

(2) 償却超過額

$300,000－612,500＝△312,500$

$312,500$円$＞150,000$円　　∴　$150,000$円

(単位：円)

	項　　　　　目	金　　額	留　　保	社外流出
加算	減価償却超過額			
	（建　　物）	915,760	915,760	
	（機械装置）	2,625,000	2,625,000	
	（車両運搬具Ａ・Ｂ）	20,000	20,000	
減算	減価償却超過額認容			
	（器具備品）	150,000	150,000	

1．事務所建物

　⑴　受贈益の額

　　　$100,000,000 - 60,000,000 = 40,000,000$円

　⑵　償却限度額

　　　$100,000,000 \times 0.020 \times \dfrac{12}{12} = 2,000,000$円

　⑶　償却超過額

　　　$(1,000,000 + 40,000,000) - 2,000,000 = 39,000,000$円

2．貨物自動車

　⑴　受贈益の額

　　　$4,800,000 \times \dfrac{2}{3} - 2,000,000 = 1,200,000$円 $> 300,000$円　　∴　$1,200,000$円

　⑵　償却限度額

　　　$(2,000,000 + 1,200,000) \times 0.200 \times \dfrac{2}{12} = 106,666$円

　⑶　償却超過額

　　　$(500,000 + 1,200,000) - 106,666 = 1,593,334$円

（単位：円）

	項　　　　目	金　　額	留　　保	社外流出
加算	減 価 償 却 超 過 額 （事 務 所 建 物） （貨 物 自 動 車）	39,000,000 1,593,334	39,000,000 1,593,334	
減算				

Chapter 2

繰延資産等

No	内　　容		標準時間	重要度	難易度
問題1	任意償却の繰延資産	計算	2分	B	基本
問題2	公共的施設負担金	計算	3分	A	基本
問題3	共同的施設負担金	計算	5分	A	基本
問題4	借家権利金	計算	5分	A	基本
問題5	広告宣伝用資産の贈与費用等	計算	7分	A	基本
問題6	分割払いの繰延資産等	計算	7分	A	応用
問題7	金銭債務の償還差損益	計算	3分	B	基本
問題8	総合	計算	15分	A	応用
問題9	ミニテスト	計算	5分	A	基本

問題1　任意償却の繰延資産　基本　2分

次の資料により、当期における繰延資産の償却限度額を計算しなさい。

(1) 法人の設立に際して支払った発起人報酬、設立登記に係る登録免許税その他法人の設立のために要した費用（令和7年5月1日に支出している。）　　　500,000円

(2) 法人の設立後事業開始までの間に、開業準備のため特別に支出した費用（令和7年8月31日に支出している。）　　　4,000,000円

(3) 市場開拓のために、特別に支出した費用（令和8年3月1日に支出している。）　　　3,000,000円

(4) 新株を交付するために要した、資本金増加の登記に係る登録免許税の額（令和8年1月20日に支出している。）　　　600,000円

問題2　公共的施設負担金　重要　基本　3分

次の資料により、各設問に答えなさい。

(1) 当社は、令和7年7月1日に、市道の舗装費用の一部負担金として3,500,000円を支出している。この市道は、当社の事業所に通ずるものであるため、その舗装費用を負担することとされたものである。

(2) 舗装道路の耐用年数は15年である。

【設問1】

舗装道路を当社が専ら使用する場合における当期の繰延資産の償却限度額を計算しなさい。

【設問2】

舗装道路が一般公衆の用にも供されるものである場合における当期の繰延資産の償却限度額を計算しなさい。

問題3　共同的施設負担金　重要　基本　5分

次の資料により、当社の当期における繰延資産の償却限度額を計算しなさい。

(1) 当社は、当社の所属する組合の展示場建物（耐用年数20年）の建設費用の一部負担金として令和7年5月1日に1,000,000円を支出している。

なお、この展示場建物は、令和7年4月1日から建設に着手されており、完成後は負担者の共同の用に供されるものである。

(2) 当社は、当社の所属する組合の会館建物（耐用年数38年）の建設費用の一部負担金として令和7年12月10日に4,500,000円を支出している。

なお、この会館建物は令和8年1月5日から建設に着手されており、完成後は組合の本来の用に供されるものである。

(3) 令和7年9月25日に、A商店街のアーケード（耐用年数15年）設置費用の負担金として200,000円を支出している。

なお、このアーケードは令和7年10月25日から建設に着手されており、同年11月30日に完成している。

理論 計算

→ 解答・解説 2－8

問題4　借家権利金

重要　基本　5分

次の１．から３．の資料ごとに、当期における繰延資産の償却超過額を計算しなさい。

１．当社は、令和７年８月25日に建物（この建物の耐用年数は47年である。）を賃借するために権利金として10,500,000円を支払い、当期の費用に計上している。

　なお、この賃借した建物は新築のものであり、権利金の額は当該建物の賃借部分の建設費の大部分に相当し、かつ、当該建物の存続期間中賃借することができるものである。

２．当社は、令和８年２月１日に建物（中古のものであり、賃借後の見積残存耐用年数は18年である。）を賃借のため権利金1,550,000円及び立退料550,000円を支払い、繰延資産として資産に計上するとともに、その償却費として100,000円を損金経理している。

　なお、この建物の賃借期間は５年であり、権利金は借家権として転売できるものである。

３．２．の場合において、当該権利金が借家権として転売できない場合の償却超過額を計算しなさい。

理論 計算

→ 解答・解説 2－9

問題5　広告宣伝用資産の贈与費用等

重要　基本　7分

次の資料により、当社の当期における税務上の調整を示しなさい。

⑴　当社は、令和７年12月15日に当社の特約代理店に対し、当社社名入りの自動車（耐用年数は５年のものであり、当社における取得価額は5,500,000円である。）を贈与し、その贈与した自動車の取得価額相当額を広告宣伝費として費用に計上している。

⑵　当社は、令和７年10月25日にリース会社から電子計算機をリースしているが、そのリースに際して支払った引取運賃及び据付費の合計額700,000円を雑損失として当期の費用に計上している。

　なお、この電子計算機の耐用年数は５年であり、賃借期間は４年である。

⑶　当社は、A社とノーハウの供与を受ける契約を令和７年７月１日に締結し、契約時において権利金として15,000,000円を支出し、当期の費用に計上している。

　なお、契約期間は６年であり、使用料はその契約日から生産量に応じて支払うことになっている。

⑷　当社は、B社と出版権の設定契約を令和７年11月15日に締結し、契約時において権利金として4,000,000円を支出し、当期の費用に計上している。なお、この契約に存続期間の定めはない。

⑸　令和７年８月７日に当社の特約店に対し、当社社名入り看板（取得価額150,000円）を贈与し、その贈与した看板の取得価額相当額を広告宣伝費として費用に計上している。

問題6　分割払いの繰延資産等

 重要 応用 7分

次の資料により、当社の当期における税務上の調整を示しなさい。

⑴　当社は当期に同業者団体に新たに加入し、当期の10月11日に支払った加入金200,000円を雑費に計上した。この団体は、構成員としての地位を他に譲渡することは認められず、また、加入金は脱退しても返還されることはない。

⑵　当社の所属する同業者団体であるF振興会が会館を建設することになり、この会館の建設費用の負担金として当社の支払うべき総額が2,000,000円と決定した。この負担金は、当社が4年間にわたり毎年4月25日に支払うこととされている。令和7年4月25日に、第1回目の負担金500,000円を損金経理により支出している。なお、会館は振興会の本来の用に供されるものである。会館は令和7年5月15日に建設に着手しているが、当社の当期末現在建物は完成していない（完成予定日は令和8年10月31日）。

　会館の耐用年数は30年である。

　〔参考数値〕：耐用年数　30年（定額法0.034／定率法0.083）

⑶　当社は令和8年1月10日に、自社商品の広告宣伝のために得意先3社に対して各1台ずつ、当社の商品名入りの自動車（取得価額2,500,000円、耐用年数5年）をそれぞれ1,000,000円で売却した。売却代金と取得価額の差額は、販売促進費として損金経理している。

問題7　金銭債務の償還差損益

基本 3分

次の資料により、当期における税務上の調整を示しなさい。

　当社は、令和7年10月1日に社債（償還期限は5年、額面金額は15,000,000円である。）を14,600,000円で発行し、その発行価額を帳簿価額として付している。

　当社は当期において、この社債の当期に係る利息750,000円及びその発行に要した費用600,000円を費用に計上しているが、その他は何ら経理処理を行っていない。

問題8 総合   重要 応用 15分

次の資料により、当社の当期における税務調整すべき金額を計算しなさい。

(1) 当社が支出した費用のうち、繰延資産に該当するものは次のとおりである。

種　類　等	支出総額	当期支出額	当期償却額	期末帳簿価額
街 灯 の 設 置 費 用	400,000円	400,000円	400,000円	0 円
広告宣伝用資産の贈与費用	180,000円	180,000円	180,000円	0 円
ノ ー ハ ウ の 頭 金	3,300,000円	0 円	0 円	0 円
建 物 権 利 金	4,300,000円	4,300,000円	1,000,000円	3,300,000円
共同アーケードの負担金	600,000円	200,000円	200,000円	400,000円

① 街灯の設置費用は、当期の 7 月15日に当社の工場周辺に街灯を設置することになりA区からその設置負担金として割り当てられたものであり、同額を翌月中に支出し損金経理している。

　なお、この街灯は主として一般公衆の便益に供されるものである。

② 広告宣伝用資産の贈与費用は、特約店であるX社に対し当社の広告宣伝を目的として、商品名入りの陳列ケースを当期の 8 月15日に贈与したものである。当社は、当該陳列ケースの取得価額全額を広告宣伝費として損金経理している。

　なお、当該陳列ケースの法定耐用年数は 8 年である。

③ ノーハウの頭金は前期に支出し全額損金経理したものであり、前期に係る確定申告書において「繰延資産償却超過額2,695,000円（加算留保）」の調整がなされている。

　なお、ノーハウの役務提供の有効期間は 6 年である。

④ 建物権利金（借家権として転売できるものではない。）は、令和 7 年 6 月 1 日に支出したものであるが、当該建物（中古）の賃借に際して支払った仲介手数料350,000円は全額損金経理している。

　なお、建物の賃借期間は令和 7 年 6 月 1 日から令和11年 5 月31日までとなっており、契約更新に際しては、家賃の 3 月分相当額の支払いを要することになっている。また、当該建物の耐用年数は22年である。

⑤ 共同アーケードの負担金は、商店街から割り当てを受けたものであり、当期から 3 年で分割払いにて負担することになっている。第 1 回目の支払いとして、当期の12月 1 日に200,000円を支払い損金経理している。

　なお、アーケードの耐用年数は15年である。

(2) (1)のほか、令和 7 年10月 1 日に社債（額面金額100,000,000円、発行価額98,700,000円、償還期限 4 年、年利率 3 ％）を発行し、取引先に引き受けてもらった。

　当社は、その発行に要した費用2,000,000円を雑損失として計上するとともに、当期分の利息1,500,000円及び額面金額と発行価額との差額について325,000円を社債利息として計上し、いずれも損金経理した（その325,000円については社債の帳簿価額98,700,000円に加算している。）。

次の資料に基づき、当社の当期における税務調整すべき金額を計算しなさい。

(1)　当社は、当期の 10 月 3 日に当社の特約店に対し当社の製品名を表示した広告宣伝用の自動車（取得価額 3,700,000 円）を特約店に 1,200,000 円で譲渡し、2,500,000 円を繰延資産として計上した上で、損金経理により償却費として 500,000 円を計上している。なお、この自動車の耐用年数は 5 年である。

(2)　当期の 9 月 30 日に当社の所属する同業者団体の会館建設に当たり、建設資金に充てるため、1,200,000 円を負担することとなった。6 年間分割であり、当期においては 10 月 5 日に 200,000 円を支出し、1,200,000 円を繰延資産に計上した上で、損金経理により償却費として 200,000 円を当期の費用に計上している。なお、この会館の耐用年数は 50 年であり、11 月 1 日に建設着工し、現在は完成し団体の会議室等として本来の用に供している。

解 答　問題1　任意償却の繰延資産

(1)　創立費　　　　500,000円

(2)　開業費　　　4,000,000円

(3)　開発費　　　3,000,000円

(4)　株式交付費　　600,000円

解 説

いずれも当期に支出した任意償却の繰延資産であり、支出額の全額を償却することができます。

解 答　問題2　公共的施設負担金

【設問1】

(1)　償却期間

$15 \times \dfrac{7}{10} = 10.5 \rightarrow 10$ 年

(2)　償却限度額

$3,500,000 \times \dfrac{9}{10 \times 12} = 262,500$ 円

【設問2】

(1)　償却期間

$15 \times \dfrac{4}{10} = 6$ 年

(2)　償却限度額

$3,500,000 \times \dfrac{9}{6 \times 12} = 437,500$ 円

解 説

①　設問1では、当社専用のものであり、償却期間は、舗装道路の耐用年数の10分の7となります。

②　設問2では、一般公衆の用にも供されることから、当社専用ではありません。したがって、償却期間は、舗装道路の耐用年数の10分の4となります。

③　償却期間の計算の結果生じた1年未満の端数は切捨てます。

解 答　問題3　共同的施設負担金

1．展示場建設負担金

(1)　償却期間

$20 \times \dfrac{7}{10} = 14$ 年

(2)　償却限度額

$1,000,000 \times \dfrac{11}{14 \times 12} = 65,476$ 円

2．会館建設負担金

(1) 償却期間

$$38 \times \frac{7}{10} = 26.6 \rightarrow 26年 > 10年 \qquad \therefore \quad 10年$$

(2) 償却限度額

$$4,500,000 \times \frac{3}{10 \times 12} = 112,500円$$

3．アーケード負担金

(1) 償却期間

5年 < 15年　　∴　5年

(2) 償却限度額

$$200,000 \times \frac{6}{5 \times 12} = 20,000円$$

解 説

① 展示場建設負担金の償却は、支出日（令和7年5月1日）と建設着手日（令和7年4月1日）のいずれか遅い日である支出日（令和7年5月1日）から開始します。

② 会館建設負担金は、組合の本来の用に供される会館の建設費用の一部負担金であり、償却期間の計算にあたっては、10年との比較が行えます。耐用年数の10分の7と10年のいずれか短い年数により償却します。

③ アーケード等の負担者と一般公衆の共同の用に供される施設等の設置費用の負担金は、5年とその資産の耐用年数のいずれか短い年数となります。

解 答　問題4　借家権利金

1．借家権利金

(1) 償却期間

$$47 \times \frac{7}{10} = 32.9 \rightarrow 32年$$

(2) 償却限度額

$$10,500,000 \times \frac{8}{32 \times 12} = 218,750円$$

(3) 償却超過額

$$10,500,000 - 218,750 = 10,281,250円$$

2．借家権利金

(1) 償却期間

$$18 \times \frac{7}{10} = 12.6 \rightarrow 12年$$

(2) 償却限度額

$$(1,550,000 + 550,000) \times \frac{2}{12 \times 12} = 29,166円$$

(3) 償却超過額

$$100,000 - 29,166 = 70,834円$$

3．借家権利金

(1) 償却期間

中古、転売不可　　∴　5年

(2) 償却限度額

$(1,550,000＋550,000)×\dfrac{2}{5×12}＝70,000$円

(3) 償却超過額

$100,000－70,000＝30,000$円

解説

① 資料1．の借家権利金は、新築のものであり、権利金の額が建設費の大部分に相当し、かつ、建物の存続期間中賃借できるものであることから、耐用年数の10分の7を償却期間として償却限度額を計算します。なお、権利金の額の全額を費用に計上していますが、その費用に計上した金額を償却費として損金経理をした金額として取り扱います。

② 資料2．では、権利金の他、立退料を支出していますが、その立退料の額も繰延資産に該当します。この借家権利金は、中古物件に係るものですが、転売できることから見積残存耐用年数の10分の7を償却期間として償却限度額を計算します。

③ 資料3．と資料2．との違いは、借家権として転売できるか否かという点です。借家権利金が中古物件に係るものであり、かつ、転売できない場合には、5年（賃借期間の5年ではなく、5年と定められている年数です。）で償却します。

(注) 本問では、「繰延資産の償却超過額を計算しなさい。」と問われているため、解答上、税務調整は示していません。

解答　問題5　広告宣伝用資産の贈与費用等

1．広告宣伝用資産（自動車）

(1) 償却期間

$5×\dfrac{7}{10}＝3.5 → 3$年＜5年　　∴　3年

(2) 償却限度額

$5,500,000×\dfrac{4}{3×12}＝611,111$円

(3) 償却超過額

$5,500,000－611,111＝4,888,889$円

2．リース付随費用

(1) 償却期間

$5×\dfrac{7}{10}＝3.5 → 3$年＜4年　　∴　3年

(2) 償却限度額

$700,000×\dfrac{6}{3×12}＝116,666$円

(3) 償却超過額

$700,000－116,666＝583,334$円

3．ノーハウの頭金

(1) 償却期間

　　5 年

(2) 償却限度額

$$15,000,000 \times \frac{9}{5 \times 12} = 2,250,000円$$

(3) 償却超過額

　　15,000,000 － 2,250,000 ＝ 12,750,000円

4．出版権の設定対価

(1) 償却期間

　　存続期間の定めなし　　∴　3 年

(2) 償却限度額

$$4,000,000 \times \frac{5}{3 \times 12} = 555,555円$$

(3) 償却超過額

　　4,000,000 － 555,555 ＝ 3,444,445円

5．広告宣伝用資産（看板）

　　150,000円＜200,000円　　∴　適正

（単位：円）

	項　　目	金　額	留　保	社外流出
加 算	繰 延 資 産 償 却 超 過 額 （広告宣伝資産・自動車） （リース付随費用） （ノーハウの頭金） （出　版　権）	4,888,889 583,334 12,750,000 3,444,445	4,888,889 583,334 12,750,000 3,444,445	
減 算				

解　説

① 資料(1)は、広告宣伝用資産の贈与費用であり、耐用年数の10分の7と5年のいずれか短い年数が償却期間となります。

② 資料(2)は、リース付随費用であり、耐用年数の10分の7（賃借期間を超えるときは賃借期間）が償却期間となります。

③ 資料(3)は、ノーハウの使用料とは別に権利金という一時金を支払っているため、その権利金はノーハウの頭金として繰延資産に該当します。償却期間は、原則として5年です。（例外として、有効期間が5年未満で更新時に再び一時金を支払う場合は有効期間となります。）

④ 資料(4)は、出版権の設定の対価であり、存続期間（存続期間の定めがない場合には3年）が償却期間となります。

⑤ 資料(5)は、広告宣伝用資産の贈与費用であり、繰延資産に該当しますが、支出額が20万円未満であり、支出額の全額を損金経理していることから、当期の損金の額に算入されます。

解 答 問題6 分割払いの繰延資産等

1．同業者団体加入金

⑴ 償却期間

5年

⑵ 償却限度額

$200,000 \times \dfrac{6}{5 \times 12} = 20,000$円

⑶ 償却超過額

$200,000 - 20,000 = 180,000$円

2．会館建設負担金

⑴ 償却期間

$30 \times \dfrac{7}{10} = 21$年 ＞ 10年　　∴　10年

⑵ 償却限度額

$500,000 \times \dfrac{11}{10 \times 12} = 45,833$円

⑶ 償却超過額

$500,000 - 45,833 = 454,167$円

3．広告宣伝用資産

⑴ 償却期間

$5 \times \dfrac{7}{10} = 3.5 \ \rightarrow \ 3$年 ＜ 5年　　∴　3年

⑵ 償却限度額

$(2,500,000 - 1,000,000) \times 3 \times \dfrac{3}{3 \times 12} = 375,000$円

⑶ 償却超過額

$(2,500,000 - 1,000,000) \times 3 - 375,000 = 4,125,000$円

（単位：円）

	項　　　目	金　額	留　保	社外流出
加	繰 延 資 産 償 却 超 過 額			
	（同業者団体加入金）	180,000	180,000	
	（会館建設負担金）	454,167	454,167	
算	（広告宣伝用資産）	4,125,000	4,125,000	
減算				

解 説

① 同業者団体の加入金の償却期間は、5年です。なお、少額の繰延資産の判定は、支出額が20万円未満であるかどうかにより行います。

② 会館建設負担金は、分割払いの繰延資産ですが、分割期間が3年以内の短期のものではないため、総額（2,000,000円）を繰延資産として償却することはできません。当期に支出した500,000円を基礎に償却限度額を計算することになります。

③　広告宣伝用資産の贈与費用は、3社に対して各1台の贈与をしていることから、3台分の贈与費用が繰延資産の額となることに注意してください。

解 答　問題7　金銭債務の償還差損益

1．社債等発行費

任意償却の繰延資産　∴　適　正

2．償還差損

(1)　損金算入額

$$(15,000,000-14,600,000)\times\frac{6}{60}=40,000円$$

(2)　差損計上もれ

40,000円

（単位：円）

	項　　　　　目	金　　額	留　　保	社外流出
加算				
減算	償　還　差　損　計　上　も　れ	40,000	40,000	

解 説

①　社債等発行費は、任意償却の繰延資産であるため、支出額の全額が当期の損金の額に算入されます。

②　社債の額面金額と発行価額との差額は、償還期限までの期間に渡って期間配分する必要があります。
なお、税務調整の項目は、損益に着目して「償還差損計上もれ」としていますが、負債に着目して「社債計上もれ」としても正解です。

解 答　問題8　総合

1．街灯

簡易な施設　∴　適　正

2．広告宣伝用資産

180,000円＜200,000円　∴　適　正

3．ノーハウの頭金

(1)　償却期間

5年

(2)　償却限度額

$$3,300,000\times\frac{12}{5\times12}=660,000円$$

(3)　償却超過額

0－660,000＝△660,000

660,000円＜2,695,000円　∴　660,000円（認　容）

4．建物権利金

(1)　償却期間

　　中古、転売不可、更新時に再び権利金を支払う　5年＞4年　∴　4年

(2)　償却限度額

$$4,300,000 \times \frac{10}{4 \times 12} = 895,833円$$

(3)　償却超過額

　　$1,000,000 - 895,833 = 104,167円$

5．共同アーケード

(1)　償却期間

　　15年＞5年　∴　5年

(2)　償却限度額

$$600,000 \times \frac{4}{5 \times 12} = 40,000円$$

(3)　償却超過額

　　$200,000 - 40,000 = 160,000円$

6．社債等発行費

　　任意償却の繰延資産　∴　適　正

7．金銭債務に係る償還差損

(1)　損金算入額

$$(100,000,000 - 98,700,000) \times \frac{6}{4 \times 12} = 162,500円$$

(2)　差損過大計上

　　$325,000 - 162,500 = 162,500円$

（単位：円）

	項　　　目	金　額	留　保	社外流出
加	繰 延 資 産 償 却 超 過 額			
	（建 物 権 利 金）	104,167	104,167	
	（共同アーケード）	160,000	160,000	
算	償 還 差 損 過 大 計 上	162,500	162,500	
減算	繰 延 資 産 償 却 超 過 額 認 容			
	（ノーハウの頭金）	660,000	660,000	

解　説

①　街灯の設置費用負担金は、簡易な施設の負担金に該当するため、支出額が20万円未満であるかどう
　　かを問わず、損金経理を要件に、その全額を当期の損金の額に算入することができます。

②　ノーハウの頭金については、前期からの繰越償却超過額がありますが、当期の償却不足額との比較
　　を行って、いずれか少ない方の金額を別表四で減算調整します。

③　本問の借家権利金は、中古物件に係るもので、借家権として転売できないものですが、賃借期間が
　　4年であり、契約更新時に再び権利金の支払いを要することから、賃借期間の4年が償却期間となり
　　ます。なお、仲介手数料の額は、繰延資産の額に含まれません。

④ 共同アーケードの負担金は、分割払いの繰延資産ですが、分割期間が３年以内の短期のものである
ため、総額（600,000円）を基礎に償却限度額を計算します。

⑤ 償還差損過大計上の税務調整の項目は、損益に着目して「償還差損過大計上」としていますが、負
債に着目して「社債過大計上」としても正解です。

解答　問題9　ミニテスト

1．広告宣伝用資産（自動車）

(1) 償却期間

$$5 \times \frac{7}{10} = 3.5 \ \rightarrow \ 3年 < 5年 \quad \therefore \quad 3年$$

(2) 償却限度額

$$2,500,000 \times \frac{6}{3 \times 12} = 416,666円$$

(3) 償却超過額

$$500,000 - (2) = 83,334円$$

2．会館建設負担金

(1) 償却期間

$$50 \times \frac{7}{10} = 35年 > 10年 \quad \therefore \quad 10年$$

(2) 償却限度額

$$200,000 \times \frac{5}{10 \times 12} = 8,333円$$

(3) 償却超過額

$$200,000 - (2) = 191,667円$$

（単位：円）

	項　　　目	金　額	留　保	社外流出
加算	繰延資産償却超過額			
	（広告宣伝用資産　）	83,334	83,334	
	（会館建設負担金　）	191,667	191,667	
減算				

Chapter 3

租税公課

問題1　損金経理の場合　　重要　基本　3分

次の資料により、当社の当期における税務上の調整を示しなさい。

当社が当期において租税公課として費用に計上した金額には、次のものが含まれている。

(1)	前期確定申告分法人税額	15,300,000円
(2)	前期確定申告分地方法人税額	1,575,900円
(3)	前期確定申告分住民税額	1,591,200円
(4)	前期確定申告分事業税	6,700,000円
(5)	(4)に係る納期限の延長に係るもの以外の延滞金	40,000円
(6)	当期中間申告分法人税額	11,200,000円
(7)	当期中間申告分地方法人税額	1,153,600円
(8)	当期中間申告分住民税額	1,164,800円
(9)	当期中間申告分事業税	3,998,000円

問題2　仮払経理の場合　重要　基本　3分

次の資料により、当社の当期における税務上の調整を示しなさい。

(1) 当社が当期において租税公課として費用に計上した金額には、次のものが含まれている。

①	固定資産税	300,000円
②	印紙税（過怠税30,000円を含む。）	127,000円
③	当社の使用人の業務遂行上に係る交通反則金	50,000円

(2) 当社は当期において次の租税の合計額14,856,000円を支払い、仮払金勘定に計上している。

①	当期中間申告分法人税の本税	10,000,000円
②	当期中間申告分地方法人税の本税	1,030,000円
③	当期中間申告分住民税の本税	1,040,000円
④	当期中間申告分事業税の本税	2,786,000円

理論 計算

→ 解答・解説　3−10

問題3　納税充当金の取扱い(1)

重要　基本　3分

次の資料により、当社の当期における税務上の調整を示しなさい。

(1) 当社は、当期の確定申告により納付することとなる法人税、地方法人税、住民税及び事業税の見込額の合計額23,000,000円を納税充当金として当期の費用に計上している。

(2) 当社は、当期において前期の確定申告に係る法人税17,400,000円、地方法人税1,792,200円、住民税1,809,600円及び事業税5,147,000円の合計額26,148,800円を、納税充当金を取り崩して納付している。

(3) 当社が、租税公課として当期の費用に計上した金額には、次のものが含まれている。

① 当期中間申告分の法人税（本税）　　　　　10,300,000円

② 当期中間申告分の地方法人税（本税）　　　　1,060,900円

③ 当期中間申告分の住民税（本税）　　　　　　1,071,200円

④ 当期中間申告分の事業税（本税）　　　　　　3,219,000円

理論 計算

→ 解答・解説　3−10

問題4　納税充当金の取扱い(2)

重要　基本　5分

次の資料により、当社の当期における税務上の調整を示しなさい。

(1) 当期における納税充当金の異動の状況は、次のとおりである。

区　　分	期首現在額	当期減少額	当期増加額	期末現在額
法　人　税	7,480,000円	7,480,000円	6,990,000円	6,990,000円
地 方 法 人 税	770,400円	770,400円	719,900円	719,900円
住　民　税	777,900円	777,900円	726,900円	726,900円
事　業　税	3,260,000円	3,260,000円	3,345,000円	3,345,000円
合　　計	12,288,300円	12,288,300円	11,781,800円	11,781,800円

（注）期首現在額及び当期増加額は、それぞれ前期及び当期において損金経理により計上した金額であり、当期減少額は、前期分の法人税、地方法人税、住民税及び事業税を納付するため取り崩したものである。

(2) 上記のほか、当期中において租税公課として費用に計上した金額は、次のとおりである。

① 当期分中間納付法人税額　　　　　　5,000,000円

② 当期分中間納付地方法人税額　　　　　515,000円

③ 当期分中間納付県市民税額　　　　　　520,000円

④ 当期分中間納付事業税額　　　　　　2,100,000円

⑤ 固定資産税　　　　　　　　　　　　　960,000円

⑥ 印紙税（うち過怠税40,000円）　　　440,000円

⑦ 役員の業務遂行上に係る交通反則金　　35,000円

⑧ 源泉所得税額に係る不納付加算税　　　13,900円

⑨ 労働保険料の納付遅延に伴う延滞金　　20,000円

理論 計算

問題5　納税充当金の取扱い(3)　　重要　基本　10分

次の資料により、各設問の当期における税務上の調整を示しなさい。

【設問1】

当期における未払法人税等の異動の状況は、次のとおりである。

区　分	期首現在額	当期減少額	当期増加額	期末現在額
法　人　税	7,480,000円	7,450,000円	6,990,000円	7,020,000円
地 方 法 人 税	770,400円	757,900円	719,900円	732,400円
住　民　税	777,900円	760,400円	726,900円	744,400円
事　業　税	3,260,000円	3,190,000円	3,345,000円	3,415,000円
合　計	12,288,300円	12,158,300円	11,781,800円	11,911,800円

（注）　期首現在額及び当期増加額は、それぞれ前期及び当期において損金経理により引当てた金額であり、当期減少額は、前期分に係る法人税等を納付するため取り崩したものである。

【設問2】

　前期分の確定申告税額のうち、法人税9,000,000円、地方法人税942,400円、住民税901,600円及び事業税5,500,000円については、未払法人税等16,344,000円を取り崩して納付しているが、不足分の法人税150,000円、住民税50,000円及び事業税50,000円については、当期の費用に計上した。

【設問3】

　前期分の確定申告税額のうち、法人税9,000,000円、地方法人税927,000円、住民税936,000円及び事業税5,500,000円については、未払法人税等16,363,000円を取り崩して納付しているが、前期に引き当てた未払法人税等の残額の500,000円については、取り崩して収益に計上している。

【設問4】

　前期分確定申告税額の法人税9,000,000円（うち延滞税300,000円）、地方法人税926,100円（うち納付遅延に係る延滞金30,000円）、住民税934,800円（うち納付遅延に係る延滞金30,000円）及び事業税3,000,000円（うち納付遅延に係る延滞金90,000円）について、未払法人税等13,860,900円を取り崩して充当した。

問題6　法人税等調整額

重要　基本　3分

次の資料により、納税充当金及び法人税等調整額に係る税務上の調整を示しなさい。

（設問1）

当社の当期における損益計算書の末尾は、次のように記載されている。

損益計算書

税引前当期純利益		120,000,000円
法人税・住民税及び事業税	60,000,000円	
法人税等調整額	△　15,000,000円	45,000,000円
当期純利益		75,000,000円

（設問2）

当社の当期における損益計算書の末尾は、次のように記載されている。

損益計算書

税引前当期純利益		90,000,000円
法人税・住民税及び事業税	27,000,000円	
法人税等調整額	13,000,000円	40,000,000円
当期純利益		50,000,000円

（注）上記（**設問1**）及び（**設問2**）の資料中、「法人税・住民税及び事業税」の金額は、当期分の確定申告により納付することとなる法人税、地方法人税、住民税及び事業税の見込額を損金経理により未払法人税等として計上したものである。

問題7　総合(1)　　　　　　　　　　　　　　　重要　応用　10分

次の資料により、税務上の調整を示しなさい。

(1)　当社が当期の確定申告により納付することとなる法人税、地方法人税、住民税及び事業税の見込額の合計額は30,000,000円であり、未払法人税等として当期の費用に計上している。

(2)　当社が当期中に納付した次の税額については、前期の費用に計上した未払法人税等30,000,000円を取り崩し、残額については、雑損失として当期の費用に計上している。

　　①　前期確定申告分法人税　　　　　　　　　　　20,500,000円
　　②　前期確定申告分地方法人税　　　　　　　　　　2,111,500円
　　③　前期確定申告分住民税　　　　　　　　　　　　2,132,000円
　　④　前期確定申告分事業税　　　　　　　　　　　　6,000,000円

(3)　当期中に租税公課として費用に計上した金額は、次のとおりである。

　　①　当期中間申告分法人税　　　　　　　　　　　　9,500,000円
　　②　当期中間申告分地方法人税　　　　　　　　　　　978,500円
　　③　当期中間申告分住民税　　　　　　　　　　　　　988,000円
　　④　当期中間申告分事業税　　　　　　　　　　　　3,160,000円
　　⑤　固定資産税　　　　　　　　　　　　　　　　　　850,000円
　　⑥　印紙税　　　　　　　　　　　　55,000円（うち過怠税5,000円含む。）
　　⑦　事業に係る事業所税　　　　　　　　　100,000円（注）
　　⑧　当社の役員の業務中の交通違反に係る交通反則金　70,000円

　　（注）　申告期限未到来分を未払計上した300,000円のうち、製造原価に配賦した200,000円を控除した金額である。

| 問題8 | 総合(2) | | 重要 | 応用 | 10分 |

次の資料により、税務上の調整を示しなさい。

(1) 当期の確定申告により納付することとなる法人税、地方法人税、住民税及び事業税の見込額の合計額は26,320,000円であり、この金額を未払法人税等として当期の費用に計上している。

(2) 当期中に納付した次の税額については、前期の費用に計上した未払法人税等を取り崩す経理を行っている。

①	前期確定申告分法人税	15,300,000円
②	前期確定申告分地方法人税	1,575,900円
③	前期確定申告分住民税	1,591,200円
④	前期確定申告分事業税	4,267,000円

(3) 当期中に納付した次の税額については、仮払金勘定に計上している。

①	当期中間申告分法人税	12,000,000円
②	当期中間申告分地方法人税	1,236,000円
③	当期中間申告分住民税	1,248,000円
④	当期中間申告分事業税	4,107,000円

(4) 当期中に納付した次の税額については、租税公課として当期の費用に計上している。

①	固定資産税	750,000円
②	自動車税	87,000円
③	印紙税（うち過怠税5,000円を含む。）	145,000円
④	商品運搬中における使用人の交通違反に係る反則金	46,000円
⑤	源泉徴収された所得税額及び復興特別所得税額（全額が控除の対象となる。）	321,615円

(5) 当期中間申告分事業税のうち未払のものが1,101,000円あるが、何らの処理もされていない。

(6) 前期において仮払金勘定に計上した前期中間申告分の法人税8,000,000円、地方法人税824,000円、住民税832,000円及び事業税2,325,000円については、当期において租税公課勘定に振り替える経理処理を行っている。

(7) 当期における繰延税金資産及び繰延税金負債の異動によって生じた法人税等調整額は1,140,000円であり、当期の収益に計上されている。

問題9 ミニテスト
重要 基礎 7分

次の資料により、税務上の調整を示しなさい。

⑴ 当期の確定申告により納付することとなる法人税、住民税及び事業税に充てるため、581,768,000 円（うち事業税分 84,040,000 円）を当期の法人税、地方法人税、住民税及び事業税勘定に計上することにより納税充当金勘定に繰り入れている。

⑵ 当期に納付した前期分の確定申告に係る法人税 481,640,000 円、地方法人税 49,608,900 円、住民税 50,090,500 円及び事業税 135,664,000 円については、前期から繰り越された納税充当金勘定 720,000,000 円の全額を取り崩す経理（納税充当金勘定の取崩額とこれらの納付税額との差額は雑収入に計上している。）を行っている。

⑶ 当期の費用に計上した租税公課のうちには、次のものがある。なお、下記の①から③については、法人税、住民税及び事業税勘定に計上し、その他のものについては、租税公課勘定に計上している。

①	当期中間申告分の法人税	385,560,000円
②	当期中間申告分の事業税	113,024,000円
③	当期中間申告分の地方法人税	39,712,600円
④	当期中間申告分の住民税	40,098,200円
⑤	役員の業務中に係る交通違反に対して課された罰金	180,000円
⑥	印紙税	15,296,000円
		（過怠税 1,400,000 円を含む。）
⑦	労働保険料の納付遅延に伴う延滞金	14,300円
⑧	固定資産税・都市計画税	27,536,000円

解答　問題1　損金経理の場合

（単位：円）

	項　目	金　額	留　保	社外流出
加算	損 金 経 理 法 人 税	26,500,000	26,500,000	
	損 金 経 理 地 方 法 人 税	2,729,500	2,729,500	
	損 金 経 理 住 民 税	2,756,000	2,756,000	
	損 金 経 理 附 帯 税 等	40,000		40,000
減算				

解 説

① 損金経理の場合には、損金不算入の租税について、加算調整が必要です。

② 納期限延長に係るもの以外の延滞金は損金不算入となります。

③ 法人税本税、地方法人税本税及び住民税本税は、損金不算入となります。

解答　問題2　仮払経理の場合

（単位：円）

	項　目	金　額	留　保	社外流出
加算	損 金 経 理 法 人 税	10,000,000	10,000,000	
	損 金 経 理 地 方 法 人 税	1,030,000	1,030,000	
	損 金 経 理 住 民 税	1,040,000	1,040,000	
	損 金 経 理 過 怠 税	30,000		30,000
	損 金 経 理 罰 科 金 等	50,000		50,000
減算	仮 払 税 金 認 定 損	14,856,000	14,856,000	

解 説

① 印紙税の過怠税は、損金不算入となります。

② 業務遂行上の交通反則金は、罰科金等として損金不算入となります。

③ 仮払経理の場合には、仮払経理により納付した租税の全額を、一旦、減算調整します。その後、損金不算入の租税について、あらためて加算調整することになります。

（単位：円）

	項　　　目	金　　額	留　　保	社外流出
加算	損 金 経 理 法 人 税	10,300,000	10,300,000	
	損 金 経 理 地 方 法 人 税	1,060,900	1,060,900	
	損 金 経 理 住 民 税	1,071,200	1,071,200	
	損 金 経 理 納 税 充 当 金	23,000,000	23,000,000	
減算	納 税 充 当 金 支 出 事 業 税 等	5,147,000	5,147,000	

解 説

①　納税充当金の繰入額は、債務未確定費用の計上となるため、損金不算入とされます。

②　納税充当金を取り崩して納付した租税のうち、法人税の本税、地方法人税の本税及び住民税の本税以外の金額について減算調整します。

（単位：円）

	項　　　目	金　　額	留　　保	社外流出
加算	損 金 経 理 法 人 税	5,000,000	5,000,000	
	損 金 経 理 地 方 法 人 税	515,000	515,000	
	損 金 経 理 住 民 税	520,000	520,000	
	損 金 経 理 納 税 充 当 金	11,781,800	11,781,800	
	損 金 経 理 附 帯 税 等	13,900		13,900
	損 金 経 理 過 怠 税	40,000		40,000
	損 金 経 理 罰 科 金 等	35,000		35,000
減算	納 税 充 当 金 支 出 事 業 税 等	3,260,000	3,260,000	

解 説

①　源泉所得税額に係る不納付加算税は、損金不算入とされます。

②　労働保険料の納付遅延に伴う延滞金は、損金不算入の租税公課として規定されていないため、損金算入されることになります。

解答　問題5　納税充当金の取扱い(3)

【設問1】

（単位：円）

	項　目	金　額	留　保	社外流出
加算	損 金 経 理 納 税 充 当 金	11,781,800	11,781,800	
減算	納 税 充 当 金 支 出 事 業 税 等	3,190,000	3,190,000	

【設問2】

（単位：円）

	項　目	金　額	留　保	社外流出
加算	損 金 経 理 法 人 税 損 金 経 理 住 民 税	150,000 50,000	150,000 50,000	
減算	納 税 充 当 金 支 出 事 業 税 等	5,500,000	5,500,000	

【設問3】

納税充当金支出事業税等

5,500,000＋500,000＝6,000,000円

（単位：円）

	項　目	金　額	留　保	社外流出
加算				
減算	納 税 充 当 金 支 出 事 業 税 等	6,000,000	6,000,000	

【設問4】

(1)　納税充当金支出事業税等

13,860,900－(9,000,000－300,000)－(926,100－30,000)－(934,800－30,000)＝3,360,000円

(2)　損金経理附帯税等

300,000＋30,000＋30,000＋90,000＝450,000円

（単位：円）

	項　目	金　額	留　保	社外流出
加算	損 金 経 理 附 帯 税 等	450,000		450,000
減算	納 税 充 当 金 支 出 事 業 税 等	3,360,000	3,360,000	

① 　納税充当金を取り崩して納付した租税のうち、法人税の本税、地方法人税の本税及び住民税の本税以外の金額について減算調整します。

② 　【設問2】では、引当不足額について、損金経理により納付しているため、法人税及び住民税については加算調整が必要です。

③ 　【設問3】では、過大引当分について、納税充当金を取り崩して収益に計上しているため、減算調整が必要です。なお、納税充当金支出事業税等の額に含めて減算調整をします。

④ 　【設問4】では、附帯税を含めて、納税充当金を取り崩して納付していますが、納税充当金を取り崩して納付した金額のうち、法人税の本税、地方法人税の本税及び住民税の本税以外の金額を、一旦減算調整し、その減算調整した金額のうち、損金不算入の租税についてあらためて加算調整することになります。

解　答　問題6　法人税等調整額

（設問1）

（単位：円）

	項　　　目	金　　額	留　　保	社外流出
加算	損 金 経 理 納 税 充 当 金	60,000,000	60,000,000	
減算	法 人 税 等 調 整 額	15,000,000	15,000,000	

（設問2）

（単位：円）

	項　　　目	金　　額	留　　保	社外流出
加算	損 金 経 理 納 税 充 当 金	27,000,000	27,000,000	
	法 人 税 等 調 整 額	13,000,000	13,000,000	
減算				

解　説

① 　設問1の法人税等調整額は、法人税・住民税及び事業税から減算され、収益に計上されている状態になっているため、別表四で減算調整が必要になります。

② 　設問2の法人税等調整額は、法人税・住民税及び事業税に加算され、費用に計上されている状態になっているため、別表四で加算調整が必要になります。

Ch 1
Ch 2
Ch 3
Ch 4
Ch 5
Ch 6
Ch 7
Ch 8
Ch 9
Ch 10
Ch 11
Ch 12
Ch 13
Ch 14
Ch 15
Ch 16
Ch 17
総合問題

解 答　問題7　総合(1)

（単位：円）

	項　　目	金　額	留　保	社外流出
加	損 金 経 理 法 人 税	9,500,000	9,500,000	
	損 金 経 理 地 方 法 人 税	978,500	978,500	
	損 金 経 理 住 民 税	988,000	988,000	
	損 金 経 理 納 税 充 当 金	30,000,000	30,000,000	
	損 金 経 理 過 怠 税	5,000		5,000
算	未 払 事 業 所 税 否 認	100,000	100,000	
	損 金 経 理 罰 金 等	70,000		70,000
減算	納 税 充 当 金 支 出 事 業 税 等	5,256,500	5,256,500	

解 説

① 申告期限未到来の事業所税は、原則として、未払計上は認められませんが、製造原価に算入した部分については、未払計上した事業年度の損金の額に算入することができます。したがって、本問では、製造原価に配賦された金額を控除した後の租税公課として費用に計上されている部分について、未払事業所税否認の加算調整をすることになります。

② 業務遂行上の交通反則金は、役員に係るものと使用人に係るもので区別する必要はありません。いずれも、罰科金等として損金不算入となります。

(1) 仮払税金認定損

12,000,000＋1,236,000＋1,248,000＋4,107,000＝18,591,000円

(2) 仮払税金消却否認

8,000,000＋824,000＋832,000＋2,325,000＝11,981,000円

（単位：円）

	項　　　目	金　額	留　保	社外流出
加	損 金 経 理 法 人 税	12,000,000	12,000,000	
	損 金 経 理 地 方 法 人 税	1,236,000	1,236,000	
	損 金 経 理 住 民 税	1,248,000	1,248,000	
	損 金 経 理 納 税 充 当 金	26,320,000	26,320,000	
	損 金 経 理 罰 科 金 等	46,000		46,000
	損 金 経 理 過 怠 税	5,000		5,000
算	仮 払 税 金 消 却 否 認	11,981,000	11,981,000	
減	納 税 充 当 金 支 出 事 業 税 等	4,267,000	4,267,000	
	仮 払 税 金 認 定 損	18,591,000	18,591,000	
	未 払 事 業 税 認 定 損	1,101,000	1,101,000	
算	法 人 税 等 調 整 額	1,140,000	1,140,000	
	仮　　　　　計	×××	×××	×××
法 人 税 額 控 除 所 得 税 額		321,615		321,615

解 説

① 商品運搬中における交通違反に係る反則金は、業務の遂行上生じたものであり、罰科金等として損金不算入になります。

② 当期分中間申告事業税は、当期の損金の額に算入されますが、何ら経理をしていないため、未払事業税認定損の減算調整を行って認識することになります。

③ 法人税等調整額は、益金の額にも損金の額にも算入されませんが、収益に計上されているため、別表四で減算調整が必要になります。

解 答　問題9　ミニテスト

納税充当金支出事業税等

$720,000,000 - 481,640,000 - 49,608,900 - 50,090,500 = 138,660,600$円

（単位：円）

	項　目	金　額	留　保	社外流出
加	損　金　経　理　法　人　税	385,560,000	385,560,000	
	損　金　経　理　地　方　法　人　税	39,712,600	39,712,600	
	損　金　経　理　住　民　税	40,098,200	40,098,200	
	損　金　経　理　納　税　充　当　金	581,768,000	581,768,000	
算	損　金　経　理　過　怠　税	1,400,000		1,400,000
	損　金　経　理　罰　科　金　等	180,000		180,000
減算	納　税　充　当　金　支　出　事　業　税　等	138,660,600	138,660,600	

········ *Memorandum Sheet* ·······

Chapter 4

受取配当等の益金不算入

問題1　配当等の額の範囲

次の資料により、当社の当期における受取配当等の益金不算入額を計算しなさい。

(1) 当社が当期において収受し、収益に計上した受取配当等の額は、次のとおりである。

銘　　柄　　等	内　　　　容	金　　　額	計　　算　　期　　間
A　　株　　式	剰 余 金 の 配 当	770,000円	令和7．2．1〜令和8．1．31
B　　株　　式	剰 余 金 の 配 当	623,000円	令和6．7．1〜令和7．6．30
C　　株　　式	剰 余 金 の 配 当	131,000円	令和7．1．1〜令和7．12．31
D 特 定 株 式 投 資 信 託	収 益 分 配 金	94,000円	令和7．4．1〜令和8．3．31
E 証 券 投 資 信 託	収 益 分 配 金	122,000円	令和6．6．1〜令和7．5．31
F 公 社 債 投 資 信 託	収 益 分 配 金	25,000円	令和6．10．1〜令和7．9．30
G 協 同 組 合 出 資	剰 余 金 の 配 当	120,000円	令和7．1．1〜令和7．12．31
銀　行　預　金	預 金 利 子	138,000円	

(注1) 当社はB株式会社の発行済株式総数の50%を保有している。

(注2) E証券投資信託は、その信託財産の75%超を外貨表示の株式に対する投資として運用されるものである。

(注3) G協同組合の配当のうち、出資に係るものは99,000円であり、残額は事業分量分配金である。

(注4) 上表中の株式等はすべて内国法人の発行する株式等であり、株式等の所有割合が明示されていないものは非支配目的株式等に該当する。

(2) 受取配当等から控除すべき負債の利子は、24,920円である。

理論 計算

問題2　益金不算入額の計算　　　　重要　応用　10分

次の資料により、当社の当期における受取配当等の益金不算入額に係る税務上の調整を示しなさい。

⑴　当社が、当期において支払いを受けた配当等の額は、次のとおりである。当社は、配当等の額から源泉徴収税額控除後の差引手取額を当期の収益に計上している。

銘　柄　等	内　容	計　算　期　間	配当等の額
A　株　式	剰余金の配当	令7．1．1～令7．12．31	1,000,000円
B　株　式	剰余金の配当	令6．10．1～令7．9．30	500,000円
C　株　式	剰余金の配当	令7．1．1～令7．12．31	800,000円
D　株　式	剰余金の配当	令7．1．1～令7．12．31	300,000円
E　農業協同組合	剰余金の配当	令6．10．1～令7．9．30	250,000円
F　公社債投資信託	収益分配金	令6．6．1～令7．5．31	350,000円
Gオープン型証券投資信託	収益分配金	令6．11．1～令7．10．31	500,000円
Hユニット型証券投資信託	収益分配金	令7．1．1～令7．12．31	200,000円
I　銀行預金	利　子	———	700,000円

（注1）　A株式の発行済株式総数200,000株のうち、当社が80,000株を所有している。

（注2）　B株式は令和7年9月5日にX証券会社に売却したものであるが、譲受人の名義書換失念により当社に入金されたものである。

（注3）　C株式の発行済株式総数10,000株のすべてを当社が所有している。

（注4）　D株式の発行法人であるD社は、当社が25％の出資をして国内に設立した法人である。

（注5）　Gオープン型証券投資信託は、信託財産を主として、内国法人の発行する株式に運用するものである。

（注6）　Hユニット型証券投資信託は、信託財産の外貨建資産割合は25％超50％以下とされるものであり、非株式割合は50％超75％以下とされるものである。

⑵　控除負債利子は40,00円である。

⑶　上表中の株式等はすべて内国法人の発行する株式等であり、株式等の所有割合が明示されていないものは非支配目的株式等に該当する。

問題3　短期所有株式等(1)

重要 基本 5分

次の資料により、当社の当期における配当等の額を計算しなさい。

(1)　当社が、当期において支払いを受けた配当等の額は、次のとおりである。

銘　柄　等	内　　容	配　当　等　の　計　算　期　間	配当等の額
A　株　式	剰余金の配当	令和6年10月1日～令和7年9月30日	900,000円
B　出　資	剰余金の配当	令和7年1月1日～令和7年12月31日	660,000円

（注1）　A株式の異動状況は、次のとおりである。なお、配当基準日は毎年9月30日と定められている。

①　令和7年8月31日現在の持株数　　　　　　　　　　65,000株

②　令和7年9月1日～令和7年9月30日の取得株数　　35,000株

③　同上期間中の譲渡株数　　　　　　　　　　　　　20,000株

④　令和7年10月1日～令和7年11月30日の取得株数　45,000株

⑤　同上期間中の譲渡株数　　　　　　　　　　　　　50,000株

（注2）　B出資は88,000口を令和7年12月14日に取得し、そのうち33,000口を令和8年2月7日に売却している。なお、配当基準日は毎年12月31日と定められている。

(2)　A株式及びB出資は、いずれも内国法人の発行するものであり、非支配目的株式等に該当する。

問題4　短期所有株式等(2)

重要 基本 5分

次の資料により、当社の当期における受取配当等の益金不算入額に係る税務上の調整を示しなさい。

当社が、当期においてA株式会社（内国法人である。以下「A社」という。）から支払を受け、収益に計上した受取配当の額は、次のとおりである。

受取配当の額	源泉徴収税額	収益計上額	配当の計算期間
840,000円	60,034円	779,966円	令6.10.1～令7.3.31
500,000円	35,735円	464,265円	令7.4.1～令7.9.30

（注1）　A社が発行するA株式の異動状況は、次のとおりである。

なお、A社は配当基準日を毎年9月30日及び3月31日と定めている。

①　令和6年9月30日現在の所有株式数　　30,000株

②　令和7年3月11日に取得した株式数　　70,000株

③　令和7年5月8日に譲渡した株式数　　　10,000株

④　令和7年12月26日に取得した株式数　　40,000株

⑤　令和8年3月31日現在の所有株式数　　130,000株

（注2）　当社はA株式について、A社の発行済株式総数の5％以上を保有したことはない。

問題5 控除負債利子

　次の資料により、当社の当期における受取配当等の益金不算入額の計算上、配当等の額から控除される負債利子の額を計算しなさい。

(1)　当社が当期において、支払利息として費用に計上した金額は4,849,000円であり、その内訳は次のとおりである。

① 取引の対価として受取った手形の割引料 　　　　　　　　　　　　　　　　　660,000円

② 社債の利子 　　　　　　　　　　　　　　　　　　　　　　　　　　　　　1,000,000円

③ 当社が発行した社債に係る償還差損の当期対応額(税務上の適正額である。) 　860,000円

④ 利子税及び地方税の延滞金 　　　　　　　　　　　　　　　　　　　　　　　　94,000円

⑤ 銀行借入金の利子 　　　　　　　　　　　　　　　　　　　　　　　　　　1,301,000円

⑥ 割賦販売契約により取得した固定資産に係る割賦利息 　　　　　　　　　　　384,000円

⑦ 売掛金の支払いを期日前に受けたことによる売上割引料 　　　　　　　　　　550,000円

(2)　関連法人株式等はA社株式だけでその配当等の額は20,000,000円である。

問題6　総　合

重要　応用　20分

次の資料により、当社の当期における受取配当等の益金不算入額に係る税務上の調整を示しなさい。

(1) 当社は当期において、次に掲げる配当等の支払いを受け、源泉徴収税額控除後の差引手取額を収益に計上している。

銘　柄　等	区　　分	配 当 等 の 計 算 期 間	配 当 等 の 額	備 考
A　株　式	剰余金の配当	令6.10.1～令7.9.30	2,620,000円	注1
B　株　式	剰余金の配当	令6.4.1～令7.3.31	1,100,000円	注2
C公社債投資信託	収益の分配	令7.1.1～令7.12.31	745,000円	
D証券投資信託	収益の分配	令6.8.1～令7.7.31	1,730,000円	注3
銀　行　預　金	預金利子	－	940,000円	

(注1)　A株式の異動状況は、次のとおりである。なお、配当基準日は毎年9月30日と定められており、株式の保有割合は1％未満である。

　　① 令和7年8月31日現在所有株式数　27,000株

　　② 令和7年9月10日取得株式数　　　9,000株

　　③ 令和7年11月5日譲渡株式数　　　9,000株

(注2)　B株式は、関連法人株式等に該当するものである。

(注3)　D証券投資信託は、その信託財産の50％を超え、かつ、75％以下を外貨建証券等とすることを指図することができるものである。

(注4)　当社は、上表中の株式等以外にE株式を保有しているが、ここ数年、配当は受け取っていない。なお、E株式は、保有割合50％である。

(注5)　上表中の株式等及びE株式は、すべて内国法人の発行する株式等である。

(2) 当社が当期において支払った利子等の額は11,549,000円であり、内訳は次のとおりである。

① 従業員の社内預金に対する利子　　　　　　　　　　　　　　　　　　　750,000円

② 法人税の利子税　　　　　　　　　　　　　　　　　　　　　　　　　　225,000円

③ 受取手形の割引料(うち融通手形の割引料が425,000円含まれている。)　940,000円

④ 買掛金を手形で支払ったことによる割引料負担額　　　　　　　　　　　955,000円

⑤ 売上割引料　　　　　　　　　　　　　　　　　　　　　　　　　　　　930,000円

⑥ 市町村民税の納付遅延に伴う延滞金　　　　　　　　　　　　　　　　　107,000円

⑦ 保険会社からの借入金に係る利子　　　　　　　　　　　　　　　　　3,176,000円

⑧ 信用金庫からの手形借入金に係る利子　　　　　　　　　　　　　　　1,668,000円

⑨ 固定資産の取得価額に算入した負債利子　　　　　　　　　　　　　　　256,000円

⑩ 割賦販売契約により購入した資産の取得価額に含めていない割賦利息　　333,000円

⑪ 割賦販売契約により購入した資産の取得価額に含めた割賦利息　　　　　310,000円

⑫ 社債利子　　　　　　　　　　　　　　　　　　　　　　　　　　　　1,223,000円

⑬ 社債の額面金額と発行価額との差額のうち当期対応額(税務上適正額)　　676,000円

理論 計算

問題7 ミニテスト 重要 基本 3分

次の資料に基づき、当社の当期における受取配当等の益金不算入額を計算しなさい。

(1) 甲社が当期に収受した配当等は次のとおりであり、いずれも配当等の額を収益に計上している。なお株式その他の元本は、特に指示があるものを除き、すべて数年前から所有しており、取得後元本の異動はない。

(単位：円)

銘柄等	区分	計算期間	配当等の額	源泉徴収税額	備考
A 株 式	確定配当	令6.4.1 ～令7.3.31	1,750,000	－	(注1)
B 証 券 投資信託	収益分配金	令6.10.1 ～令7.9.30	256,000	39,206	(注2)

(注1) A株式は前期の8月に 20,000,000 円で発行済株式数の 35％を取得したものであり、配当の支払効力発生日は、毎期5月20日となっている。

(注2) B証券投資信託は、特定株式投資信託に該当し、当期の8月1日に取得している。

(2) 配当等の額から控除すべき負債利子の額は 70,000 円である。

解答 問題1 配当等の額の範囲

(1) 配当等の額

① 関連法人株式等

      B

623,000円

② 非支配目的株式等

      A   C   D   G

770,000＋131,000＋94,000＋99,000＝1,094,000円

(2) 控除負債利子の額

24,920円

(3) 益金不算入額

$(623,000-24,920)+1,094,000×20\%=816,880$円

(単位：円)

	項　　　　目	金　　額	留　　保	社外流出
加算				
減算	受取配当等の益金不算入額	816,880		※ 816,880

解説

① B株式は、当社が発行済株式総数の3分の1超を保有していることから、関連法人株式等に該当します。

② 特定株式投資信託は、非支配目的株式等に該当します。その他の証券投資信託の収益分配金は、配当等の額となりません。

③ G協同組合の配当のうち、事業分量分配金は出資に係るものでないため配当等の額に含まれません。

解答 問題2 益金不算入額の計算

(1) 配当等の額

① 完全子法人株式等

800,000円

② 関連法人株式等

1,000,000円

③ その他株式等

300,000円

④ 非支配目的株式等

250,000円

(2) 控除負債利子の額

40,000円

(3) 益金不算入額

$800,000 + (1,000,000 - 40,000) + 300,000 \times 50\% + 250,000 \times 20\% = 1,960,000$円

（単位：円）

	項　　　目	金　　額	留　　保	社外流出
加算				
減算	受 取 配 当 等 の 益 金 不 算 入 額	1,960,000		※ 1,960,000

解 説

① A株式の保有割合は40％（80,000株／200,000株）のため、関連法人株式等（3分の1超）に該当しますが、D株式の保有割合は25％であることから、その他株式等（5％超かつ3分の1以下）に該当します。

② B株式に係る剰余金の配当は、名義書換失念株配当金であり、配当等の額に含まれません。

③ C株式は、当社の保有割合が100％であることから、完全子法人株式等に該当します。

解 答　問題3　短期所有株式等(1)

(1) 短期所有株式等に係る配当等の額

① A株式

$$50,000 \times \frac{80,000 \times \dfrac{35,000}{65,000 + 35,000}}{{}^{※}80,000 + 45,000} = 11,200株$$

※　基準日所有株数　$65,000 + 35,000 - 20,000 = 80,000$株

$$900,000 \times \frac{11,200}{80,000} = 126,000円$$

② B出資

$$660,000 \times \frac{33,000}{88,000} = 247,500円$$

(2) 配当等の額（非支配目的株式等）

$(900,000 - 126,000) + (660,000 - 247,500) = 1,186,500$円

①　A株式に係る短期所有株式等の数は、次の算式により計算します。

$$P = E \times \frac{C \times \dfrac{B}{A+B}}{C+D}$$

P：短期所有株式等の数

A：基準日以前1月前の日の所有株式等の数　…　本問の場合 65,000 株

B：基準日以前1月以内の取得株式等の数　…　本問の場合 35,000 株

C：基準日の所有株式等の数　…本問の場合 80,000 株（65,000＋35,000−20,000）

D：基準日後2月以内の取得株式等の数　…　本問の場合 45,000 株

E：基準日後2月以内の譲渡株式等の数　…　本問の場合 50,000 株

②　B出資は、基準日以前1月以内の令和7年12月14日に88,000口を取得し、基準日後2月以内の令和8年2月7日に33,000口を売却していることから、その売却した出資の全口が短期所有株式等の数になります。

解　答　問題4　短期所有株式等(2)

(1)　短期所有株式等に係る配当等の額

$$10,000 \times \frac{100,000 \times \dfrac{70,000}{30,000+70,000}}{{}^{※}100,000} = 7,000株$$

※　30,000＋70,000＝100,000株

$$840,000 \times \frac{7,000}{100,000} = 58,800円$$

(2)　配当等の額（非支配目的株式等）

（840,000−58,800）＋500,000＝1,281,200円

(3)　益金不算入額

1,281,200×20%＝256,240円

（単位：円）

	項　　　　　目	金　　額	留　保	社外流出
加算				
減算	受取配当等の益金不算入額	256,240		※　256,240

解 説

短期所有株式等の数は、次の算式により計算します。

$$P = E \times \frac{C \times \dfrac{B}{A+B}}{C+D}$$

　P：短期所有株式等の数

　A：基準日以前1月前の日の所有株式等の数　…　本問の場合 30,000 株

　B：基準日以前1月以内の取得株式等の数　…　本問の場合 70,000 株

　C：基準日の所有株式等の数　…本問の場合 100,000 株（30,000 株＋70,000 株）

　D：基準日後2月以内の取得株式等の数　…　本問の場合なし

　E：基準日後2月以内の譲渡株式等の数　…　本問の場合 10,000 株

解 答　問題5　控除負債利子

控除負債利子の額

① 当期支払負債利子

　4,849,000－94,000－550,000＝4,205,000円

② 控除負債利子の額

　イ　配当等の額基準額

　　20,000,000×4％＝800,000円

　ロ　支払負債利子基準額

　　①×10％＝420,500円

　ハ　イ＞ロ　　∴　420,500円

解 説

次のものは、当期支払負債利子に含まれません。

(イ)　利子税、延滞金

(ロ)　取得価額に含めた割賦利子

(ハ)　売上割引料

したがって、本問では、利子税及び地方税の延滞金と売掛金の支払いを期日前に受けたことによる売上割引料の額は、当期支払負債利子に含まれません。

解答 問題6 総合

(1) 短期所有株式等に係る配当等の額（A株式）

$$9,000 \times \frac{36,000 \times \dfrac{9,000}{27,000+9,000}}{{}^{※}36,000}=2,250株$$

※ $27,000+9,000=36,000株$

$$2,620,000 \times \frac{2,250}{36,000}=163,750円$$

(2) 配当等の額

① 関連法人株式等

1,100,000円

② 非支配目的株式等

$2,620,000-163,750=2,456,250円$

(3) 控除負債利子の額

① 当期支払負債利子

$11,549,000-225,000-930,000-107,000-310,000=9,977,000円$

② 控除負債利子の額

イ 配当等の額基準額

$1,100,000 \times 4\%=44,000円$

ロ 支払負債利子基準額

$① \times 10\%=997,700円$

ハ イ＜ロ ∴ 44,000円

(4) 益金不算入額

$((2)①-(3))+2,456,250 \times 20\%=1,547,250円$

（単位：円）

	項　　　目	金　額	留　保	社外流出
加算				
減算	受取配当等の益金不算入額	1,547,250		※ 1,547,250

解説

① A株式は、基準日（9月30日）以前1月以内の9月10日に取得し、基準日後2月以内の11月5日に譲渡していることから、短期所有株式等に係る配当等の額を計算する必要があります。

② E株式は関連法人株式等ですが、配当を受け取っていないことから、控除負債利子の額の計算には、関係しません。

Ch 1
Ch 2
Ch 3
Ch 4
Ch 5
Ch 6
Ch 7
Ch 8
Ch 9
Ch 10
Ch 11
Ch 12
Ch 13
Ch 14
Ch 15
Ch 16
Ch 17
総合問題

解 答　問題7　ミニテスト

(1) 配当等の額

　① 関連法人株式等

　　1,750,000円

　② 非支配目的株式等

　　256,000円

(2) 控除負債利子の額

　70,000円

(3) 益金不算入額

　$(1,750,000 - 70,000) + 256,000 \times 20\% = 1,731,200$円

（単位：円）

	項　　　目	金　　額	留　保	社外流出
加算				
減算	受取配当等の益金不算入額	1,731,200		※ 1,731,200

········ *Memorandum Sheet* ········

Chapter 5

所得税額控除

No	内　　容		標準時間	重要度	難易度
問題1	個別法	計算	6分	A	基本
問題2	簡便法	計算	6分	A	基本
問題3	個別法と簡便法の選択	計算	8分	A	基本
問題4	未収配当等に対する所得税額控除⑴	計算	10分	B	応用
問題5	未収配当等に対する所得税額控除⑵	計算	6分	B	応用
問題6	総　合	計算	15分	A	応用
問題7	ミニテスト	計算	8分	A	基本

問題1　個別法

重要　基本　6分

次の資料により、法人税額から控除される所得税額を個別法により計算しなさい。

当社が当期において、源泉徴収された所得税額等の内訳は、次のとおりである。

区　　　　　分	銘　柄　等	配 当 等 の 計 算 期 間	源泉徴収税額	取得年月日
剰余金の配当	A　社　株　式	令6．8．1～令7．7．31	234,830円	令7．2．9
剰余金の配当	B　社　株　式	令7．1．1～令7．12.31	61,260円	令5．4．1
収 益 分 配 金	C証券投資信託	令6．10.1～令7．9.30	26,035円	（注1）
預　金　利　子	D 銀 行 預 金	———	459,450円	———

（注1）　C証券投資信託は、令和7年3月26日に取得したものであり、その信託財産を主として内国法人が発行する株式に運用するものである。

（注2）　源泉徴収税額のうちA社株式に係るもの4,830円、B社株式に係るもの1,260円、C証券投資信託に係るもの535円及びD銀行預金に係るもの9,450円は復興特別所得税額であり、他はすべて所得税額である。

問題2　簡便法

重要　基本　6分

次の資料により、法人税額から控除される所得税額を簡便法により計算しなさい。

当社が当期において、源泉徴収された所得税額等の内訳は、次のとおりである。

銘　柄　等	区　　　　　分	配 当 等 の 計 算 期 間	源 泉 徴 収 税 額	取得年月日
A　社　株　式	剰余金の配当	令6．8．1～令7．7．31	234,830円	令7．3.14
B　社　株　式	剰余金の配当	令7．1．1～令7．12.31	61,260円	令5．4．1
C証券投資信託	収 益 分 配 金	令6．10.1～令7．9.30	26,035円	（注1）
D 銀 行 預 金	預 金 利 子	———	459,450円	———

（注1）　C証券投資信託は、令和7年3月18日に取得したものであり、その信託財産を主として内国法人が発行する株式に運用するものである。

（注2）　源泉徴収税額のうちA社株式に係るもの4,830円、B社株式に係るもの1,260円、C証券投資信託に係るもの535円及びD銀行預金に係るもの9,450円は復興特別所得税額であり、他はすべて所得税額である。

理論 計算 　　　　　　　　　　　　　　　　　　　　　　　　　 → 解答・解説　5－8

問題3　個別法と簡便法の選択　　　　　　　　　　　　重要　基本　8分

次の資料により、当社の当期における法人税額から控除される所得税額を計算しなさい。

(1)　当社は、A株式を令和7年4月1日に15,000株、令和7年8月1日に35,000株をそれぞれ取得し、令和8年3月2日に剰余金の配当の額1,400,000円（配当等の計算期間は令和7年1月1日から令和7年12月31日までである。）を収受し、源泉徴収所得税額214,410円（うち4,410円は、復興特別所得税額である。）控除後の差引手取額を当期の収益に計上している。

(2)　当社は、B証券投資信託を令和7年11月15日に取得し、収益分配金400,000円（配当等の計算期間は令和6年12月1日から令和7年11月30日までである。）を収受し、源泉徴収所得税額61,260円（うち1,260円は、復興特別所得税額である。）控除後の差引手取額を当期の収益に計上している。

理論 計算 　　　　　　　　　　　　　　　　　　　　　　　　　 → 解答・解説　5－9

問題4　未収配当等に対する所得税額控除(1)　　　　　　　　　応用　10分

次の資料により、当社の当期における税務上の調整を示しなさい。

当社が当期において収益に計上した配当等の額は、次のとおりである。なお、源泉徴収税額については当期の費用に計上している。

取得年月日	銘　柄　等	計　算　期　間	配当等の額	源泉徴収税額	備考
令4．10．3	A　株　式 （剰余金の配当）	令7．1．1～令7．12．31	1,500,000円	229,725円 （うち　4,725円）	注1
令6．11．30	B　株　式 （剰余金の配当）	令6．10．1～令7．9．30	1,270,000円	259,334円 （うち　5,334円）	注2
令7．4．1	C　協　同　組　合 （剰余金の配当）	令6．6．1～令7．5．31	300,000円	45,945円 （うち　　945円）	注3
令7．8．11	D証券投資信託 （収益分配金）	令6．9．1～令7．8．31	3,650,000円	558,997円 （うち11,497円）	注4

（注1）　令和8年3月20日の株主総会において確定した配当金（効力発生日は令和8年3月30日である。）であるが、当期末現在未収のものである。当社は未収収益として経理している。

（注2）　B株式は当社の役員名義で5,000株を取得したものであるが、取得資金は当社から支出されている。なお、令和7年11月30日に1,000株を譲渡している。

（注3）　出資に係るものであり、事業分量分配金は含まれていない。

（注4）　信託財産が主として内国法人が発行する株式等に運用されるものである。

（注5）　源泉徴収税額のうち（　）書の金額は、復興特別所得税額である。なお、上記の配当等は、すべて内国法人から受けたものであり、D証券投資信託を除き非支配目的株式等に該当するものである。

問題5 未収配当等に対する所得税額控除(2) 応用 6分

次の資料により、当社の当期における税務上の調整を示しなさい。

当社が当期において収受した配当等の額は、次のとおりである。なお、A株式（非支配目的株式等に該当する。）は数年前から所有し、元本の数に異動はない。

銘　柄　等	配　当　等　の　額	源泉徴収税額	差　引　手　取　額	備　　考
A　株　式	500,000円	102,100円	397,900円	（注１）
銀　行　預　金	232,000円	35,530円	196,470円	（注２）

（注１）　A株式に係る剰余金の配当（令和6年2月1日から令和7年1月31日までの計算期間に係るもの。）は、令和7年3月25日の株主総会で配当決議がされたもの（効力発生日は令和7年3月28日である。）であり、当期中に入金され源泉徴収税額控除後の金額を収益計上したものである（前期において適正に申告調整がされている。）。

　　　　なお、令和7年2月1日から令和8年1月31日までの計算期間に係る剰余金の配当300,000円（源泉徴収税額は61,260円（うち1,260円は復興特別所得税額である。）である。）は、令和8年3月27日の株主総会で決議されている（効力発生日は令和8年3月30日である。）が、当期末現在未収であるため何ら処理されていない。

（注２）　源泉徴収税額のうち、A株式に係る2,100円及び銀行預金に係る730円は復興特別所得税額であり、残額はすべて所得税額である。

問題6　総　合　　　　　　　　　　　　重要　応用　15分

次の資料により、当社の当期における法人税額から控除される所得税額を計算しなさい。

(1)　当社は、当期において次の配当等の額の支払いを受け、配当等の額から源泉徴収税額を控除した差引手取額を当期の収益に計上している。なお、配当等の額は、すべて内国法人から支払いを受けたものである。

銘　柄　等	配当等の額	源泉徴収税額	配当等の計算期間	当期首現在所有元本数	当期末現在所有元本数
A　株　式 （剰余金の配当）	500,000円	76,575円 （内 1,575円）	令7.1.1 〜令7.12.31	5,000株	0株
B　株　式 （剰余金の配当）	750,000円	114,862円 （内 2,362円）	令6.10.1 〜令7.9.30	4,000株	1,000株
C　株　式 （剰余金の配当）	1,960,000円	300,174円 （内 6,174円）	令6.4.1 〜令7.3.31	70,000株	70,000株
D 証券投資信託 （収益分配金）	268,000円	41,044円 （内　844円）	令6.7.1 〜令7.6.30	0口	8,000口
E 証券投資信託 （収益分配金）	400,000円	61,260円 （内 1,260円）	令7.1.1 〜令7.12.31	0口	5,000口
F　社　債 （社債利子）	240,000円	36,756円 （内　756円）	令7.1.1 〜令7.12.31	500口	300口
銀　行　預　金 （利　子）	930,000円	142,429円 （内 2,929円）	——	——	——

（注1）　A株式は、いわゆる名義書換え失念株である。

（注2）　B株式は、令和6年1月13日に取得したもので、当期の令和7年5月22日に2,000株を譲渡、令和7年9月7日に1,000株を取得し、令和7年11月8日に2,000株を譲渡している。

（注3）　C株式は、令和6年3月10日に53,000株を取得し、令和6年7月20日に17,000株を追加取得している。

（注4）　D証券投資信託は、令和7年2月15日に取得したものであるが、その信託財産を主として内国法人が発行する株式等に運用するものである。

（注5）　E証券投資信託は、令和7年9月1日に取得したものである。

(2)　源泉徴収税額欄の（　）書きは、復興特別所得税額である。

問題7 ミニテスト

重要 基本 8分

次の資料により、当社の当期における法人税額から控除される所得税額を計算しなさい。

(1) 当期中に以下の配当等を収受し、源泉徴収税額控除後の手取額を当期の収益に計上している。

銘 柄 等	区 分	計算期間	源泉徴収税額	備考
A 社 株 式	確 定 配 当	令和6年4月1日〜令和7年3月31日	203,150 円	注1
B 社 株 式	確 定 配 当	令和6年10月1日〜令和7年9月30日	115,315 円	注2
C 証券投資信託	収 益 分 配 金	令和6年11月1日〜令和7年10月31日	32,288 円	注3
D公社債投資信託	収 益 分 配 金	令和6年11月1日〜令和7年10月31日	57,657 円	注4

注1　数年前に1,000株取得し、その後3,000株を令和7年3月31日に取得している。

注2　令和6年10月1日に取得している。

注3　令和7年4月15日に取得している。

注4　令和7年8月1日に取得している。

解 答　問題1　個別法

(1) 株式出資

$$234,830 \times \frac{6}{12}(0.500) + 61,260 = 178,675円$$

(2) 受益権

$$26,035 \times \frac{7}{12}(0.584) = 15,204円$$

(3) その他

459,450円

(4) 合 計

(1)＋(2)＋(3)＝653,329円（別表四加算・別表一控除）

(単位：円)

	項　　　　目	金　　額	留　　保	社外流出
加算				
減算				
	仮　　　計	×××	×××	×××
法　人　税　額　控　除　所　得　税　額		653,329		653,329

解 説

① 個別法は、元本の所有期間に応じて、実際の所有期間に対応する所得税額を計算します 。

② 月数については「1月未満切上」、割合については「小数点以下3位未満切上」の端数処理があります。

③ 所得税額に係る法人税額控除所得税額は、別表四で加算調整するとともに、同額を別表一で税額控除することになります。

(1) 株式出資

$$234,830 \times \frac{0+(1-0)\times\frac{1}{2}}{1}(0.500)+61,260=178,675円$$

(2) 受益権

$$26,035 \times \frac{0+(1-0)\times\frac{1}{2}}{1}(0.500)=13,017円$$

(3) その他

459,450円

(4) 合 計

(1)+(2)+(3)=651,142円 （別表四加算・別表一控除）

(単位：円)

	項　　　　　目	金　　額	留　　保	社外流出
加算				
減算				
	仮　　　　計	×××	×××	×××
法 人 税 額 控 除 所 得 税 額		651,142		651,142

解 説

① 簡便法は、配当等の計算期間中に増加した元本は、すべて配当等の計算期間の期央に取得したものと仮定して計算する方法です。実際の所有期間とは関係させずに計算することになります。

② 割合については、「小数点以下3位未満切上」の端数処理があります。

解 答 問題3 個別法と簡便法の選択

(1) 株式出資

① 個別法

$$214,410 \times \frac{15,000}{{}^{※}50,000}\times\frac{9}{12}(0.750)+214,410\times\frac{35,000}{50,000}\times\frac{5}{12}(0.417)=110,828円$$

※ 15,000+35,000=50,000株

② 簡便法

$$214,410 \times \frac{0+(50,000-0)\times\frac{1}{2}}{50,000}(0.500)=107,205円$$

③ ①＞② ∴ 110,828円

Ch 1
Ch 2
Ch 3
Ch 4
Ch 5
Ch 6
Ch 7
Ch 8
Ch 9
Ch 10
Ch 11
Ch 12
Ch 13
Ch 14
Ch 15
Ch 16
Ch 17
総合問題

(2) 受益権 ($\frac{1}{12} < \frac{1}{2}$　∴　簡便法有利)

$$61,260 \times \frac{0+(1-0)\times\frac{1}{2}}{1}\,(0.500) = 30,630円$$

(3) 合　計

(1)＋(2)＝141,458円 （別表四加算・別表一控除）

（単位：円）

	項　　　　目	金　　額	留　　保	社外流出
加算				
減算				
	仮　　　計	×××	×××	×××
法　人　税　額　控　除　所　得　税　額		141,458		141,458

解　説

① 個別法と簡便法は、配当等の元本を、株式出資、受益権の２つのグループに区分して、区分ごとに選択することになります。本問では、A株式は「株式出資」の区分であり、B証券投資信託は「受益権」の区分に該当しますので、それぞれ個別法と簡便法の有利な方法によることができます。

② B証券投資信託は、配当等の計算期間中に増加した元本の所有期間が１月であり、個別法では源泉徴収所得税額の12分の１しか控除できないのに対し、簡便法では源泉徴収所得税額の２分の１を控除することができるため、明らかに簡便法が有利になります。

解　答 　問題4　未収配当等に対する所得税額控除(1)

1. 受取配当等の益金不算入額

(1) 配当等の額（非支配目的株式等）

1,500,000＋1,270,000＋300,000＝3,070,000円

(2) 益金不算入額

3,070,000×20％＝614,000円

２．法人税額控除所得税額

(1) 株式出資

① 個別法

A株式　229,725円

B株式　$259,334 \times \dfrac{11}{12}(0.917) = 237,809$円

C出資　$45,945 \times \dfrac{2}{12}(0.167) = 7,672$円

合　計　475,206円

② 簡便法

A株式　229,725円

B株式　$259,334 \times \dfrac{0 + (5,000 - 0) \times \dfrac{1}{2}}{5,000}(0.500) = 129,667$円

C出資　$45,945 \times \dfrac{0 + (1 - 0) \times \dfrac{1}{2}}{1}(0.500) = 22,972$円

合　計　382,364円

③　①＞②　∴　475,206円

(2) 受益権 $\left(\dfrac{1}{12} < \dfrac{1}{2} \quad ∴ \quad 簡便法有利 \right)$

$558,997 \times \dfrac{0 + (1 - 0) \times \dfrac{1}{2}}{1}(0.500) = 279,498$円

(3) 合　計

(1)＋(2)＝754,704円（別表四加算・別表一控除）

（単位：円）

	項　　　　目	金　　額	留　　保	社外流出
加算				
減算	受 取 配 当 等 の 益 金 不 算 入 額	614,000		※　614,000
	仮　　　　計	××××	××××	××××
法 人 税 額 控 除 所 得 税 額		754,704		754,704

解　説

① A株式に係る配当等の額は、効力発生日が当期中にあるものであり、当期の受取配当等の益金不算入の計算の対象となる配当等の額になります。なお、当社は未収収益として計上していることから、配当の認識に係る税務調整は必要ありません。また、源泉徴収税額は、所得税額控除の対象となります。

② B株式に係る配当等の額は、名義株配当金であり、受取配当等の益金不算入の計算及び所得税額控除の計算の対象となります。

③ C協同組合の剰余金の配当は、出資に係るものであり、「株式出資」の区分で控除税額を計算します。

解　答　問題5　未収配当等に対する所得税額控除(2)

1．受取配当等の益金不算入額

(1)　配当等の額

300,000円

(2)　益金不算入額

$300,000 \times 20\% = 60,000$円

2．法人税額控除所得税額

(1)　株式出資

102,100円

(2)　その他

35,530円

(3)　合　計

(1)+(2)＝137,630円（別表四加算・別表一控除）

（単位：円）

	項　　目	金　額	留　保	社外流出
加算	未 収 配 当 計 上 も れ	300,000	300,000	
減算	未 収 配 当 計 上 も れ 認 容	500,000	500,000	
	受 取 配 当 等 の 益 金 不 算 入 額	60,000		※　60,000
	仮　　　　計	×××	×××	×××
法 人 税 額 控 除 所 得 税 額		137,630		137,630

解　説

①　A株式に係る当期に認識すべき配当等の額は、令和8年3月30日を効力発生日とする300,000円ですが、当社は何ら処理していないことから、未収配当計上もれの加算調整が必要になります。この金額が当期の配当等の額であり、受取配当等の益金不算入の対象とします。ただし、源泉徴収税額は、配当等を未収配当として経理処理上認識していないため、当期の所得税額控除の対象とすることはできません。

②　A株式に係る令和7年3月28日を効力発生日とする配当等の額500,000円については、効力発生日が前期であるため、前期に認識すべき配当等の額です。前期の配当等であるにもかかわらず、当期の収益に計上してしまっていることから、未収配当計上もれ認容の減算調整が必要になります。なお、当期の配当等ではないため、当期の受取配当等の益金不算入の計算の対象には含まれませんが、源泉徴収税額は当期の所得税額控除の対象となります。

(1) 株式出資

① 個別法

(イ) B株式 $114,862 \times \dfrac{^{※2}2,000}{^{※1}3,000} + 114,862 \times \dfrac{1,000}{3,000} \times \dfrac{1}{12}(0.084) = 79,790$円

※1 $4,000 - 2,000 + 1,000 = 3,000$株

※2 $4,000 - 2,000 = 2,000$株

(ロ) C株式 $300,174 \times \dfrac{53,000}{^{※}70,000} + 300,174 \times \dfrac{17,000}{70,000} \times \dfrac{9}{12}(0.750) = 281,948$円

※ $53,000 + 17,000 = 70,000$株

(ハ) 合 計

(イ)＋(ロ)＝361,738円

② 簡便法

(イ) B株式 $114,862 \times \dfrac{^{※}3,000}{3,000}(1.000) = 114,862$円

※ 計算期間開始時4,000株＞計算期間終了時3,000株 ∴ 3,000

(ロ) C株式 $300,174 \times \dfrac{53,000 + (70,000 - 53,000) \times \dfrac{1}{2}}{70,000}(0.879) = 263,852$円

(ハ) 合 計

(イ)＋(ロ)＝378,714円

③ ①＜② ∴ 378,714円

(2) 受益権 $\left(\dfrac{5}{12}、\dfrac{4}{12} < \dfrac{1}{2} \quad ∴ \text{簡便法有利}\right)$

① D証券投信 $41,044 \times \dfrac{0 + (8,000 - 0) \times \dfrac{1}{2}}{8,000}(0.500) = 20,522$円

② E証券投信 $61,260 \times \dfrac{0 + (5,000 - 0) \times \dfrac{1}{2}}{5,000}(0.500) = 30,630$円

③ 合 計

①＋②＝51,152円

(3) その他

$36,756 + 142,429 = 179,185$円

(4) 合 計

(1)＋(2)＋(3)＝609,051円（別表四加算・別表一控除）

	項　　　　目	金　　額	留　　保	社外流出
加算				
減算				
仮　　　　計		×××	×××	×××
法 人 税 額 控 除 所 得 税 額		609,051		609,051

解　説

① A株式は、名義書換え失念株であり、その配当等の額及び源泉徴収税額は、受取配当等の益金不算入及び所得税額控除の対象とすることはできません。

② B株式は、計算期間開始時において4,000株で、計算期間終了時（当期末のことではありません。）の令和7年9月30日においては3,000株のため、簡便法の計算で割合が1を超えない措置が取られることになります。したがって、分子は分母と同数とされることになります（テキスト5-7参照）。

解　答　問題7　ミニテスト

⑴　株式出資

①　個別法

$$203,150 \times \frac{1,000}{4,000} + 203,150 \times \frac{3,000}{4,000} \times \frac{12}{12}(0.084) + 115,315 \times \frac{12}{12}(1.000) = 178,900円$$

②　簡便法

$$203,150 \times \frac{1,000 + (4,000 - 1,000) \times \frac{1}{2}}{4,000}(0.625) + 115,315 \times \frac{1}{2}(0.500) = 184,625円$$

③　①＜②　　∴　184,625円

⑵　受益権（$\frac{7}{12} > \frac{1}{2}$　　∴　個別法有利）

$$32,288 \times \frac{7}{12}(0.584) = 18,856円$$

⑶　その他

57,657円

⑷　合　計

⑴＋⑵＋⑶＝261,138円

（単位：円）

	項　　　目	金　　額	留　　保	社外流出
加算				
減算				
	仮　　　計	×××	×××	×××
法　人　税　額　控　除　所　得　税　額		261,138		261,138

（100）*5-14*

Chapter 6

同族会社等

No	内　　　容		標準時間	重要度	難易度
問題1	同族会社の判定（特殊の関係のある個人）	計算	2分	A	基本
問題2	同族会社の判定（特殊の関係のある法人）	計算	2分	A	基本
問題3	使用人兼務役員の判定	計算	5分	A	基本
問題4	議決権割合	計算	10分	A	応用
問題5	総合	計算	7分	A	応用
問題6	ミニテスト	計算	7分	A	基本

| 理論 | 計算 |

→ 解答・解説　6－5

問題1　同族会社の判定（特殊の関係のある個人）

重要　基本　2分

次の資料により、当社の同族会社の判定を示しなさい。

当社の株主は、次のとおりである。

氏　　名	持株割合	備　　　　考
A　　氏	15%	当社の代表取締役社長である。
B　　氏	5%	A氏の妻である。
C　　氏	3%	A氏の長女である。
D　　氏	15%	当社の専務取締役である。
E　　氏	5%	D氏の甥である。
F　　氏	10%	A氏の知人である。
その他の株主	47%	持株割合は3％未満であり、上記の株主との間に、特殊な関係はない。

| 理論 | 計算 |

→ 解答・解説　6－5

問題2　同族会社の判定（特殊の関係のある法人）

重要　基本　2分

次の資料により、当社の同族会社の判定を示しなさい。

当社の株主は、次のとおりである。

氏　名　等	持株割合	備　　　　考
A　　氏	20%	
B　　氏	10%	A氏の友人である。
C　　氏	5%	B氏の姉である。
D株式会社	10%	D株式会社の発行済株式総数の35％はA氏が所有し、20％はA氏の妻が所有している。
E株式会社	7%	E株式会社は、同族会社に該当しない法人である。
F　　氏	5%	
その他の株主	43%	持株割合は5％未満であり、上記の株主との間に、特殊な関係はない。

理論 計算

→ 解答・解説 6-5

問題3　使用人兼務役員の判定

重要　基本　5分

次の資料により、当社の同族会社及び使用人兼務役員の判定を示しなさい。

当社の株主は、次のとおりである。なお、C氏、E氏及びF氏は、常時使用人としての職務に従事していると認められる。

氏　　名	持株割合	備　　　　考
A　氏	15%	代表取締役社長である。
B　氏	10%	A氏の弟であり、専務取締役である。
C　氏	10%	B氏の妻であり、取締役財務部長である。
D　氏	10%	A氏の友人であり、常務取締役である。
E　氏	7%	A氏の友人であり、取締役人事部長である。
F　氏	3%	A氏の甥であり、取締役営業部長である。
その他少数株主	45%	持株割合は5%未満であり、上記の株主との間に、特殊な関係はない。
合　　計	100%	―

理論 計算

→ 解答・解説 6-6

問題4　議決権割合

重要　応用　10分

次の資料により、当社の同族会社及び役員等の判定をしなさい。

当社の株主の構成は、次のとおりである。なお、D及びEは、常時使用人としての職務に従事している。また、F及びHは、常時役員会に出席するなど実質的に経営に従事している。

氏名等	役　職　名	持　株　数	議決権数	備　　　考
A氏	代表取締役社長	3,000株	300個	
B氏	専務取締役	1,500株	150個	A氏の知人である。
C氏	常務取締役	1,000株	100個	A氏の知人である。
D氏	取締役財務部長	500株	50個	A氏の甥である。
E氏	取締役営業部長	500株	50個	C氏の長男である。
F氏	総務部長	500株	50個	A氏の弟である。
G㈱	――――	1,500株	150個	B氏及びB氏の妻がG株式会社の発行済株式総数の70%を所有している。
H氏	人事部長	50株	5個	B氏の兄である。
その他	少数株主	1,450株	―	議決権のない株式である。
合　　計		10,000株	855個	

問題5　総合 　　　　　　　　　　　　　　　　重要 ▶ 応用 7分

次の資料により、当社の同族会社及び役員等の判定を示しなさい。

当社の株主は、次のとおりである。なお、F及びGは、常時使用人としての職務に従事している。

氏　名　等	役　職　名	持株割合	備　　　　　　考
A　氏	代 表 取 締 役	15%	
B　氏	専 務 取 締 役	10%	A氏の長男である。
C　氏	常 務 取 締 役	16%	A氏の友人である。
D　氏	取締役営業担当	10%	A氏の友人である。
E　氏	庶 務 課 長	3％	A氏の妻であり、当社の経営に従事している。
F　氏	取締役営業部長	6％	C氏の弟である。
G　氏	取締役財務部長	8％	A氏の友人である。
H　社	——	2％	G氏がH社の発行済株式総数の60%を保有している。
その他少数株主	——	30%	
合　　　　　計		100%	

問題6　ミニテスト 　　　　　　　　　　　　重要 ▶ 基本 7分

次の資料により、当社の同族会社及び役員等の判定を示しなさい。

次の資料により、同族会社の判定及び役員等の判定を示しなさい。

氏名・役職名	続　柄	持　株　数
乙株式会社	−	100,000株
A代表取締役社長	−	40,000株
B専務取締役	Aの長男	20,000株
C常務取締役	Aの友人	15,000株
D取締役総務部長	Aの友人	10,000株
E取締役営業担当	Aの友人	5,000株
F人事部長	Aの友人	5,000株
G監査役	Aの友人	−
その他		5,000株
合　　　　計		200,000株

（注1）乙株式会社は非同族会社である。

（注2）D取締役総務部長は、常時使用人としての職務に従事している。

（注3）F人事部長は、法人の経営に従事している。

| Ch 1 |
| Ch 2 |
| Ch 3 |
| Ch 4 |
| Ch 5 |
| **Ch 6** |
| Ch 7 |
| Ch 8 |
| Ch 9 |
| Ch 10 |
| Ch 11 |
| Ch 12 |
| Ch 13 |
| Ch 14 |
| Ch 15 |
| Ch 16 |
| Ch 17 |
| 総合問題 |

解答 問題1 同族会社の判定（特殊の関係のある個人）

同族会社の判定

(1) Aグループ

A（15%）＋B（5%）＋C（3%）＝23%

(2) Dグループ

D（15%）＋E（5%）＝20%

(3) Fグループ

10%

(4) (1)＋(2)＋(3)＝53%＞50%　　∴　同族会社

解 説

　同族会社の判定では、株主等の1人とその同族関係者を1つのグループとして集計する必要があります。株主等の親族の持株割合を集計します。

解答 問題2 同族会社の判定（特殊の関係のある法人）

同族会社の判定

(1) Aグループ

A（20%）＋D株式会社（10%）＝30%

(2) Bグループ

B（10%）＋C（5%）＝15%

(3) Eグループ

7%

(4) (1)＋(2)＋(3)＝52%＞50%　　∴　同族会社

解 説

　個人株主とその親族で、他の会社の発行済株式総数の50%超を有する場合には、その会社は特殊の関係のある法人として、その株主グループを構成します。

解答 問題3 使用人兼務役員の判定

1．同族会社の判定

(1) Aグループ

A（15%）＋B（10%）＋C（10%）＋F（3%）＝38%

(2) Dグループ

10%

(3) Eグループ

7%

(4) (1)＋(2)＋(3)＝55%＞50%　　∴　同族会社

2．役員等の判定

	50%超	10%超	5％超	判　定
C	○	○	○	役　　　員
E	○	×	－	使用人兼務役員
F	○	○	×	使用人兼務役員

解 説

① 　当社は同族会社に該当するため、持株割合等による使用人兼務役員の判定が必要です。判定対象者は、同族会社の使用人としての地位及び職務を有する役員であることから、本問では、C（取締役財務部長）、E（取締役人事部長）及びF（取締役営業部長）が該当します。

② 　所有割合を基礎に、50%超基準、10%超基準及び５％超基準を全て満たした場合には、使用人兼務役員になれません（役員とされます。）。逆に、３つの基準のうち１つでも基準を満たさない場合には、使用人兼務役員とされます。

解 答　問題4　議決権割合

1．同族会社の判定

(1)　持株割合

①　Aグループ

A (3,000) ＋ D (500) ＋ F (500) ＝ 4,000株

②　Bグループ

B (1,500) ＋ G㈱ (1,500) ＋ H (50) ＝ 3,050株

③　Cグループ

C (1,000) ＋ E (500) ＝ 1,500株

④　合　計

$$\frac{①＋②＋③}{10,000}＝85.5\%$$

(2)　議決権割合

①　Aグループ

A (300) ＋ D (50) ＋ F (50) ＝ 400個

②　Bグループ

B (150) ＋ G㈱ (150) ＋ H (5) ＝ 305個

③　Cグループ

C (100) ＋ E (50) ＝ 150個

④　合　計

$$\frac{①＋②＋③}{855}＝100\%$$

(3)　(1)＜(2)　　∴　100%

(4)　100%＞50%　　∴　同族会社

２．役員等の判定

	50%超※1	10%超	5％超	判　定
D	○	○	○	役　　　員
E	×	－	－	使用人兼務役員
F（経営従事）	○	○	○	みなし役員
H（経営従事）※2	○	○	×	使　用　人

	Aグループ		Bグループ	
※1　①	400	＋	305	＝705個
②	$\dfrac{①}{855}$	＝	82.4…%	＞50%

※2　Hは役員であるBの親族であるため特殊関係使用人となる。

解　説

① 同族会社の判定は、持株数と議決権数の両方が資料に与えられている場合には、その両方の集計をし、持株割合と議決権割合のいずれか多い割合により判定します。

② 使用人兼務役員の判定対象者は、本問では、D（取締役財務部長）及びE（取締役営業部長）が該当します。

③ みなし役員の判定対象者は、同族会社の使用人で経営に従事している者であるため、本問では、F（経営従事・総務部長）及びH（経営従事・人事部長）が該当します。

④ 50%超基準、10%超基準及び5％超基準の判定は、同族会社の判定の基礎になった割合により行うため、本問では、議決権割合により行います。

解　答　問題5　総合

1．同族会社の判定

(1) Aグループ

A（15%）＋B（10%）＋E（3％）＝28%

(2) Cグループ

C（16%）＋F（6％）＝22%

(3) Dグループ

10%

(4) Gグループ

G（8％）＋H社（2％）＝10%

(5) (1)＋(2)＋(3)（又は(4)）＝60%＞50%　∴　同族会社

2．役員等の判定

	50%超	10%超	5％超	判　定
E（経営従事）	○	○	○	みなし役員
F	○	○	○	役　　　員
G	○	×	－	使用人兼務役員

① Eのみなし役員の判定については、E単独の所有割合は5％を超えていませんが、配偶者であるAの所有割合と合計した18％で判定するため、Eは5％超基準を満たすことになります。

② DグループとGグループは、所有割合がともに10％で同順位（第3順位）の株主グループに該当します。50％超基準の判定（役員等の判定）をする場合には、所有割合が同じ株主グループは、同順位の株主グループとして取り扱うため、Gは50％超基準を満たすことになります。なお、同族会社の判定は、常に3グループ以下で50％を超えるかどうかを判定するため、同順位だからといって、4グループで判定することはありません。

解 答　問題6　ミニテスト

1．同族会社の判定

(1) 乙社（非同族会社）　　　　　　　100,000 株

(2) Aグループ　40,000株＋20,000株＝60,000株

(3) Cグループ　　　　　　　　　　　15,000株

(4) $\dfrac{100,000株＋60,000株＋15,000株}{200,000株} = 87.5\% > 50\%$　　　∴　同族会社

2．役員等の判定

	50％超	10％超	5％超	判　定
D	×	—	—	使用人兼務役員
F（経営従事）	×	—	—	使　用　人

Chapter 7

給与等

No	内　容		標準時間	重要度	難易度
問題1	役員給与（実質基準）	計算	7分	A	基本
問題2	役員給与（形式基準）	計算	5分	A	基本
問題3	役員給与（実質基準と形式基準の比較）	計算	12分	A	応用
問題4	役員退職給与	計算	5分	A	基本
問題5	役員給与（増額）	計算	2分	A	応用
問題6	役員給与（減額）	計算	3分	A	応用
問題7	使用人賞与	計算	5分	B	基本
問題8	特殊関係使用人給与	計算	7分	B	基本
問題9	ミニテスト	計算	7分	A	基本

問題1　役員給与（実質基準）　　重要　基本　7分

次の資料により、当社の当期における税務上の調整を示しなさい。

(1)　当社が当期において、役員に支給した給与は次のとおりである。当社は、支給した給与の額を当期の費用に計上している。

氏　　　名	役　職　名	支給した給与の額		税務上の役員給与の適正額
		役　員　分	使　用　人　分	
A　氏	代　表　取　締　役	33,000,000円	——	30,000,000円
B　氏	専　務　取　締　役	25,000,000円	——	25,000,000円
C　氏	取　締　役　経　理　担　当	20,000,000円	——	22,000,000円
D　氏	取　締　役　営　業　部　長	18,500,000円	5,800,000円	22,000,000円
E　氏	取　締　役　人　事　部　長	15,400,000円	6,500,000円	22,000,000円
F　氏	営　業　課　長	——	12,000,000円	10,000,000円
G　氏	監　査　役	10,000,000円	——	10,000,000円
合　　計	——	121,900,000円	24,300,000円	141,000,000円

（注1）　D氏は判定の結果、役員に該当し、E氏は使用人兼務役員となった。なお、F氏は法人税法上のみなし役員に該当する。

（注2）　税務上の役員給与適正額のうちには、使用人兼務役員の使用人分適正額6,000,000円が含まれている。

(2)　当社は、期末資本金の額が50,000,000円の同族会社の該当する法人である。

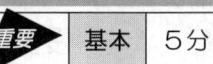

| 問題2 | 役員給与（形式基準） | 重要 | 基本 | 5分 |

次の資料により、当社（非同族会社である。）の当期における税務上の調整を示しなさい。

(1) 当社の当期における給与の支給状況は次のとおりであり、支給した給与の額を当期の費用に計上している。

氏　　　名	役　　職　　名	支給した給与の額	
		役　　員　　分	使　用　人　分
A　氏	会　　　　　長	10,000,000円	——
B　氏	代　表　取　締　役	12,000,000円	——
C　氏	専　務　取　締　役	10,000,000円	——
D　氏	取　締　役　総　務　担　当	8,500,000円	4,500,000円
E　氏	取　締　役　財　務　部　長	7,500,000円	3,700,000円
F　氏	経　理　課　長	——	4,500,000円
G　氏	監　査　役	8,000,000円	——
合　　　　　計		56,000,000円	12,700,000円

(2) 役員に対して支給した給与の額は、各人ごとの役員給与としては適正額の範囲内である。なお、A氏は会社の経営に従事しており、E氏は常時使用人としての職務に従事している。

(3) 当社は定款において、取締役及び監査役に対する役員給与の支給限度額を使用人兼務役員の使用人分を含めて取締役45,000,000円、監査役10,000,000円と定めている。なお、使用人兼務役員の使用人としての職務に対する給与としての相当額は4,500,000円である。

問題3 役員給与（実質基準と形式基準の比較）　重要 ▶ 応用 12分

次の資料により、当社の同族会社及び役員等の判定を示すとともに、税務上の調整を示しなさい。

(1) 当社の当期末における株主の状況及び当期の報酬・給与の支給状況等に関する資料は、次のとおりである。当社は、支給した報酬・給料につき、当期の費用に計上している。

氏名（役職名等）	株式保有割合	続　　　　柄	報　酬　・　給　料	
			役　員　分	使　用　人　分
A氏（代表取締役社長）	13%	――	15,000,000円	――
B氏（専務取締役）	7%	A　の　兄	12,000,000円	――
C氏（常務取締役）	5%	A　の　弟	10,800,000円	――
D氏（常務取締役）	5%	A　の　友　人	11,000,000円	――
E氏（監査役）	3%	D　の　妻	4,800,000円	――
F氏（取締役営業部長）	4%	D　の　長　男	4,800,000円	4,100,000円
G氏（取締役営業部長）	2%	B　の　友　人	3,600,000円	3,300,000円
H氏（取締役工場長）	5%	A　の　長　男	3,200,000円	4,300,000円
I氏（総務部長）	2%	H　の　妻	――	3,500,000円
J社（非同族会社）	9%	取　引　先	――	――
K氏（顧問）	6%	A　の　父	3,000,000円	――
その他	(注)39%	――	――	――
合　　　計	100%	――	68,200,000円	15,200,000円

（注）　I氏は実質的に会社の経営に従事しておらず、K氏は常時役員会に出席するなど実質的に会社の経営に従事している。また、F氏、G氏及びH氏は常時使用人としての職務に従事している。

なお、その他の株主の株式保有割合は1％未満で上記の株主と特殊な関係はない。

(2) 役員の職務内容等からしてその職務の対価として相当な金額はH氏について7,200,000円、E氏について3,600,000円であり、その他の者については不相当に高額な部分の金額はない。なお、使用人兼務役員の使用人分給与について、比準すべき使用人の給与は4,000,000円である。

(3) 当社は、定款において取締役給与の限度額を62,000,000円（使用人兼務役員の使用人分相当額を含めていない。）、監査役給与の限度額を4,800,000円と定めている。

(4) 上記のほか、B氏に対する貸付金5,000,000円について債務免除（B氏には返済能力がある。）し、貸倒損失として経理している。また、F氏に対して毎月50,000円ずつの渡切交際費（その使途は不明なものである。）を支給しているが、交際費として経理している。

理論　計算

→ 解答・解説　7−12

問題4　役員退職給与

　基本　5分

次の資料により、当社の当期における税務上の調整を示しなさい。

⑴　前期に退職した常務取締役A氏に対する退職給与の額（業績連動給与に該当しないもの）が当期に開催された定時株主総会において17,000,000円と確定しているが、当社は当期において退職給与を支給していないため、何ら経理を行っていない。なお、A氏に対する退職給与として適正な金額は15,000,000円であると認められる。

⑵　当期に退職した取締役財務担当B氏に対する退職給与の額（業績連動給与に該当しないもの）が当期に開催された取締役会で10,000,000円と内定したため、その金額を損金経理により未払金に計上している。

⑶　前期に退職した取締役開発部長C氏に対する退職給与の額について、前期の取締役会で内定した金額15,000,000円を損金経理により未払金に計上していたが、当期に開催された定時株主総会において退職給与の額が15,000,000円と確定したため未払金を取り崩して支給している。

理論　計算

→ 解答・解説　7−12

問題5　役員給与（増額）

重要　応用　2分

次の資料により、当社の当期における税務上の調整を示しなさい。

⑴　当社は、取締役A氏に対し毎月20日に月額500,000円の報酬を支給することとしているが、令和7年5月25日に開催した定時株主総会において、6月支給分の給与から100,000円増額し月額600,000円を支給することを決議している。

⑵　A氏の統括する部署の業績が好調であることから、令和7年9月1日に臨時株主総会を開催し、同月支給分の報酬から月額200,000円を増額し、月額800,000円とすることを決議している。

⑶　当社は、A氏に対する報酬を上記の決議どおりに支給し、当期の費用に計上している。

理論　計算

→ 解答・解説　7−13

問題6　役員給与（減額）

重要　応用　3分

次の資料により、当社の当期における税務上の調整を示しなさい。

⑴　当社は代表取締役A氏に対し、毎月25日に月額600,000円の報酬を支給することとしていた。当社は通常、報酬の額の改定を5月に開催する定時株主総会で決議しているが、令和7年5月26日に開催した定時株主総会においては、任期の中途である役員の報酬の額は、前年の定時株主総会において決議された額を据え置くこととしたことから、定時株主総会の議案には役員給与の額に関する事項を盛り込まず、これまでと同額の給与を継続して支給している。

⑵　当社は令和7年12月26日に臨時株主総会を開催し、営業利益を確保することのみを目的として、A氏の1月支給分の報酬から100,000円を減額し、月額500,000円とすることを決議している。

⑶　当社はA氏に対する報酬を上記の決議のとおりに支給し、当期の費用に計上している。

問題7　使用人賞与　　　　　　　　　　　　　　　　　　基本 | 5分

次の資料により、当社の当期における税務調整を設問ごとに示しなさい。

【設例1】

当社は令和7年12月20日が支給予定日である使用人賞与30,000,000円について、損金経理により未払金に計上しているが、当期末現在支給していない。

なお、この賞与の支給額の通知は令和8年4月10日に行われている。

【設例2】

当社は、業績が好調であったことから、決算にあたり賞与を支給することとし、支給予定額である23,000,000円を、損金経理により未払金に計上している（この賞与は令和8年4月20日に未払金を取り崩して支給している。）。

なお、この賞与の支給額の通知は令和8年3月20日に各人別に、かつ、すべての使用人に対して行われている。

【設例3】

当社は令和7年12月10日が支給予定日である使用人賞与について、その支給予定日においてその支給予定額37,000,000円を支給し、仮払金勘定に計上している。

問題8　特殊関係使用人給与　　　　　　基本　7分

次の資料により、当社（非同族会社である。）の当期における税務上の調整を示しなさい。

⑴　当社が当期において、役員等に対して支給した給与（すべて損金経理により支給している。）の支給
　　状況等は、次のとおりである。

氏　名	役　職　名	報　酬　・　給　料		賞　　　　　与	
		役　員　分	使 用 人 分	役　員　分	使 用 人 分
A 氏	代 表 取 締 役 社 長	20,000,000円	——	10,000,000円	——
B 氏	専 務 取 締 役	15,000,000円	——	5,000,000円	——
C 氏	常 務 取 締 役	12,000,000円	——	5,000,000円	——
D 氏	営 業 部 長	——	7,000,000円	——	3,000,000円
E 氏	人 事 部 長	——	6,300,000円	——	2,600,000円
F 氏	財 務 部 長	——	5,600,000円	——	1,400,000円
G 氏	監 査 役	8,000,000円	——	4,000,000円	——
H 氏	相 談 役	10,000,000円	——	2,000,000円	——
合　　　　計		65,000,000円	18,900,000円	26,000,000円	7,000,000円

　　（注）D氏はA氏の長男であり、E氏はB氏の長女、F氏はC氏の妻である。なお、H氏は、会社の経
　　　　　営に従事していると認められる。

⑵　役員に対する役員分の賞与の額は、事前確定届出給与に該当するものであり、損金経理により支給し
　　ている。なお、役員に対する各人別の報酬・給料及び賞与については、役員の職務の内容等に照らして
　　不相当に高額な部分の金額はない。

⑶　当社は定款において取締役及び監査役に支給される役員給与の支給限度額を、取締役65,000,000円、
　　監査役15,000,000円と定めている。

⑷　法人税法上の特殊関係使用人に対する給与の額として適正な金額は、8,000,000円である。

問題9　ミニテスト

重要　基本　7分

次の資料により、当社の役員給与の損金不算入額を求めなさい。

(1)　当社の当期における給与の支給者別内訳は、次のとおりである。

氏名	会社上の地位	税務上の判定	給　料	6月賞与	12月賞与
A	代　表　取　締　役	？	18,000,000円	1,800,000円	1,800,000円
B	取 締 役 総 務 担 当	？	9,600,000円	1,000,000円	1,000,000円
C	専　務　取　締　役	？	12,000,000円	1,200,000円	1,200,000円
D	常　務　取　締　役	？	12,000,000円	1,500,000円	1,500,000円
E	取 締 役 営 業 部 長	役　　　　員	7,200,000円	600,000円	900,000円
F	取 締 役 経 理 部 長	使用人兼務役員	6,000,000円	500,000円	800,000円

注1　上記の表中の給料は、各月同額支給のもの（毎月月末払い）である。なお、上記の表中の賞与は、使用人と同一時期に支給したものである。また、使用人兼務役員に対する賞与は、使用人分としてのものである。

注2　E及びFは、常時使用人としての職務に従事している。

注3　A、B、C及びDに支給した賞与については、甲社の納税地の所轄税務署長に対して、法人税法施行規則第22条の3第1項（確定額による役員給与の届出書の記載事項）に規定する事項のすべてを適格に記載した届出書を提出期限までに提出している。

注4　当社が支給した給与は、Dに対するものを除き不相当に高額な部分の金額はない。なお、Dに対する給与として相当と認められる金額は14,000,000円である。

注5　当社が役員に支給した給与の額は、定款の支給限度額の範囲内である。

解 答　問題1　役員給与（実質基準）

(1)　取締役（実質基準）

①　A　　　　33,000,000－30,000,000＝3,000,000円

②　B　　　　25,000,000－25,000,000＝0

③　C　　　　20,000,000－22,000,000＜0　　∴　0

④　D　　　（18,500,000＋5,800,000）－22,000,000＝2,300,000円

⑤　E　　　（15,400,000＋6,500,000）－22,000,000＜0　　∴　0

⑥　合　計　5,300,000円

(2)　監査役（実質基準）

G　10,000,000－10,000,000＝0

(3)　みなし役員

F　12,000,000－10,000,000＝2,000,000円

(4)　合　計　(1)＋(2)＋(3)＝7,300,000円

（単位：円）

	項　　　　目	金　　額	留　　保	社外流出
加算	役員給与の損金不算入額	7,300,000		7,300,000
減算				

解 説

①　実質基準は、税務上の全ての役員を対象に適用されるため、みなし役員（F氏）についても適用があります。

②　実質基準の計算では、役員給与の適正額と比較する支給額は、使用人兼務役員である場合であっても、使用人分給与を含んだ金額によります。

解 答　問題2　役員給与（形式基準）

(1)　取締役（形式基準）

　　　　　　　　　　　　　　A　　　　　　F　　　　　　　G

(56,000,000＋12,700,000－10,000,000－4,500,000－8,000,000)－45,000,000＝1,200,000円

(2)　監査役（形式基準）

8,000,000－10,000,000＜0　　∴　0

(3)　合　計　(1)＋(2)＝1,200,000円

（単位：円）

	項　目	金　額	留　保	社外流出
加算	役 員 給 与 の 損 金 不 算 入 額	1,200,000		1,200,000
減算				

解　説

①　A氏は、使用人以外の者（会長）で会社の経営に従事していることからみなし役員とされます。また、当社は非同族会社であることから、使用人や使用人兼務役員は肩書で判断することになり、E氏は使用人兼務役員、F氏は使用人となります。

②　形式基準は、会社法上の役員を対象に、取締役と監査役を区分して適用されます。なお、本問の支給限度額には、使用人兼務役員の使用人分が含まれているため、E氏（使用人兼務役員）の使用人分適正額を除く計算は必要ありません。

解　答　問題3　役員給与（実質基準と形式基準の比較）

1．同族会社の判定

　　　　　　　　　　A　　B　　C　　H　　I　　K
(1)　Aグループ　　13％＋7％＋5％＋5％＋2％＋6％＝38％

　　　　　　　　　　D　　E　　F
(2)　Dグループ　　5％＋3％＋4％＝12％

(3)　Jグループ　　9％

(4)　(1)+(2)+(3)＝59％＞50％　　∴同族会社

2．役員等の判定

	50％超	10％超	5％超	判　定
F	○	○	×	使用人兼務役員
G	×	―	―	使用人兼務役員
H	○	○	○	役　　員

　I（経営不従事）　　　　　　　　　　　　　使　用　人

※1　Kは使用人以外の者であり経営に従事しているため、みなし役員

※2　Iは役員Hの妻のため、特殊関係使用人

3．役員給与

(1)　損金不算入給与

　　B　5,000,000円

Ch 1

Ch 2

Ch 3

Ch 4

Ch 5

Ch 6

Ch 7

Ch 8

Ch 9

Ch 10

Ch 11

Ch 12

Ch 13

Ch 14

Ch 15

Ch 16

Ch 17

総合問題

(2)　過大役員給与

①　実質基準

　(イ)　取締役

　　　　H　(3,200,000＋4,300,000)－7,200,000＝300,000円

　(ロ)　監査役

　　　　E　4,800,000－3,600,000＝1,200,000円

　(ハ)　(イ)＋(ロ)＝1,500,000円

②　形式基準

　(イ)　取締役

　　　　{(68,200,000＋15,200,000＋※1600,000)－4,800,000－※24,000,000－※33,300,000－3,500,000

　　　　－3,000,000}－62,000,000＝3,400,000円

　　　　※1　50,000×12＝600,000円

　　　　※2　4,100,000円＞4,000,000円　　∴　4,000,000円

　　　　※3　3,300,000円＜4,000,000円　　∴　3,300,000円

　(ロ)　監査役

　　　　4,800,000－4,800,000＝0

　(ハ)　(イ)＋(ロ)＝3,400,000円

③　①＜②　　∴　3,400,000円

(3)　(1)＋(2)＝8,400,000円

（単位：円）

	項　　　目	金　　額	留　　保	社外流出
加算	役員給与の損金不算入額	8,400,000		8,400,000
減算				

解 説

①　実質基準と形式基準のいずれも適用がある場合には、いずれか多い金額が過大役員給与の額とされます。

②　本問では、取締役給与の限度額に使用人兼務役員の使用人分相当額が含まれていないため、形式基準の計算上、報酬・給料の支給額から使用人兼務役員（F氏及びG氏）の使用人分適正額を除いて計算する必要があります。

③　B氏に対する貸付金の免除（経済的利益）は、定期同額給与に該当しないため、損金不算入給与とされます。

④　F氏に対する毎月の渡切交際費（経済的利益）は、定期同額給与に該当するため、過大役員給与の計算を通じて損金不算入額が求められることになります。

1. 役員給与の損金不算入額

   17,000,000－15,000,000＝2,000,000円

2. 未払役員退職給与認定損（A氏） 17,000,000円

3. 未払役員退職給与否認（B氏） 10,000,000円

4. 未払役員退職給与認容（C氏） 15,000,000円

（単位：円）

	項　　　目	金　　額	留　　保	社外流出
加算	役員給与の損金不算入額	2,000,000		2,000,000
	未払役員退職給与否認 （B　　　氏）	10,000,000	10,000,000	
減算	未払役員退職給与認定損 （A　　　氏）	17,000,000	17,000,000	
	未払役員退職給与認容 （C　　　氏）	15,000,000	15,000,000	

解 説

① 役員退職給与は、原則として株主総会の決議日の属する事業年度で認識することになります。A氏に対する退職給与は支給されていませんが、株主総会で確定しているため、当期に認識することとなります。なお、過大な役員退職給与の額は損金不算入とされますが、処分が異なるため、加算調整と減算調整を相殺することはできません。

② B氏に対する役員退職給与は、取締役会での内定段階であり、まだ確定したものではありません。したがって、当期の損金の額に算入することはできません。

③ C氏に対する役員退職給与は、当期に開催された株主総会で確定しているため、当期に認識することになります。当社は、未払金を取り崩して支給していますが、当期の費用となっていないため、減算調整をして認識します。

解 答 問題5 役員給与（増額）

(800,000－600,000)×7＝1,400,000円

（単位：円）

	項　　　目	金　　額	留　　保	社外流出
加算	役員給与の損金不算入額	1,400,000		1,400,000
減算				

解説

　A氏に対する報酬のうち、増額前の4月及び5月に支給したものは、定期同額給与に該当します。また、定時株主総会決議により改定された6月分以降の報酬（6月分から翌年3月分まで）のうち月々600,000円部分については、期首から3月以内に行われた改定であることから、定期同額給与に該当します。

　したがって、損金不算入額は、臨時株主総会の決議による改定前の支給額（月々600,000円）に上乗せして支給した部分の金額である月々200,000円×7ヶ月分（9月分から翌年3月分）の1,400,000円となります。

解答　問題6　役員給与（減額）

$(600,000 - 500,000) \times 7 = 700,000$円

（単位：円）

	項　　　目	金　　額	留　　保	社外流出
加算	役員給与の損金不算入額	700,000		700,000
減算				

解説

　A氏に支給した4月及び5月の報酬は、定期同額給与に該当します。また、6月以降の報酬は、減額改定後の支給額（月々500,000円）を、減額改定前の期間（6月分から12月分までの7ヶ月間）においては、100,000円を上乗せして支給していたものと考えて、その減額改定後の支給額（月々500,000円）を定期同額給与とします。

　したがって、損金不算入額は、減額改定前の支給額（月々600,000円）のうち、減額改定後の支給額を超える部分の金額である月々100,000円×7ヶ月分の700,000円となります。

解答　問題7　使用人賞与

【設例1】

（単位：円）

	項　　　目	金　　額	留　　保	社外流出
加算	未払賞与否認	30,000,000	30,000,000	
減算				

【設例2】

    適　正

【設例3】

(単位：円)

	項　　　　　目	金　　額	留　　保	社外流出
加算				
減算	仮　払　賞　与　認　定　損	37,000,000	37,000,000	

解　説

① 【設例1】は、支給予定日が到来している未払賞与ですが、当期中に支給額の通知をしていないため、当期の損金の額に算入することはできません。

② 【設例2】は、次の要件をすべて満たしているため、当期の損金の額に算入することができます。

　(イ) 支給額を各人別に、かつ、同時期に支給を受ける全ての使用人に通知していること。

　(ロ) 通知額をその通知した全ての使用人に対し、その通知日の属する事業年度終了の日の翌日から1月以内に支払っていること。

　(ハ) 通知日の属する事業年度に損金経理していること。

③ 【設例3】は、当期に支給した賞与であるため、当期の損金の額に算入されます。当社は仮払金勘定に計上しているため、減算調整を行って認識することになります。

解答　問題8　特殊関係使用人給与

1．役員給与

(1) 取締役

　　　　　　　A　　　　　　　　　　　　B　　　　　　　　　　C

$(20,000,000+10,000,000)+(15,000,000+5,000,000)+(12,000,000+5,000,000)-65,000,000$

$=2,000,000$円

(2) 監査役

$(8,000,000+4,000,000)-15,000,000<0$　　∴　　0

(3) 合　計

(1)+(2)=2,000,000円

2．使用人給与

　　　　　　　D　　　　　　　　　　　　　　　　E

$(7,000,000+3,000,000-8,000,000)+(6,300,000+2,600,000-8,000,000)=2,900,000$円

※　F　$5,600,000+1,400,000-8,000,000<0$　　∴　　0

（単位：円）

	項　　　　　目	金　　額	留　　保	社外流出
加算	役 員 給 与 の 損 金 不 算 入 額	2,000,000		2,000,000
	過 大 使 用 人 給 与	2,900,000		2,900,000
減算				

解　説

　D氏、E氏及びF氏は、役員の親族であり、特殊関係使用人に該当します。したがって、給与の支給額が職務対価相当額を超える部分の金額は、損金の額に算入されません。

解　答　問題9　ミニテスト

(1)　損金不算入給与

　　E　600,000＋900,000＝1,500,000 円

(2)　過大役員給与

　　① 実質基準

　　　D　(12,000,000＋1,500,000＋1,500,000)－14,000,000＝1,000,000円

　　② 形式基準

　　　0

　　③　①＞②　　∴　1,000,000円

(3)　(1)＋(2)＝2,500,000円

（単位：円）

	項　　　　　目	金　　額	留　　保	社外流出
加算	役 員 給 与 の 損 金 不 算 入 額	2,500,000		2,500,000
減算				

········ *Memorandum Sheet* ········

Chapter 8

寄附金

No	内　　容		標準時間	重要度	難易度
問題1	基本算式の確認	計算	5分	A	基本
問題2	損金不算入額の計算	計算	7分	A	基本
問題3	未払寄附金と仮払寄附金	計算	10分	A	応用
問題4	みなし寄附金	計算	13分	A	応用
問題5	ミニテスト	計算	10分	A	応用

理論 計算

問題1　基本算式の確認

重要　基本　5分

次の資料により、当社の当期における税務上の調整を示しなさい。

(1)　当社が当期において、寄附金として費用に計上した金額の内訳は、次のとおりである。

①　国に対する寄附金　　　　　　　　　　300,000円

②　特定公益増進法人に対する寄附金　　2,300,000円

③　その他一般の寄附金　　　　　　　　1,400,000円

(2)　当社の当期における所得金額（別表四の仮計の金額）は、28,700,000円である。

(3)　当社の当期末における資本金の額は90,000,000円、資本準備金の額は9,000,000円であり、その合計額は99,000,000円である。

理論 計算

問題2　損金不算入額の計算

重要　基本　7分

次の資料により、当社の当期における税務上の調整を示しなさい。

(1)　当社が当期において寄附金として費用に計上した金額は、次のとおりである。

①　日本学生支援機構に対する学資の貸与資金に充てられるもの　　　　600,000円

②　A宗教法人に対する本殿建設資金に充てられるもの　　　　　　　　200,000円

③　市立B高校に図書館建設資金として寄附したもの　　　　　　　　　800,000円

④　政治団体C会に対するもの　　　　　　　　　　　　　　　　　　　900,000円

⑤　災害救助法の規定による義援金でD新聞社に寄託したもの　　　　　500,000円（注）

　　（注）募金趣意書により義援金配分委員会に対して拠出されることが明らかなものである。

⑥　日本赤十字社に対する経常経費に充てるためのもの　　　　　　　　300,000円

⑦　日本商工会議所に対するもの　　　　　　　　　　　　　　　　　　700,000円

(2)　当社の当期の所得金額（別表四の仮計の金額）は、49,000,000円（調整は不要である。）である。

(3)　当社の当期末における資本金の額は100,000,000円、資本準備金の額は10,000,000円であり、その合計額は110,000,000円である。

問題3 　未払寄附金と仮払寄附金 　重要　応用 10分

次の資料により、当社の当期における税務上の調整を示しなさい。

(1)　当社が当期において、寄附金として費用に計上した金額は、次のとおりである。

①	日本学生支援機構に対する経常経費に充てるための寄附金	870,000円
②	日本司法支援センターに対する寄附金	390,000円
③	認定特定非営利活動法人に対する寄附金	180,000円
④	日本赤十字社に対する寄附金で財務大臣の承認を受けたもの	93,000円
⑤	政治団体に対する政治献金	2,000,000円（注1）
⑥	日本下水道事業団の経常経費に充てるための寄附金	700,000円（注2）

　　（注1）　手形を振出して支払ったものであり、このうち240,000円は当期末に決済期日が到来し、適正に処理されている。

　　（注2）　このうち70,000円は当期末現在未払いのものであり、310,000円は前期において仮払金勘定に計上したものの当期消却額である。

(2)　当期において、町内会の神社の祭礼寄附金として支出した金額19,000円が、仮払金勘定に計上されている。

(3)　当社の当期の所得金額（別表四仮計の金額）は、33,050,000円（上記による調整前の金額）である。

(4)　当社の当期末における資本金の額は100,000,000円、資本準備金の額は20,000,000円であり、その合計額は120,000,000円である。

問題4 みなし寄附金

次の資料により、当社の当期における税務上の調整を示しなさい。

(1) 当社が当期において、損金経理により寄附金勘定に計上した金額の内容は次のとおりである。

　① 県立高校に対する施設拡充費としての寄附金　　　　　440,000円

　② 特定公益信託の信託財産として支出した金銭　　　　　300,000円

　③ 町内会の祭りの費用として支出した寄附金　　　　　　160,000円

　　(注) 前期において仮払経理したものを当期に消却したものである。

　④ 日本中央競馬会に対するもの　　　　　　　　　　　　210,000円 （注）

　　(注) 手形で支払ったものであり、当期末までに140,000円が未決済である。なお、決済分の処理は適正に行われている。

　⑤ その他一般寄附金　　　　　　　　　　　　　　　　　420,000円

(2) 当期に仮払金勘定に計上したもののなかには、理化学研究所（特定公益増進法人に該当する。）の経常経費に充てられるものとして支出した金額が、470,000円含まれている。

(3) 前期において、自動車安全運転センター（特定公益増進法人に該当する。）に対して手形を振出して支出した寄附金500,000円の支払期日が、当期において到来している。なお、前期においては、寄附金を手形で支払った旨の損金経理を行っていたため、別表四で加算調整を行っている。

(4) 親会社（完全支配関係はない。）に対し、令和8年2月18日に機械装置（平成27年9月20日に取得したものであり、譲渡直前の帳簿価額は2,000,000円、譲渡時の時価は3,800,000円のものである。）を帳簿価額相当額で譲渡している。

　なお、当社はこの取引について、次の仕訳を行っている。

　（現　　金）　　　2,000,000円　　（機械装置）　　2,000,000円

(5) 当社の当期の所得金額（別表四の仮計の金額）は、25,150,000円（上記による調整前の金額）である。

(6) 当社の当期末における資本金の額は100,000,000円、資本準備金の額は30,000,000円であり、その合計額は130,000,000円である。

→ 解答・解説 8-11

問題5 ミニテスト

重要 | 応用 | 10分

次の資料により、当社（当社の当期末における資本金の額は2,000,000,000円、資本準備金の額は1,000,000,000円であり、その合計額は3,000,000,000円である。）の当期における税務上の調整を示しなさい。

なお、税務調整を考慮後の仮計の金額は 3,999,793,001 円である。

(1) 当期において寄附金として費用計上した金額は、次のとおりである。

支出年月日	寄附金の支出先	支出金額等	備　考
令 7. 8. 1	町　　内　　会	200,000 円	夏祭りの費用
令 7. 11. 10	日　本　赤　十　字　社	500,000 円	特定公益増進法人に対する寄附金に該当する。
令 7. 11. 22	社　会　福　祉　法　人	800,000 円	車両を贈与し、簿価相当額を寄附金勘定に計上したものである。なお、時価は 700,000 円のものである。
令 7. 12. 1	中　央　共　同　募　金　会	50,000 円	赤い羽根募金に対するものである。
令 8. 3. 30	政　　治　　団　　体	3,000,000 円	―
令 8. 4. 1	神　　　　　　　　社	300,000 円	―
合　　　　計		4,850,000 円	

(2) 上記のほか、当社の子会社D社（完全支配関係はない。）に対し令和7年8月31日に譲渡した土地（帳簿価額 30,000,000 円）があるが、時価 80,000,000 円のところ帳簿価額の半額で譲渡し、15,000,000 円を譲渡損に計上している。

(1) 支出寄附金

　① 指定寄附金等

　　300,000円

　② 特定公益増進法人等

　　2,300,000円

　③ 一般寄附金

　　1,400,000円

　④ 合計

　　①＋②＋③＝4,000,000円

(2) 損金算入限度額

　① 一般寄附金の損金算入限度額

　　(イ) 資本基準額

　　$99,000,000 \times \dfrac{12}{12} \times \dfrac{2.5}{1,000} = 247,500$円

　　(ロ) 所得基準額

　　$(28,700,000 + 4,000,000) \times \dfrac{2.5}{100} = 817,500$円

　　(ハ) $((イ)+(ロ)) \times \dfrac{1}{4} = 266,250$円

　② 特別損金算入限度額

　　(イ) 資本基準額

　　$99,000,000 \times \dfrac{12}{12} \times \dfrac{3.75}{1,000} = 371,250$円

　　(ロ) 所得基準額

　　$(28,700,000 + 4,000,000) \times \dfrac{6.25}{100} = 2,043,750$円

　　(ハ) $((イ)+(ロ)) \times \dfrac{1}{2} = 1,207,500$円

(3) 損金不算入額

　　$4,000,000 - 300,000 - {}^{※}1,207,500 - 266,250 = 2,226,250$円

　　※ 2,300,000円＞1,207,500円　∴ 1,207,500円

(単位：円)

	項　　　　　目	金　　額	留　　保	社外流出
加算				
減算				
	仮　　　　計	28,700,000	×××	×××
寄附金の損金不算入額		2,226,250		2,226,250

解 説

　資本基準額の計算に使用するのは、期末資本金の額ではなく、期末資本金の額と資本準備金の額の合計額3,000,000,000円です。

解 答	問題2　損金不算入額の計算

(1)　支出寄附金

　① 指定寄附金等

　　　600,000＋800,000＋500,000＝1,900,000円

　② 特定公益増進法人等

　　　300,000円

　③ 一般寄附金

　　　200,000＋900,000＋700,000＝1,800,000円

　④ 合 計

　　　①＋②＋③＝4,000,000円

(2)　損金算入限度額

　① 一般寄附金の損金算入限度額

　　(イ)　資本基準額

　　　　$110,000,000 \times \dfrac{12}{12} \times \dfrac{2.5}{1,000} = 275,000$円

　　(ロ)　所得基準額

　　　　$(49,000,000 + 4,000,000) \times \dfrac{2.5}{100} = 1,325,000$円

　　(ハ)　$((イ)+(ロ)) \times \dfrac{1}{4} = 400,000$円

　② 特別損金算入限度額

　　(イ)　資本基準額

　　　　$110,000,000 \times \dfrac{12}{12} \times \dfrac{3.75}{1,000} = 412,500$円

　　(ロ)　所得基準額

　　　　$(49,000,000 + 4,000,000) \times \dfrac{6.25}{100} = 3,312,500$円

　　(ハ)　$((イ)+(ロ)) \times \dfrac{1}{2} = 1,862,500$円

(3)　損金不算入額

　　4,000,000－1,900,000－※300,000－400,000＝1,400,000円

　　※　300,000円＜1,862,500円　　∴　300,000円

（単位：円）

	項　　　目	金　　額	留　　保	社外流出
加算				
減算				
	仮　　　　　計	49,000,000	×××	×××
寄　附　金　の　損　金　不　算　入　額		1,400,000		1,400,000

① 日本学生支援機構に対する学資の貸与資金に充てられる寄附金は、指定寄附金等に区分されます。

② Ａ宗教法人に対する寄附金は、一般寄附金に区分されます。

③ 市立Ｂ高校に図書館建設資金として寄附したものは、指定寄附金等に区分されます。

④ 政治団体Ｃ会に対する寄附金は、一般寄附金に区分されます。

⑤ 災害義援金で義援金配分委員会に対して拠出されることが明らかなものは、指定寄附金等に区分されます。

⑥ 日本赤十字社の経常経費に充てるための寄附金は、特定公益増進法人等に対する寄附金に区分されます。

⑦ 日本商工会議所に対する寄附金は、一般寄附金に区分されます。

解答　問題3　未払寄附金と仮払寄附金

1．未払寄附金

$(2,000,000-240,000)+70,000=1,830,000$円

2．寄附金の損金不算入

(1)　支出寄附金

① 指定寄附金等

93,000円

② 特定公益増進法人等

$870,000+390,000+180,000=1,440,000$円

③ 一般寄附金

$240,000+(700,000-70,000-310,000)+19,000=579,000$円

④ 合　計

①＋②＋③＝2,112,000円

(2)　損金算入限度額

① 一般寄附金の損金算入限度額

(イ)　資本基準額

$120,000,000 \times \dfrac{12}{12} \times \dfrac{2.5}{1,000}=300,000$円

(ロ) 所得基準額

$$(^{※}35,171,000+2,112,000)\times\frac{2.5}{100}=932,075円$$

※ 別表四仮計の金額

33,050,000＋(2,000,000－240,000)＋70,000＋310,000－19,000＝35,171,000円

(ハ) $((イ)+(ロ))\times\frac{1}{4}=308,018円$

② 特別損金算入限度額

(イ) 資本基準額

$$120,000,000\times\frac{12}{12}\times\frac{3.75}{1,000}=450,000円$$

(ロ) 所得基準額

$$(35,171,000+2,112,000)\times\frac{6.25}{100}=2,330,187円$$

(ハ) $((イ)+(ロ))\times\frac{1}{2}=1,390,093円$

(3) 損金不算入額

2,112,000－93,000－$^{※1}$,390,093－308,018＝320,889円

※ 1,440,000円＞1,390,093円 ∴ 1,390,093円

(単位：円)

	項　　目	金　額	留　保	社外流出
加算	未 払 寄 附 金 否 認	1,830,000	1,830,000	
	仮 払 寄 附 金 消 却 否 認	310,000	310,000	
減算	仮 払 寄 附 金 認 定 損	19,000	19,000	
	仮　　　計	35,171,000	×××	×××
寄 附 金 の 損 金 不 算 入 額		320,889		320,889

解説

① 寄附金は、現実の支払いをもって認識されます。したがって、未払いのものや手形を振出して支払った寄附金のうち決済されていない金額は、未払寄附金否認の加算調整が必要です。

② 仮払寄附金は、現実の支払いをした事業年度で認識することになります。

解答 問題4 みなし寄附金

(1) 支出寄附金

① 指定寄附金等

440,000円

② 特定公益増進法人等

470,000＋500,000＝970,000円

③ 一般寄附金

　　$300,000 + (210,000 - 140,000) + 420,000 + (3,800,000 - 2,000,000) = 2,590,000円$

④ 合　計

　　①＋②＋③＝4,000,000円

(2) 損金算入限度額

① 一般寄附金の損金算入限度額

(イ) 資本基準額

　$130,000,000 \times \dfrac{12}{12} \times \dfrac{2.5}{1,000} = 325,000円$

(ロ) 所得基準額

　$(^{※}24,480,000 + 4,000,000) \times \dfrac{2.5}{100} = 712,000円$

　※ 別表四仮計の金額

　　$25,150,000 + 160,000 + 140,000 - 470,000 - 500,000 = 24,480,000円$

(ハ) $((イ) + (ロ)) \times \dfrac{1}{4} = 259,250円$

② 特別損金算入限度額

(イ) 資本基準額

　$130,000,000 \times \dfrac{12}{12} \times \dfrac{3.75}{1,000} = 487,500円$

(ロ) 所得基準額

　$(24,480,000 + 4,000,000) \times \dfrac{6.25}{100} = 1,780,000円$

(ハ) $((イ) + (ロ)) \times \dfrac{1}{2} = 1,133,750円$

(3) 損金不算入額

　$4,000,000 - 440,000 - ^{※}970,000 - 259,250 = 2,330,750円$

　※ 970,000円＜1,133,750円　∴　970,000円

(単位：円)

	項　　目	金　額	留　保	社外流出
加算	仮 払 寄 附 金 消 却 否 認	160,000	160,000	
	未 払 寄 附 金 否 認	140,000	140,000	
減算	仮 払 寄 附 金 認 定 損	470,000	470,000	
	未 払 寄 附 金 認 容	500,000	500,000	
	仮　　　計	24,480,000	×××	×××
寄 附 金 の 損 金 不 算 入 額		2,330,750		2,330,750

解　説

① 特定公益信託の信託財産として支出した金銭の額は、寄附金とみなされます。なお、原則として一般寄附金に区分されますが、特定公益信託のうち公益の増進に著しく寄与するものとして主務大臣の認定を受けたもの（認定特定公益信託）は、特定公益増進法人等に対する寄附金の額とみなされます。

② 低額譲渡等の場合の寄附金の額は、時価と対価の額との差額になります。

解答　問題5　ミニテスト

(1) 支出寄附金の額

① 指定寄附金等

50,000 円

② 特定公益増進法人等

500,000＋700,000＝1,200,000 円

③ 一般寄附金

200,000＋3,000,000＋（80,000,000－30,000,000×50％）＝68,200,000 円

④ 合　計

①＋②＋③＝69,450,000円

(2) 損金算入限度額

① 一般寄附金の損金算入限度額

(イ) 資本基準額

$3,000,000,000 \times \dfrac{12}{12} \times \dfrac{2.5}{1,000} = 7,500,000$円

(ロ) 所得基準額

$(3,999,793,001 + 69,450,000) \times \dfrac{2.5}{100} = 101,731,075$円

(ハ) $((イ) + (ロ)) \times \dfrac{1}{4} = 27,307,768$円

② 特別損金算入限度額

(イ) 資本基準額

$3,000,000,000 \times \dfrac{12}{12} \times \dfrac{3.75}{1,000} = 11,250,000$円

(ロ) 所得基準額

$(3,999,793,001 + 69,450,000) \times \dfrac{6.25}{100} = 254,327,687$円

(ハ) $((イ) + (ロ)) \times \dfrac{1}{2} = 132,788,843$円

(3) 損金不算入額

69,450,000－50,000－※1,200,000－27,307,768＝40,892,232円

※　1,200,000円＜132,788,843円　　∴　1,200,000円

（単位：円）

	項　　　目	金　　額	留　　保	社外流出
加算	未　払　寄　附　金　否　認	300,000	300,000	
減算				
	仮　　　　計	3,999,793,001	×××	×××
寄　附　金　の　損　金　不　算　入　額		40,892,232		40,892,232

Chapter 9

交際費等

No	内　　　　容		標準時間	重要度	難易度
問題 1	交際費等の範囲(1)	計算	5分	A	基本
問題 2	交際費等の範囲(2)	計算	7分	A	基本
問題 3	交際費等の範囲(3)	計算	10分	A	応用
問題 4	交際費等の範囲(4)	計算	10分	A	応用
問題 5	売上割戻し等	計算	7分	A	応用
問題 6	ミニテスト	計算	15分	A	応用
問題 7	ミニテスト	計算	8分	A	応用

問題1　交際費等の範囲(1)　　重要　基本　5分

次の資料により、当社の当期における税務上の調整を示しなさい。

(1)　当社が当期において交際費として費用に計上した金額は4,400,000円であり、その内訳は次のとおりである。

①	当社の従業員を対象に慶弔禍福に際し、一定の基準に基づき支給した金銭の額	100,000円
②	得意先等の役員等の慶弔禍福に際し、一定の基準に基づき支給した金銭の額	450,000円
③	取引先等に対する中元・歳暮の贈答に要した費用	1,500,000円
④	専ら当社の役員の飲食その他これに類する行為のために要した費用（1人当たり4,000円）	600,000円
⑤	抽選により一般消費者を観劇に招待するために要した費用	200,000円
⑥	得意先A社に対し金銭により支出した販売奨励金	500,000円
	（内書はそのうちA社のB営業マン個人に対する奨励金である。）	（内100,000円）
⑦	得意先C社を特約店にするためC社に支払った金銭の額	750,000円
⑧	抽選により得意先に対して景品を交付した費用	300,000円

(2)　当社が当期において費用に計上した売上割戻しのうちには、売掛金の回収高に比例して得意先に物品（単価3,000円のものである。）を交付するために要した費用が300,000円ある。

(3)　当社の当期末における資本金の額は300,000,000円である。

理論 計算

→ 解答・解説 9-10

Ch 1
Ch 2
Ch 3
Ch 4
Ch 5
Ch 6
Ch 7
Ch 8
Ch 9
Ch 10
Ch 11
Ch 12
Ch 13
Ch 14
Ch 15
Ch 16
Ch 17
総合問題

問題2 交際費等の範囲(2)　　重要　基本　7分

次の資料により、当社の当期における税務上の調整を示しなさい。

(1) 当社が当期において交際費として費用に計上した金額は7,790,000円であり、そのうちには次のものが含まれている。これら以外の費用はすべて、租税特別措置法第61条の4《交際費等の損金不算入》に規定する交際費等に該当するものである。

① 当社の創立15周年記念式典に要した費用

　(イ) 当社の従業員に対し、一律に社内において供与した飲食費用（通常要する範囲内のものである。）

　　　　　　　　　　　　　　　　　　　　　　　　　　　　　　　　　　800,000円

　(ロ) 記念式典における(イ)以外に要した宴会費　　　　　　　　　　　3,500,000円

　　　（得意先及び仕入先の参加者に対する1人当たり14,000円の飲食費である。）

② 特約店のセールスマン(所得税法204条の適用を受ける者である。)の慰安のために行われた旅行に要した費用　　　　　　　　　　　　　　　　　　　　　　　　　　　　　　780,000円

③ 得意先の従業員に対して、取引の謝礼として支出した金銭の額　　　　　50,000円

④ 会議の際の弁当代(通常要する範囲内のものである。)　　　　　　　　450,000円

⑤ 当社の使用人に対して常時支給される昼食の費用　　　　　　　　　　540,000円

⑥ 当社の役員に対して取引先の接待のために毎月同額支給されている渡切金銭の額　240,000円

⑦ 市場調査のため、一般消費者に謝礼として交付した情報提供料(適正額である。)　100,000円

⑧ 得意先を飲食店等で接待した費用(1人当たり10,000円を超えるものはない。)　1,000,000円

(2) 上記(1)以外に、次の費用が支出され当期の費用に計上されている。

① 旅費交通費のうちには、従業員が得意先を接待した際の深夜帰宅のためのタクシー代が400,000円計上されている。

② 広告宣伝費のうちには、得意先が小売業者を観劇に招待した際に当社が負担したチケット代970,000円が計上されている。

③ 販売促進費には、次のものが計上されている。

　(イ) 得意先の従業員に対する取引の謝礼金　　　　　　　　　　　　　100,000円

　(ロ) 得意先に対して見本品を供与するために通常要する費用　　　　　230,000円

　(ハ) 売上高に比例して行われる売上割戻しとして得意先を旅行に招待した費用　1,200,000円

(3) 当社の当期末における資本金の額は500,000,000円である。

問題3　交際費等の範囲⑶

重要　応用　10分

次の資料により、当社の当期における税務上の調整を示しなさい。

(1) 当社が当期において、交際費として費用に計上した金額の内訳は、次のとおりである。

① 特定地域の得意先である事業者に対して販売奨励金に代え、事業用資産を交付した費用

760,000円

② 前期において従業員の親族を招いて飲食店で会食した際に支出した費用で、仮払経理していたものを当期において交際費として消却した金額（1人当たりの飲食費の額は10,000円である。）

160,000円

③ 得意先を招待して令和8年4月に実施する予定の旅行に係る予約金　330,000円

④ 取引先の従業員の慶弔禍福に際し、一定の基準に基づき支給したお祝金等　670,000円

（このうち60,000円は、当社工場内において下請会社の従業員が業務遂行に当たり災害を受けたため、当社の従業員に準じて見舞金を交付した金額である。）

⑤ 上記の他、取引先の接待に要した費用　2,500,000円

(2) 当社が当期において、売上高に比例して行われる売上割戻しとして費用に計上した金額は、次のとおりである。

① 金銭を支出したもの　3,000,000円

② 事業用資産を交付したもの　4,000,000円

③ 事業用資産以外の資産で次のものを交付したもの

(イ) 購入単価が3,000円以下の物品　1,000,000円

(ロ) (イ)以外の物品　630,000円

④ 旅行に招待したもの　850,000円

(3) 当期における営業費のうちには、次のものが含まれている。

① 業者を旅行に招待した旅費（うち同行した社員の旅費30,000円が含まれている。）　330,000円

② 当社の取引先で組織しているX会の会費　240,000円

（X会は会員相互間の親睦と懇親の会合を行うため組織されているものである。）

(4) 令和8年3月30日に得意先を料亭で飲食接待した費用があるが、請求書が未達であったため何ら経理されていない金額が450,000円ある（これに参加した者は15名であった。）。

(5) 当社の当期末の資本金の額は、200,000,000円である。

問題4　交際費等の範囲(4)

次の資料により、当社の当期における税務上の調整を示しなさい。

(1)　当社が当期において交際費として損金経理をした金額は、次のとおりである。

①　新工場の竣工・落成記念に際し支出した費用の額の内訳は、次のとおりである。

(イ)　竣工・落成式式典の祭事費用(通常要する費用の額である。)　　　　　　　　　1,100,000円

(ロ)　竣工・落成を記念して従業員全員に配布した社名入タオルセットの購入代金　　　200,000円

(ハ)　竣工・落成を記念して株主を招いて行ったホテルでの飲食費(1人当たり飲食費は12,000円である。)　　　　　　　　　　　　　　　　　　　　　　　　　　　　　　　　　300,000円

②　社外の事業関係者に対して旅費等として支出した金額は、次のとおりである。

(イ)　新工場の設備及び稼働状況を見学させるために要した交通費、宿泊代及び食事代等の費用(通常要する費用の額の範囲内である。)　　　　　　　　　　　　　　　　　　　1,700,000円

(ロ)　旅行に招待し併せて会議を行った際の旅費及び会議費等　　　　　　　　　　　2,100,000円

(注)　うち500,000円は会議費(会議として実体を備えていると認められ、通常要する金額である。)及び会議の際の昼食代である。

③　前期に得意先をゴルフ接待した際の費用で仮払経理をしたものの当期消却額　　　550,000円

④　仕入先の火災被害に対する災害見舞金　　　　　　　　　　　　　　　　　　　　300,000円

(注)　取引関係の維持、回復等のために必要なものである。

⑤　上記以外で租税特別措置法第61条の4第6項の交際費等に該当するもの　　　　5,200,000円

(2)　当期において支出し仮払金勘定に計上した金額には、次のものが含まれている。

①　卸売業者が小売業者を海外旅行に招待した際の当社負担分　　　　　　　　　　　1,300,000円

②　社員に対し社員旅行費の仮払をしたもので未精算のもの　　　　　　　　　　　　1,350,000円

(3)　当社の当期末における資本金の額は100,000,000円であり、株主はすべて個人である。

問題5　売上割戻し等　　重要　応用　7分

次の資料により、当社の当期における税務上の調整を示しなさい。

⑴　当期において、損金経理により交際費勘定に計上したもの等の内訳は、次のとおりである。

　①　租税特別措置法第61条の4第6項の交際費等に該当するものが、8,200,000円ある。

　②　上記のほか、当期末の接待費で請求書が届いていないため未処理となっているものが100,000円ある（1人当たりの飲食費は12,500円である。）。

⑵　当期において損金経理により売上割戻し勘定に計上した得意先A社に対するものが150,000円ある。

　（注）　A社に対する売上割戻しは旅行に招待するために一定額に達するまで預り金として積み立てているもので、当期においてまだ一定額に達していない。

⑶　B社に対する売上割戻しは前期までに預り金として「売上割戻し否認（加算留保）」400,000円の処理がされているが、前期末において一定額に達したので当期においてB社を旅行に招待し、その全額を旅行代金に充てている。

⑷　当社の期末資本金額は、50,000,000円である。

問題6　ミニテスト

重要　応用　15分

次の資料により、当社（期末資本金の額100,000,000円、資本準備金の額20,000,000円であり、その合計額は120,000,000円）の当期における税務調整を行いなさい。

なお、税務調整を考慮後の仮計の金額は800,000,000円である。

(1)　当期の費用に計上した寄附金の額は46,000,000円で、その内訳は、一般の寄附金に該当するものが34,000,000円、特定公益増進法人の主たる業務に関連する寄附金に該当するものが12,000,000円である。

　　なお、一般の寄附金34,000,000円の中には、前期に仮払金として経理し、当期に費用に振り替えたもの3,000,000円（支払は令和7年1月30日）と、当期に未払計上したもの4,300,000円（支払は令和8年5月10日）が含まれているが、その他は当期中に支払ったものである。

(2)　当期の交際費として費用に計上した金額は12,250,000円で、その中には次のような金額が含まれている。なお、下記以外のものは、措置法第61条の4《交際費等の損金不算入》第6項に規定する交際費等に該当することが明らかな費用であり、接待飲食費に該当するものはない。

①　当期末までに得意先のゴルフ接待に要した費用で未払いのもの　　　300,000円

②　令和8年4月実施予定の大口得意先招待旅行の費用として同年3月末に旅行会社に払い込んだもの　　　1,000,000円

問題7 ミニテスト

次の資料により、当社（期末資本金の額 100,000,000 円、資本準備金の額 20,000,000 円であり、その合計額は 120,000,000 円）の当期における税務調整を行いなさい。

なお、税務調整を考慮後の仮計の金額は 800,000,000 円である。

⑴ 当期において交際費等として費用計上した金額は、次のとおりである。

① 当社の本社で行った会議に際して供与した通常の茶菓、弁当等の費用　220,000 円

② 当社従業員の慶弔に要した費用　380,000 円

③ 取引関係を結ぶため（下請工場とするため）に相手先である事業者に対する運動費の

額　300,000 円

④ 得意先の役員を接待した費用（ゴルフ接待）　180,000 円

⑤ 得意先に対する中元・歳暮の費用　506,000 円

⑥ 当社新製品の展示会に得意先等を招待した際の交通費、食事費、宿泊費等の通常費用

329,000 円

⑦ 上記のほか、接待飲食費に該当しない税務上の交際費等の額　12,456,000 円

⑵ 当期において売上割戻しとして費用計上した金額は次のとおりである。

① 得意先に対して支出した金銭の額　2,215,000 円

② 得意先を旅行に招待するために、預り金として積み立てた金額　316,000 円

（注）　当該預り金は、当期末において積立金額として必要な金額に達していない。

⑶ その他、留意すべき項目として次のものがある。

① 当期に得意先の役員を料亭で接待（参加人数 2 人）したが、請求書が未達のため処理していない

もの　208,000 円

② 当期に取得した B 土地（取得価額 35,000,000 円）の取得のために要した交際費で取得価額に算入

した金額（ゴルフ接待）　253,000 円

解答　問題1　交際費等の範囲(1)

(1)　支出交際費等

① 接待飲食費

0円

② ①以外

$\overset{(1)②}{450,000}+\overset{(1)③}{1,500,000}+\overset{(1)④}{600,000}+\overset{(1)⑥}{100,000}+\overset{(1)⑧}{300,000}=2,950,000$円

③ ①＋②＝2,950,000円

(2)　損金算入限度額

0円

(3)　損金不算入額

(1)－(2)＝2,950,000円

（単位：円）

	項　　　目	金　　額	留　　保	社外流出
加算	交 際 費 等 の 損 金 不 算 入 額	2,950,000		2,950,000
減算				

解説

① 慶弔禍福費は、得意先等の役員等を対象とするものは交際費等に該当しますが、当社の従業員を対象とするものは交際費等に含まれません。

② 中元・歳暮の贈答に要した費用は、交際費等に該当します。

③ 専ら当社の役員の飲食等に要した費用は、1人当たり10,000円以下であっても交際費等に該当します。

④ 観劇に招待する費用であっても、抽選により一般消費者を招待するためのものは、交際費等に該当しません。

⑤ 販売奨励金として、事業者（得意先A社）に対して金銭で支出したものは交際費等に該当しませんが、従業員（A社のB営業マン個人）に対するものは、交際費等に該当します。

⑥ 特約店にするための費用であっても、事業者（C社）に金銭で支払ったものは、交際費等に該当しません。

⑦ 抽選によっていても、得意先に対する景品費は、少額物品を交付する場合を除き、交際費等に該当します。

⑧ 売上割戻しにより少額物品（単価3,000円以下）を交付するために要した費用は、交際費等に該当しません。

(1) 支出交際費等

① 接待飲食費

(1)①(ロ)
3,500,000円

② ①以外

(1)①(イ) (1)①(ロ) (1)② (1)④ (1)⑤ (1)⑥ (1)⑦ (1)⑧
(7,790,000−800,000−3,500,000−780,000−450,000−540,000−240,000−100,000−1,000,000)

(2)① (2)② (2)③(イ) (2)③(ハ)
＋400,000＋970,000＋100,000＋1,200,000＝3,050,000円

③ 合 計

①＋②＝6,550,000円

(2) 損金算入限度額

3,500,000×50%＝1,750,000円

(3) 損金不算入額

(1)−(2)＝4,800,000円

(単位：円)

	項　　　　　目	金　　額	留　　保	社外流出
加算	交 際 費 等 の 損 金 不 算 入 額	4,800,000		4,800,000
減算				

解 説

① 記念式典における宴会費で、1人当たり10,000円以下の飲食費以外のものは交際費等に該当します。

② 特約店のセールスマンの慰安のために行われた旅行に要した費用は、当社の従業員に対するものと同様に、交際費等に該当しません。

③ 会議の際の弁当代（通常要する範囲内のもの）は、交際費等に該当しません。

④ 常時支給される昼食の費用は、給与とされるため、交際費等に該当しません。

⑤ 取引先の接待のために毎月支給されている渡切金銭の額は、給与とされるため、交際費等に該当しません。

⑥ 市場調査のため、一般消費者（モニター）に謝礼として交付した情報提供料は、交際費等に該当しません。

⑦ 従業員が得意先を接待した際の深夜帰宅のためのタクシー代は、接待に伴って生じた費用であるため、交際費等に該当します。

⑧ 交際費等は直接支出したものに限らず、得意先が小売業者を観劇に招待した際に当社が負担したチケット代も交際費等に含まれます。

⑨ 得意先に対して見本品を供与するために通常要する費用は、交際費等に該当しません。

⑩ 売上割戻しの費用であっても、得意先を旅行に招待した費用は交際費等に該当します。

解 答　問題3　交際費等の範囲(3)

(1)　支出交際費等

①　接待飲食費

※450,000円⁽⁴⁾

※ $\dfrac{450,000}{15}=30,000円 > 10,000円$

② ①以外

$(670,000^{(1)④}-60,000)+2,500,000^{(1)⑤}+630,000^{(2)③(ロ)}+850,000^{(2)④}+330,000^{(3)①}+240,000^{(3)②}=5,160,000円$

③ 合　計

①＋②＝5,610,000円

(2)　損金算入限度額

450,000×50％＝225,000円

(3)　損金不算入額

(1)－(2)＝5,385,000円

（単位：円）

	項　　　目	金　　額	留　　保	社外流出
加算	仮 払 交 際 費 消 却 否 認	160,000	160,000	
	前 払 交 際 費 否 認	330,000	330,000	
	交 際 費 等 の 損 金 不 算 入 額	5,385,000		5,385,000
減算	未 払 交 際 費 認 定 損	450,000	450,000	

解 説

① 事業者に対し、事業用資産を交付した費用は、交際費等に該当しません。

② 交際費等は、接待等の事実があった事業年度で認識します。したがって、前期に接待等をして仮払経理をしたものを当期に費用に振り替える処理（仮払消却）を行ったとしても、税務上は否認されることになります。また、翌期に実施予定の旅行等の費用を予約金等として支払った場合であっても、その交際費等は翌期のものであり、当期の交際費等には含まれません。

③ 当社工場内において下請会社の従業員が業務遂行に当たり災害を受けたため、当社の従業員に準じて見舞金を交付した金額は、当社の従業員に対するものに準じて交際費等に該当しません。

④ 会員相互間の親睦と懇親の会合を行うため組織されている団体に対して支出する会費は、交際費等に該当します。

⑤ 交際費等は、接待等の事実があった事業年度で認識するため、未払いのものであっても、当期の接待等に係るものは、当期の交際費等に含まれます。

(1) 支出交際費等

① 接待飲食費

(1)①(ハ)
300,000円

② ①以外

(1)②(ロ)　　　　　　　　　(1)⑤　　　　　　(2)①
$(2,100,000-500,000)+5,200,000+1,300,000=8,100,000$円

③ 合計

①+②=8,400,000円

(2) 損金算入限度額

① 接待飲食費基準額

$300,000×50\%=150,000$円

② 定額控除限度額

$8,400,000円＞8,000,000×\dfrac{12}{12}=8,000,000$円　　　∴　8,000,000円

③ ①＜②　　∴　8,000,000円

(3) 損金不算入額

(1)－(2)=400,000円

(単位：円)

	項　　目	金　額	留　保	社外流出
加算	仮 払 交 際 費 消 却 否 認	550,000	550,000	
	交 際 費 等 の 損 金 不 算 入 額	400,000		400,000
減算	仮 払 交 際 費 認 定 損	1,300,000	1,300,000	

解説

① 新工場の設備等を見学させるために要した費用(通常要する範囲内のもの)は、交際費等に該当しません。

② 旅行に招待し併せて会議を行った際の旅費及び会議費等のうち、その会議が会議として実体を備えているもので、会議に通常要する範囲内の費用は、交際費等に該当しません。

③ 取引関係を維持、回復等するために、取引先に対して支出した災害見舞金は、交際費等に該当しません。

解答　問題5　売上割戻し等

(1)　支出交際費等

　① 接待飲食費

　　100,000円

　② ①以外

　　8,200,000＋400,000＝8,600,000円

　③ 合　計

　　①＋②＝8,700,000円

(2)　損金算入限度額

　① 接待飲食費基準額

　　100,000×50％＝50,000円

　② 定額控除限度額

　　8,700,000円＞8,000,000×$\frac{12}{12}$＝8,000,000円　　∴　8,000,000円

　③ ①＜②　　∴　8,000,000円

(3)　損金不算入額

　　(1)－(2)＝700,000円

(単位：円)

	項　　　　目	金　額	留　保	社外流出
加算	売 上 割 戻 し 否 認	150,000	150,000	
	交 際 費 等 の 損 金 不 算 入 額	700,000		700,000
減算	未 払 交 際 費 認 定 損	100,000	100,000	
	売 上 割 戻 し 認 容	400,000	400,000	

解説

　売上割戻しの費用であっても、一定額に達するまで預り金として積み立て、一定額に達した場合に旅行に招待することとしているものは、交際費等に該当します。なお、その預り金として積み立てた事業年度で認識するのではなく、旅行に招待した事業年度で認識し、交際費等として取り扱うことになります。

1．交際費等

(1) 支出交際費等

① 接待飲食費　　0

② ①以外

12,250,000－1,000,000＝11,250,000円

③ 合　計

①＋②＝11,250,000円

(2) 損金算入限度額

① 接待飲食費基準額　　0

② 定額控除限度額

$11,250,000円 > 8,000,000 \times \dfrac{12}{12} = 8,000,000円$　　∴　8,000,000円

③ ①＜②　　∴　8,000,000円

(3) 損金不算入額

(1)－(2)＝3,250,000円

2．寄附金

(1) 支出寄附金の額

① 指定寄附金等　　0

② 特定公益増進法人等　　12,000,000円

③ 一般寄附金

34,000,000－3,000,000－4,300,000＝26,700,000円

④ 合　計

①＋②＋③＝38,700,000円

(2) 損金算入限度額

① 一般寄附金の損金算入限度額

(イ) 資本基準額

$120,000,000 \times \dfrac{12}{12} \times \dfrac{2.5}{1,000} = 300,000円$

(ロ) 所得基準額

$(800,000,000 + 38,700,000) \times \dfrac{2.5}{100} = 20,967,500円$

(ハ) $((イ)＋(ロ)) \times \dfrac{1}{4} = 5,316,875円$

② 特別損金算入限度額

(イ) 資本基準額

$120,000,000 \times \dfrac{12}{12} \times \dfrac{3.75}{1,000} = 450,000円$

(ロ) 所得基準額

$(800,000,000 + 38,700,000) \times \dfrac{6.25}{100} = 52,418,750円$

(ハ) $((イ)＋(ロ)) \times \dfrac{1}{2} = 26,434,375円$

(3) 損金不算入額

38,700,000−※12,000,000−5,316,875＝21,383,125円

※　12,000,000円＜26,434,375円　　∴　12,000,000円

（単位：円）

	項　　　　目	金　　額	留　　保	社外流出
加算	未 払 寄 附 金 否 認	4,300,000	4,300,000	
	仮 払 寄 附 金 消 却 否 認	3,000,000	3,000,000	
	前 払 交 際 費 否 認	1,000,000	1,000,000	
	交 際 費 等 の 損 金 不 算 入 額	3,250,000		3,250,000
減算				
	仮　　　　　計	800,000,000	×××	×××
寄 附 金 の 損 金 不 算 入 額		21,383,125		21,383,125

解答　問題7　ミニテスト

(1) 支出交際費等

① 接待飲食費

※208,000円

※　$\frac{208,000}{2}$＝104,000円＞10,000円

② ①以外

300,000＋180,000＋506,000＋12,456,000＋253,000＝13,695,000円

③ 合　計

①＋②＝13,903,000円

(2) 損金算入限度額

① 接待飲食費基準額

208,000×50%＝104,000円

② 定額控除限度額

13,903,000円＞8,000,000×$\frac{12}{12}$＝8,000,000円　　∴　8,000,000円

③ ①＜②　　∴　8,000,000円

(3) 損金不算入額

(1)−(2)＝5,903,000円

(4) 原価算入交際費

5,903,000×$\frac{253,000}{13,903,000}$＝107,419円

（単位：円）

	項　　目	金　額	留　保	社外流出
加算	売 上 割 戻 し 否 認	316,000	316,000	
	交 際 費 等 の 損 金 不 算 入 額	5,903,000		5,903,000
減算	未 払 交 際 費 認 定 損	208,000	208,000	
	原 価 算 入 交 際 費 認 定 損	107,419	107,419	
	仮　　　　計	800,000,000		

Chapter 10

外国税額控除等

No	内　　容		標準時間	重要度	難易度
問題1	控除対象外国法人税額	計算	3分	A	基本
問題2	控除外国税額の計算（非課税所得）	計算	5分	A	基本
問題3	控除外国税額の計算（源泉徴収外国税）	計算	3分	A	基本
問題4	控除外国税額の計算（支店等の所得）	計算	5分	A	基本
問題5	控除限度額の繰越し	計算	7分	B	応用
問題6	控除対象外国法人税額の繰越し	計算	7分	B	応用
問題7	外国子会社配当等（所得税額控除との関係）	計算	5分	A	基本
問題8	外国子会社配当等（外国税額控除との関係）	計算	7分	A	基本
問題9	ミニテスト	計算	7分	A	基本

理論 計算

問題1 　控除対象外国法人税額

 基本 3分

　次の資料により、控除対象外国法人税額を計算しなさい。

⑴　当社が当期において、外国法人A社（当社の持株割合は2％である。）から受け取った剰余金の配当は次のとおりであり、当社は配当等の額から源泉徴収外国税額を控除した差引手取額を当期の収益に計上している。

銘　　　柄	配当等の計算期間	配 当 等 の 額	源泉徴収外国税額	差 引 手 取 額
A　株　式	令7.1.1 ～令7.12.31	2,000,000円	200,000円	1,800,000円

⑵　当社が当期において、海外の所在する支店に係る所得について納付した外国法人税額等は、次のとおりである。なお、当社は納付税額を当期の費用に計上している。

区　　分	税　率	課 税 標 準	納 付 税 額	計 算 期 間	納付確定日	納　付　日
B　国	30%	70,000,000円	21,000,000円	令6.4.1 ～令7.3.31	令7.5.27	令7.5.30
C　国	55%	40,000,000円	22,000,000円	令6.4.1 ～令7.3.31	令7.5.25	令7.5.25

問題2 　控除外国税額の計算（非課税所得）

重要 基本 5分

　次の資料により、当社の当期における控除対象外国法人税額及び控除外国税額を計算しなさい。

⑴　当社の当期における所得金額（別表四差引計の金額）は44,000,000円である。

⑵　当社の当期の国外所得金額は41,000,000円（うち6,000,000円は外国で非課税とされたものである。）である。

⑶　当社が当期において納付した外国法人税額は17,500,000円であり、このうちの500,000円は、その所得に対する負担が高率な部分の金額である。

⑷　当社の当期における法人税額（別表一差引法人税額）は10,208,000円である。

→ 解答・解説　10−10

問題3　控除外国税額の計算（源泉徴収外国税）

重要　基本　3分

次の資料により、当社の当期における税務上の調整を示すとともに控除外国税額を計算しなさい。

(1)　当社が当期において外国法人A社から支払いを受けた配当等の額は、次のとおりである。当社は、配当等の額から源泉徴収税額を控除した差引手取額を当期の収益に計上している。

銘　　　柄	区　　　　　分	配 当 等 の 計 算 期 間	配 当 等 の 額	源泉徴収税額
A　株　式	剰余金の配当	2025. 1. 1 〜2025.12.31	750,000円	75,000円

　　(注)　当社は、A株式は数年前から所有しており、取得後元本に異動はない。なお、当社の保有割合は25％未満である。なお、源泉徴収税額はすべて外国税額である。

(2)　当社の当期における所得金額（別表四差引計の金額）は18,913,745円であり、法人税額（別表一差引法人税額）は4,387,816円と計算されている。

→ 解答・解説　10−11

問題4　控除外国税額の計算（支店等の所得）

重要　基本　5分

次の資料により、当社の当期における税務上調整すべき金額及び控除外国税額を計算しなさい。

(1)　当社は海外に事業所を設けており、それぞれの事業所における所得金額又は欠損金額（我が国の法人税に関する法令の規定の例に準じて計算した金額である。）は次のとおりである。

区　　　分	所得金額又は欠損金額
A国事業所	16,000,000円　（所得金額）
B国事業所	△　1,420,000円　（欠損金額）
C国事業所	7,000,000円　（所得金額）

(2)　当社が当期中に納付したA国事業所の所得に係る外国法人税額は5,500,000円、C国事業所の所得に係る外国法人税額は1,750,000円であり、租税公課として当期の費用に計上している。なお、A国事業所の所得に対して課された外国法人税額のうち負担が高率な部分の金額が600,000円ある。

(3)　当社の当期における所得金額（別表四差引計）は141,837,697円であり、法人税額（別表一差引法人税額）は32,906,184円である。

問題5 　控除限度額の繰越し　　　　　　　　応用　7分

次の資料により、当社の当期における税務上の調整を示すとともに控除外国税額の計算をしなさい。

⑴　当社は前期において、外国法人税額を納付しており、外国税額控除の適用を受けている。なお、その内容は次のとおりである。

区　　　分	金　　　額
控除対象外国法人税額	9,600,000円
控除限度額	11,150,000円
控除外国税額	9,600,000円

⑵　当社が当期において納付した外国法人税額は10,800,000円（所得に対する負担が高率な部分はない。）である。なお、当期の所得金額（別表四差引計の金額）は140,000,000円（うち国外所得金額33,750,000円）であり、法人税額（別表一差引法人税額）は32,480,000円である。

⑶　地方法人税及び地方税については、考慮する必要はない。

問題6 　控除対象外国法人税額の繰越し　　　　応用　7分

次の資料により、当社の当期における税務上の調整を示すとともに控除外国税額の計算をしなさい。

⑴　当社は前期において、外国法人税額を納付しており、外国税額控除の適用を受けている。なお、その内容は次のとおりである。

区　　　分	金　　　額
控除対象外国法人税額	11,000,000円
控除限度額	6,200,000円
控除外国税額	6,200,000円

⑵　当社が当期において納付した外国法人税額は1,000,000円（所得に対する負担が高率な部分はない。）である。なお、当期の所得金額（別表四差引計の金額）は75,000,000円（うち国外所得金額4,600,000円）であり、法人税額（別表一差引法人税額）は17,400,000円である。

⑶　地方法人税及び地方税については、考慮する必要はない。

理論 計算

→ 解答・解説 10−13

問題7 外国子会社配当等（所得税額控除との関係）　　　重要｜基本｜5分

次の資料により、当社の当期における税務上の調整を示しなさい。

⑴　当社は、当期において外国法人A社から次の剰余金の配当の支払いを受けている。当社は、配当等の額から源泉徴収税額を控除した差引手取額を、当期の収益に計上している。

区　　分	配当等の計算期間	配当等の額	源泉徴収税額	差引手取額	持株割合
A社株式	2024.10.1～2025.9.30	18,000,000円	4,281,030円	13,718,970円	50%

（注1）　源泉徴収税額のうち1,800,000円は外国源泉税額であり、残額は租税特別措置法第9条の2《国外で発行された株式の配当所得の源泉徴収等の特例》の規定により源泉徴収された所得税額2,430,000円及び復興特別所得税額51,030円である。

（注2）　A社株式は数年前に取得したものであり、取得後元本に異動はない。

⑵　A社の配当等の計算期間における所得金額は220,000,000円であり、外国法人税額は67,200,000円である。

Ch 1　Ch 2　Ch 3　Ch 4　Ch 5　Ch 6　Ch 7　Ch 8　Ch 9　Ch 10　Ch 11　Ch 12　Ch 13　Ch 14　Ch 15　Ch 16　Ch 17　総合問題

| 問題8 | 外国子会社配当等（外国税額控除との関係） | 重要 | 基本 | 7分 |

次の資料により、当社の当期における税務上の調整を示すとともに控除税額を計算しなさい。

(1) 当社が当期において支払いを受けた配当等の額は、次のとおりである。当社は、配当等の額から源泉徴収税額を控除した差引手取額を当期の収益に計上している。

銘柄	区　分	配当等の計算期間	差引手取額	外国源泉税額
A社株式	剰余金配当	2024. 4. 1〜2025. 3.31	2,023,000円	357,000円
B社株式	剰余金配当	2024. 7. 1〜2025. 6.30	3,469,700円	612,300円

（注1）　A社株式の発行法人であるA社は外国法人であり、当社の持株割合は12％である。

（注2）　B社株式の発行法人であるB社は外国法人であり、当社の持株割合は35％である。

（注3）　上表の株式は、いずれも数年前に取得したものであり、取得後当期末に至るまで異動はない。

(2) 当社の当期の所得金額（別表四「差引計」の金額）は60,890,248円であり、差引法人税額は14,126,480円である。

理論 計算

→ 解答・解説　10−15

Ch 1
Ch 2
Ch 3
Ch 4
Ch 5
Ch 6
Ch 7
Ch 8
Ch 9
Ch 10
Ch 11
Ch 12
Ch 13
Ch 14
Ch 15
Ch 16
Ch 17
総合問題

問題9　ミニテスト

重要　基本　7分

　次の資料により、当社（製造業。株主は全員個人。期末資本金の額100,000,000円。当期の所得金額 1,591,422,051円、差引法人税額368,553,904円）の当期における外国税額控除の計算を行いなさい。

　当社が当期中に外国法人から支払を受けた配当金は次のとおりであり、税引後の手取額を収益に計上している。この配当金の計算期間は、令和6年4月1日から令和7年3月31日までの期間であり、当社は令和6年10月1日に取得したものである。なお、当社はいわゆる大口の株主には該当せず、調整国外所得金額の計算上、損金として配分する金額が150,000円ある。

区　分	内　容	収 入 金 額	外国源泉税額	所得税額	差引手取額
A国B社	配当金	3,000,000 円	300,000 円	413,505 円	2,286,495 円

解答 問題1 控除対象外国法人税額

(1) A株式

200,000円

(2) B国

21,000,000円

(3) C国

① 22,000,000円

② 40,000,000×35%＝14,000,000円

③ ①＞②　∴　14,000,000円

(4) 合　計

(1)＋(2)＋(3)＝35,200,000円

(単位：円)

	項　　　　目	金　　額	留　　保	社外流出
加算				
減算				
仮　　　計		×××	×××	×××
控 除 対 象 外 国 法 人 税 額		35,200,000		35,200,000

解説

① 負担高率部分の金額（外国法人税の課税標準とされる金額の35%を超える部分の金額）は、外国税額控除の対象となりません。

② 負担高率部分があるかどうかの判定は、外国法人税ごとに、かつ、課税標準とされる金額ごとに行います。なお、源泉徴収外国税額については、特殊なケースを除いて、負担高率部分はありません。

③ 本問の場合、B国とC国で外国法人税が課税されていますが、税率が与えられているため、明らかに負担高率部分がない場合（本問ではB国の外国法人税）には、外国法人税の課税標準額の35%との比較を示す必要はありません。

Ch 1
Ch 2
Ch 3
Ch 4
Ch 5
Ch 6
Ch 7
Ch 8
Ch 9
Ch 10
Ch 11
Ch 12
Ch 13
Ch 14
Ch 15
Ch 16
Ch 17
総合問題

解 答 問題2 控除外国税額の計算（非課税所得）

（別表四）

17,500,000－500,000＝17,000,000円

（単位：円）

	項 目	金 額	留 保	社外流出
加算				
減算				
	仮 計	×××	×××	×××
控 除 対 象 外 国 法 人 税 額		17,000,000		17,000,000

（別表一）

(1) 控除対象外国法人税額 17,000,000円

(2) 控除限度額

$$10,208,000 \times \frac{{}^{※}35,000,000}{44,000,000} = 8,120,000円$$

※ ① 41,000,000－6,000,000＝35,000,000円

② 44,000,000×90%＝39,600,000円

③ ①＜② ∴ 35,000,000円

(3) (1)＞(2) ∴ 8,120,000円

解 説

① 控除限度額の計算上、国外所得金額は、次のように計算します。

> 国外で生じた所得に日本の法令を適用して計算した所得金額－非課税所得の金額

本問では、国外所得金額が41,000,000円と与えられていますが、非課税所得の金額6,000,000円が含まれているため、その非課税所得の金額を除く必要があります。

② 控除限度額の分子の調整国外所得金額は、国外所得金額と、別表四差引計の金額の90%のいずれか少ない金額となります。

（別表四）

(単位：円)

	項　　　目	金　　額	留　　保	社外流出
加算				
減算				
	仮　　　計	×××	×××	×××
控　除　対　象　外　国　法　人　税　額		75,000		75,000

（別表一）

(1) 控除対象外国法人税額　75,000円

(2) 控除限度額

$$4,387,816 \times \frac{{}^{※}750,000}{18,913,745} = 173,993円$$

※　①　750,000円

　　②　18,913,745×90％＝17,022,370円

　　③　①＜②　　∴　750,000円

(3)　(1)＜(2)　　∴　75,000円

解 説

　　A社からの剰余金の配当に係る国外所得金額は、配当等の額とされていますが、その内訳は、差引手取額と控除対象外国法人税額の合計額となっています。

解答　問題4　控除外国税額の計算（支店等の所得）

（別表四）

$5,500,000-600,000+1,750,000=6,650,000$円

(単位：円)

	項　　　目	金　　額	留　　保	社外流出
加算				
減算				
	仮　　　計	×××	×××	×××
控 除 対 象 外 国 法 人 税 額		6,650,000		6,650,000

（別表一）

(1)　控除対象外国法人税額　6,650,000円

(2)　控除限度額

$32,906,184 \times \dfrac{{}^{※}21,580,000}{141,837,697}=5,006,535$円

※　①　$16,000,000-1,420,000+7,000,000=21,580,000$円

　　②　$141,837,697 \times 90\%=127,653,927$円

　　③　①＜②　　∴　21,580,000円

(3)　(1)＞(2)　　∴　5,006,535円

解説

　国外所得金額は、国外で生じた所得であり、各国別に計算されるものではありません。したがって、B国事業所で生じた欠損金額（赤字の金額）は、A国事業所及びC国事業所の所得金額と通算して計算することになります。

解答　問題5　控除限度額の繰越し

（別表四）

(単位：円)

	項　　　目	金　　額	留　　保	社外流出
加算				
減算				
	仮　　　計	×××	×××	×××
控 除 対 象 外 国 法 人 税 額		10,800,000		10,800,000

（別表一）

(1) 控除対象外国法人税額

10,800,000円

(2) 控除限度額

$32,480,000 \times \dfrac{{}^{※}33,750,000}{140,000,000} + (11,150,000 - 9,600,000) = 9,380,000$円

※ ① 33,750,000円

② 140,000,000 × 90% = 126,000,000円

③ ① < ② ∴ 33,750,000円

(3) (1) > (2) ∴ 9,380,000円

解 説

① 前期の別表一では、「11,150,000 - 9,600,000 = 1,550,000円」分だけ控除限度額に余裕額が生じているため、繰越控除限度額として、当期に繰り越されてきていることになります。

② 繰越控除限度額は、当期の控除限度額とあわせて使用することができます。

解 答 問題6 控除対象外国法人税額の繰越し

（別表四）

（単位：円）

	項　　　　　目	金　　額	留　　保	社外流出
加算				
減算				
	仮　　　計	×××	×××	×××
控除対象外国法人税額		1,000,000		1,000,000

（別表一）

(1) 控除対象外国法人税額

1,000,000 + (11,000,000 - 6,200,000) = 5,800,000円

(2) 控除限度額

$17,400,000 \times \dfrac{{}^{※}4,600,000}{75,000,000} = 1,067,200$円

※ ① 4,600,000円

② 75,000,000 × 90% = 67,500,000円

③ ① < ② ∴ 4,600,000円

(3) (1) > (2) ∴ 1,067,200円

解 説

① 前期の別表一では、「11,000,000－6,200,000＝4,800,000円」分だけ控除限度額を超えるため控除しきれなかった控除対象外国法人税額が生じています。つまり、繰越控除対象外国法人税額として、当期に繰り越されてきていることになります。

② 繰越控除対象外国法人税額は、当期の控除対象外国法人税額とあわせて、控除限度額の範囲内で税額控除することができます。なお、繰越控除対象外国法人税額は、当期の税額控除の対象となりますが、前期に既に費用計上されており、当期の費用には計上されていないため、当期の別表四で加算調整をする必要はありません。

解 答　問題7　外国子会社配当等（所得税額控除との関係）

1．外国子会社配当等

⑴　配当等の額

18,000,000円

⑵　費用の額

18,000,000×5％＝900,000円

⑶　益金不算入額

18,000,000－900,000＝17,100,000円

2．外国源泉税等

1,800,000円

3．法人税額控除所得税額

2,430,000＋51,030＝2,481,030円

（単位：円）

	項　　　　　目	金　　額	留　　保	社外流出
加算	外国源泉税等の損金不算入額	1,800,000		1,800,000
減算	外国子会社配当等の益金不算入額	17,100,000		※17,100,000
	仮　　　　　計	×××	×××	×××
法人税額控除所得税額		2,481,030		2,481,030

解 説

① 当社は、A社株式を数年前に取得しており、持株割合は50％であることから、A社は当社の外国子会社に該当します。したがって、支払いを受けた配当等の額の95％相当額は益金不算入とされます。

② 外国子会社から受けた配当等に係る外国源泉税は、損金不算入となります。なお、外国税額控除の対象とすることはできません。

③ 外国子会社から受けた配当等に係るものであっても、源泉徴収された所得税額については、所得税額控除を適用することができます。

＜別表四＞

1．外国子会社配当等

　(1)　配当等の額

　　　3,469,700＋612,300＝4,082,000円

　(2)　費用の額

　　　4,082,000×5％＝204,100円

　(3)　益金不算入額

　　　4,082,000－204,100＝3,877,900円

2．外国源泉税等

　　612,300円

3．控除対象外国法人税額

　　357,000円

（単位：円）

	項　　　　　目	金　　額	留　　保	社外流出
加算	外国源泉税等の損金不算入額	612,300		612,300
減算	外国子会社配当等の益金不算入額	3,877,900		※ 3,877,900
	仮　　　　計	×××	×××	×××
控　除　対　象　外　国　法　人　税　額		357,000		357,000

＜別表一＞

(1)　控除対象外国法人税額

　　357,000円

(2)　控除限度額

　　$14,126,480 \times \dfrac{{}^{※}2,584,100}{60,890,248} = 599,508$円

　　※　①　2,023,000＋357,000＋3,469,700＋612,300－3,877,900＝2,584,100円

　　　　②　60,890,248×90％＝54,801,223円

　　　　③　①＜②　∴　2,584,100円

(3)　(1)＜(2)　∴　357,000円

解　説

① 　B社は、当社にとって外国子会社に該当するため、B社株式に係る外国源泉税額は、損金不算入とされ外国税額控除の対象とすることはできません。

② 　A社株式に係る外国源泉税額は、外国税額控除の対象となります。なお、控除限度額を計算する際の国外所得金額は、課税標準となるべき金額を指しているため、本問では次のとおり計算されています。

　　　国外所得金額＝A社株式に係る手取額（2,023,000）＋控除対象外国法人税額(357,000)

　　　　　　　　　　＋B社株式に係る手取額(3,469,700)＋外国源泉税等の損金不算入額(612,300)

　　　　　　　　　　－外国子会社配当等の益金不算入額(3,877,900)

解　答 　問題9　ミニテスト

（別表四）

（単位：円）

	項　　　　目	金　　額	留　　保	社外流出
加算				
減算				
	仮　　　　計	×××	×××	×××
控除対象外国法人税額		300,000		300,000

＜別表一＞

(1)　控除対象外国法人税の額

　　300,000 円

(2)　控除限度額

$$368,553,904 \times \frac{2,643,247^{※}}{1,591,422,051} = 612,143 \text{ 円}$$

　　※① 　$2,286,495 + 300,000 + 413,505 \times \frac{6}{12}$ （0.500）$-150,000 = 2,643,247$ 円

　　　② 　$1,591,422,051 \times 90\% = 1,432,279,845$ 円

　　　③ 　①＜② 　　∴ 　2,643,247 円

(3)　(1)＜(2) 　　∴ 　300,000円

解　説

　　国外源泉所得に係る所得の金額は、内国法人のその事業年度の国外事業所等を通じて行う事業に係る益金の額からその事業年度のその事業に係る損金の額を減算した金額とされており、本問の「損金として配分する金額が150,000円」についても、この損金の額に含まれます。

Chapter 11

消費税額等

No	内　　容		標準時間	重要度	難易度
問題1	控除対象外消費税額等（固定資産等）	計算	3分	A	基本
問題2	控除対象外消費税額等（棚卸資産等）	計算	3分	A	基本
問題3	控除対象外消費税額等（交際費等との関係）	計算	5分	A	基本
問題4	控除対象外消費税額等（損金算入限度超過額の認容）	計算	10分	A	応用

`理論` `計算`

`理論` `計算`

 `理論` `計算`

問題1 控除対象外消費税額等（固定資産等）   重要 | 基本 | 3分

次の資料により、当社の当期における税務上の調整を示しなさい。

(1) 当社が当期において取得した資産及び支出した費用に係る消費税額等及び控除対象外消費税額等は、次のとおりであり、当社は、控除対象外消費税額等の全額を当期の費用に計上している。なお、費用に係るものには、交際費等に係るものは含まれていない。

区　　分	消　費　税　額　等	控除対象外消費税額等
工 場 建 物 に 係 る も の	4,500,000円	990,000円
備 品 に 係 る も の	850,000円	187,000円
車 両 に 係 る も の	2,900,000円	638,000円
費 用 に 係 る も の	3,200,000円	704,000円

(2) 当社は消費税の経理処理として税抜方式を採用しており、消費税法第30条に規定する課税売上割合は78%である。

問題2 控除対象外消費税額等（棚卸資産等）   重要 | 基本 | 3分

次の資料により、当社の当期における税務上の調整を示しなさい。

(1) 当社は消費税等の経理方法として税抜方式を採用しており、消費税法第30条に規定する課税売上割合は80%未満である。

(2) 当社が当期において租税公課として費用に計上した金額のうち、控除対象外消費税額等は2,962,000円であり、その内訳は次のとおりである。

区　　分	控除対象外消費税額等
棚卸資産に係るもの	2,146,000円
固定資産に係るもの	276,000円　（注）
経費に係るもの	540,000円

（注） 一の機械装置に係るもの200,000円及び一の器具備品に係るもの76,000円の合計額である。

問題3 控除対象外消費税額等（交際費等との関係）

重要 基本 5分

次の資料により、当社の当期における税務上の調整を示しなさい。

(1) 当社は、消費税等に関する経理方法として税抜方式を採用しており、当期における消費税法第30条に規定する課税売上割合は70％である。

(2) 当社が当期において取得した資産及び支出した費用に課された消費税額等には、次のものが含まれている。当社は、控除対象外消費税額等の全額を当期の費用に計上している（下記以外のものについては、当期の損金の額に算入されるものである。）。

区　　　　　分	消 費 税 額 等	控 除 対 象 消 費 税 額 等	控 除 対 象 外 消 費 税 額 等
棚 卸 資 産	3,200,000円	2,240,000円	960,000円
機 械 装 置	700,000円	490,000円	210,000円
交 際 費	300,000円	210,000円	90,000円

(3) 当社が当期において支出した租税特別措置法第61条の4に規定する交際費の額は、3,750,000円（税抜金額）である。なお、当社の当期末における資本金の額は2億円である。

【理論】【計算】

問題4　控除対象外消費税額等（損金算入限度超過額の認容）重要▶ 応用 10分

次の資料により、当社の当期における税務上調整すべき金額を計算しなさい。

⑴　当社の当期の確定申告分の法人税、地方法人税、住民税及び事業税の見込額の合計額は85,000,000円であり、未払法人税等として当期の費用に計上されている。また、前期の確定申告分の法人税、住民税及び事業税の合計額44,000,000円（うち、事業税は8,000,000円である。）については、当期において未払法人税等を取り崩して納付している。

⑵　当社が、租税公課として当期の費用に計上した金額には次のものが含まれている。

①	当期中間申告分の法人税	20,000,000円
②	当期中間申告分の地方法人税	1,100,000円
③	当期中間申告分の住民税	3,000,000円
④	当期中間申告分の事業税	6,200,000円
⑤	固定資産税	1,100,000円
⑥	控除対象外消費税額等	20,900,000円（注）

（注）　一の固定資産(機械装置)に係るもの400,000円が含まれている。残額はすべて経費に係るものである。

⑶　前期において繰延消費税額等770,000円が生じており、前期に係る確定申告書において「繰延消費税額等損金算入限度超過額693,000円（加算留保）」の調整がなされている。

⑷　当社は、消費税等の経理方法について税抜経理を採用しており、当社の当期における課税売上割合は80％未満である。

Ch 1	
Ch 2	
Ch 3	
Ch 4	
Ch 5	
Ch 6	
Ch 7	
Ch 8	
Ch 9	
Ch 10	
Ch 11	
Ch 12	
Ch 13	
Ch 14	
Ch 15	
Ch 16	
Ch 17	
総合問題	

解 答 問題1 **控除対象外消費税額等（固定資産等）**

(1) 判定（78%＜80%）

① 工場建物 　　　990,000円≧200,000円 　　∴ 該当

② 備品 　　　　　187,000円＜200,000円 　　∴ 損金算入

③ 車両 　　　　　638,000円≧200,000円 　　∴ 該当

④ 費用に係るもの 　　　　　　　　　　　　　∴ 損金算入

(2) 損金算入限度額

$(990,000+638,000) \times \dfrac{12}{60} \times \dfrac{1}{2} = 162,800$円

(3) 損金算入限度超過額

$(990,000+638,000) - 162,800 = 1,465,200$円

（単位：円）

	項　　　　目	金　　額	留　　保	社外流出
加算	繰延消費税額等損金算入限度超過額	1,465,200	1,465,200	
減算				

解 説

① 課税売上割合が80%未満であるため、資産に係る控除対象外消費税額等のうち繰延消費税額等について、損金算入限度額の計算が必要になります。なお、費用に係る控除対象外消費税額は、交際費等に係るものを除き、損金の額に算入されます。

② 固定資産に係る控除対象外消費税額等であっても、一の資産に係る金額が20万円未満のものについては損金経理を要件に損金算入されます。したがって、一の資産に係る金額が20万円以上であるものが対象となります。本問では、建物及び乗用車に係るものが、繰延消費税額等に該当することになります。

③ 発生事業年度の損金算入限度額は、次の算式により計算します。

$$繰延消費税等 \times \dfrac{当期の月数}{60} \times \dfrac{1}{2}$$

解 答 問題2 **控除対象外消費税額等（棚卸資産等）**

(1) 判定（80%未満）

① 棚卸資産に係るもの 　　　　　　　　　　　∴ 損金算入

② 固定資産に係るもの

(イ) 機械装置 　　200,000円≧200,000円 　　∴ 該当

(ロ) 器具備品 　　76,000円＜200,000円 　　∴ 損金算入

③ 経費に係るもの 　　　　　　　　　　　　　∴ 損金算入

(2) 損金算入限度額

$$200,000 \times \frac{12}{60} \times \frac{1}{2} = 20,000円$$

(3) 損金算入限度超過額

$$200,000 - 20,000 = 180,000円$$

(単位：円)

	項　　　目	金　　額	留　　保	社外流出
加算	繰延消費税額等損金算入限度超過額	180,000	180,000	
減算				

解説

　資産に係る控除対象外消費税額等であっても、棚卸資産に係るものについては、損金経理を要件として損金の額に算入されます。

解答　問題3　控除対象外消費税額等（交際費等との関係）

1．繰延消費税額等

(1) 判定（70%＜80%）

　① 棚卸資産に係るもの　　　　　　　　　　　　　　∴　損金算入

　② 機械装置　　　　210,000円≧200,000円　　　　∴　該当

(2) 損金算入限度額　　$210,000 \times \frac{12}{60} \times \frac{1}{2} = 21,000円$

(3) 損金算入限度超過額　　$210,000 - 21,000 = 189,000円$

2．交際費等の損金不算入額

　　3,750,000 + 90,000 = 3,840,000円

(単位：円)

	項　　　目	金　　額	留　　保	社外流出
加算	繰延消費税額等損金算入限度超過額	189,000	189,000	
	交際費等の損金不算入額	3,840,000		3,840,000
減算				

解説

　費用に係る控除対象外消費税額等は、損金経理を要件として損金の額に算入されるのが原則ですが、交際費等の額に係るものについては、支出交際費等の額に含めて、交際費等の損金不算入の対象となります。なお、控除対象消費税額等は、交際費等の額に含まれません。

解 答　問題4　控除対象外消費税額等（損金算入限度超過額の認容）

1．当期分

(1)　判定（80%未満）

①　機械装置　400,000円≧200,000円　　∴　該当

②　経費に係るもの　　　　　　　　　　∴　損金算入

(2)　損金算入限度額

$$400,000 \times \frac{12}{60} \times \frac{1}{2} = 40,000円$$

(3)　損金算入限度超過額

400,000－40,000＝360,000円

2．前期分

(1)　損金算入限度額

$$770,000 \times \frac{12}{60} = 154,000円$$

(2)　損金算入限度超過額

0－154,000＝△154,000

154,000円＜693,000円　　∴　154,000円（認容）

（単位：円）

	項　　　　目	金　　額	留　　保	社外流出
加算	損 金 経 理 法 人 税	20,000,000	20,000,000	
	損 金 経 理 地 方 法 人 税	1,100,000	1,100,000	
	損 金 経 理 住 民 税	3,000,000	3,000,000	
	損 金 経 理 納 税 充 当 金	85,000,000	85,000,000	
	繰延消費税額等損金算入限度超過額			
	（当　　期　　分）	360,000	360,000	
減算	納 税 充 当 金 支 出 事 業 税 等	8,000,000	8,000,000	
	繰延消費税額等損金算入限度超過額認容			
	（前　　期　　分）	154,000	154,000	

解 説

　前期においても繰延消費税額等が生じ、繰延消費税額等損金算入限度超過額が生じていることから、当期においては損金算入限度額相当額の減算調整が必要になります。

········ *Memorandum Sheet* ········

Chapter 12

圧縮記帳

No	内　　容		標準時間	重要度	難易度
問題1	国庫補助金（直接控除方式）	計算	5分	A	基本
問題2	国庫補助金（積立金方式）	計算	7分	A	基本
問題3	保険金等（滅失経費の範囲）	計算	5分	A	基本
問題4	保険金等（直接控除方式）	計算	10分	A	基本
問題5	保険金等（積立金方式）	計算	7分	A	基本
問題6	交換（譲渡経費の範囲）	計算	5分	A	基本
問題7	交換（2以上の資産の同時交換）	計算	5分	A	基本
問題8	交換（取得費用との関係）	計算	7分	A	応用
問題9	交換（総合）	計算	10分	A	応用
問題10	交換（経理の特例）	計算	5分	A	基本
問題11	買換え（直接控除方式）	計算	7分	A	基本
問題12	買換え（積立金方式）	計算	5分	A	基本
問題13	買換え（差益割合を個別に計算する場合）	計算	13分	A	応用
問題14	ミニテスト	計算	13分	A	基本
問題15	ミニテスト	計算	10分	A	基本
問題16	ミニテスト	計算	10分	A	基本

問題1　国庫補助金（直接控除方式）

重要　基本　5分

次の資料により、当社の当期における税務上の調整を示しなさい。

⑴　当社は、令和7年7月23日に、機械装置の取得に充てるための国庫補助金50,000,000円の交付を受け、当期の収益に計上している。

⑵　令和8年2月1日に⑴の国庫補助金に自己資金を加えて、当該国庫補助金の交付の目的に適合した機械装置（法定耐用年数10年）を65,000,000円で取得し、直ちに事業の用に供している。

⑶　当該国庫補助金の返還を要しないことが当期末までに確定したため、当該機械装置について機械装置圧縮損60,000,000円を計上し帳簿価額を直接減額している。なお、機械装置に係る減価償却費として1,250,000円を当期の費用に計上している。

⑷　当社の当期末における資本金の額は200,000,000円である。なお、機械装置の償却方法として定率法を選定し、所定の届出を行っている。

⑸　償却率等の資料は次のとおりである。

耐用年数	定率法償却率	改定償却率	保証率
10年	0.200	0.250	0.06552

問題2　国庫補助金（積立金方式）

重要　基本　7分

次の資料により、当社の当期における税務上の調整を示なさい。ただし、法人税等調整額については考慮する必要はないものとする。

⑴　前期の処理

①　令和6年7月20日に、国から機械の取得に充てるための国庫補助金35,000,000円の交付を受け、国庫補助金収入として前期の収益に計上している。

②　令和6年10月10日に、①の国庫補助金と自己資金とをもって、国庫補助金の交付の目的に適合した機械（法定耐用年数14年）を50,000,000円で取得し、直ちに事業の用に供している。

③　前期において国庫補助金の返還を要しないことが確定したため、機械圧縮積立金として42,000,000円（圧縮積立金25,200,000円、繰延税金負債16,800,000円）を積み立てている。

⑵　当期の処理

当期において、⑴の機械に係る減価償却費として損金経理により2,000,000円を計上している。なお、機械の期首帳簿価額は45,525,000円であり、前期において償却超過額が3,132,500円生じている。

⑶　当社は、減価償却資産の償却方法について選定の届出を行っていない。なお、償却率等の資料は次のとおりである。

耐用年数	定額法償却率	定率法償却率	改定償却率	保証率
14年	0.072	0.143	0.167	0.04854

理論 計算

問題3　保険金等（滅失経費の範囲）　　　　重要　基本　5分

次の資料により、保険差益の圧縮記帳に係る滅失経費の額を計算しなさい。

(1) 令和7年4月10日に、当社工場から出火し次の資産が全焼した。これらの資産の被災直前の価額及び保険会社から受け取った保険金の内容は、次のとおりである。

区　分	被災直前の帳簿価額	保険金の額
工場建物	10,000,000円	20,000,000円
機　　械	12,500,000円	17,000,000円
商　　品	3,500,000円	3,000,000円

(2) (1)の火災に伴い、次の費用を支出し、いずれも雑費として費用に計上している。

① 消　防　費　　　　　　　　　　　200,000円
② 取　壊　費　　　　　　　　　　　500,000円
③ 新聞謝罪広告費　　　　　　　　　300,000円
④ 類焼者に対する損害賠償金　　　3,000,000円

問題4 保険金等（直接控除方式）
重要 基本 10分

次の資料により、当社の当期における税務上の調整を示しなさい。

(1) 令和7年6月に当社事務所から出火し、事務所建物及び事務機器が焼失した。この火災により焼失した資産の被災直前の帳簿価額及び保険会社から受け取った保険金の額は、次のとおりである。

区　　分	被災直前の帳簿価額	保険金の額	備　　考
事務所建物	12,300,000円	20,000,000円	前期以前の繰越償却超過額　217,000円
事務機器	3,355,000円	5,000,000円	前期以前の繰越償却超過額　245,000円

(2) 当社は、被災資産の被災直前の帳簿価額と火災に伴って支出した経費の額(焼跡の整理費用770,000円、消防費450,000円、近隣の類焼者への賠償金2,000,000円)を当期の費用に計上するとともに、保険会社から受け取った保険金を当期の収益に計上している。

(3) 令和7年12月12日に、上記の保険金をもって次の代替資産を取得し、翌月から事業の用に供している。なお、他に代替資産を取得する予定はない。

区　　分	取得価額	耐用年数
事務所建物	30,000,000円	31年
事務機器	4,550,000円	10年

(4) 当社は、(3)の代替資産について《保険金等で取得した固定資産等の圧縮額の損金算入》の規定の適用を受けたいと考え、事務所建物について7,700,000円、事務機器について1,645,000円をそれぞれ損金経理により圧縮損として計上するとともに、同額を帳簿価額から減額している。

(5) 当社は当期末において、減価償却費として事務所建物について200,000円、事務機械について300,000円を費用に計上している。

(6) 当社が償却方法について、選定の届出を行っていない。なお、償却率等の資料は次のとおりである。

耐用 年数	定額法 償却率	250%定率法			
		償却率	改定償却率	保証率
10	0.100	0.250	0.334	0.04448
31	0.033	0.081	0.084	0.01688

耐用 年数	200%定率法		
	償却率	改定償却率	保証率
10	0.200	0.250	0.06552
31	0.065	0.067	0.02286

理論 計算

問題5　保険金等（積立金方式）　　　　基本　7分

次の資料により、当社の当期における税務上の調整を示しなさい。

⑴　令和7年4月26日に、当社所有の工場建物が火災により全焼した。この火災に伴い令和7年11月22日に、保険会社から保険金の支払いを受けている。なお、この火災により焼失した資産の被災直前の帳簿価額及び保険会社から支払いを受けた保険金の額は、次のとおりである。

種　類	被災直前の帳簿価額	保険金の額
A 工 場 建 物	5,000,000円	16,000,000円
製　　　品	14,000,000円	14,000,000円

（注）A工場建物には、前期から繰り越された償却超過額が215,000円ある。

⑵　当社は、焼失した資産の焼失直前の帳簿価額及び火災により支出した焼跡整理費用850,000円、新聞謝罪広告費500,000円及び類焼者に対する賠償金1,320,000円を損金経理するとともに、取得した保険金の額を収益に計上している。

⑶　令和8年3月10日に、取得した保険金をもって焼失したA工場建物に代替するB工場建物（法定耐用年数は31年である。）を19,000,000円で取得し、直ちに事業の用に供している。

⑷　B工場建物については、償却費として132,000円を損金経理するとともに、法人税法第47条《保険金等で取得した固定資産等の圧縮額の損金算入》の規定の適用を受けることとし、建物圧縮積立金15,000,000円を積立てている。

⑸　当社は、減価償却資産の償却方法として定額法を選定し届け出ており、耐用年数31年の場合の定額法償却率は0.033である。

問題6 交換（譲渡経費の範囲） 重要 基本 5分

次の資料により、当社の当期における交換による圧縮限度額を計算しなさい。

⑴ 令和7年9月20日に、当社はNS㈱との間で次に掲げる資産の交換を行っている。

交換取得資産		交換譲渡資産		
区　分	時　　価	区　分	時　　価	譲渡直前の帳簿価額
土　地	35,000,000円	土　地	40,000,000円	13,000,000円
建　物	5,000,000円			

（注1） 交換譲渡資産である土地の上には、倉庫用建物が存していたが、契約により更地で引き渡すこととされていたため、これを取壊し、その取壊し費用500,000円及び取壊し直前の帳簿価額1,500,000円の合計額を当期の費用に計上している。

（注2） 交換取得資産である建物は、NS㈱が8年前に取得したものであり、事務所として事業の用に供されていたものである。

（注3） 交換に係る仲介手数料として700,000円を支出し、支払手数料として当期の費用に計上している。

⑵ 当社は、交換取得資産である土地及び建物については時価を取得価額として計上し、交換譲渡資産である土地の譲渡直前帳簿価額との差額を固定資産売却益として当期の収益に計上している。

問題7 交換（2以上の資産の同時交換） 重要 基本 5分

次の資料により、当社の当期における交換による圧縮限度額を計算しなさい。

⑴ 当社は当期において、A社との間で次に掲げる資産の交換を行っている。その交換における交換譲渡資産と交換取得資産の内訳は、次のとおりである。

区　　分	交　換　譲　渡　資　産		交換取得資産
	交換直前の帳簿価額	時　　価	時　　価
土　　地	16,220,000円	40,000,000円	38,000,000円
建　　物	6,500,000円	10,000,000円	12,000,000円
合　　計	22,720,000円	50,000,000円	50,000,000円

（注1） 交換譲渡資産及び交換取得資産は、いずれも当社及びA社がそれぞれ数年前より保有していたものであり、交換取得資産は交換のために取得したものではない。

（注2） 交換取得資産は、当社において、それぞれ交換譲渡資産の譲渡直前の用途と同一の用途に供している。

⑵ 当社は、譲渡経費1,300,000円（土地に係るもの880,000円及び建物に係るもの420,000円の合計額である。）を支出し、当期の費用に計上している。

問題8　交換（取得費用との関係）

 重要　応用　7分

次の資料により、当社の当期における税務上の調整を示しなさい。

⑴　令和7年4月2日に、当社はA社との間で次の土地の交換を行っている。なお、この交換取引は、法人税法第50条《交換により取得した資産の圧縮額の損金算入》の規定による圧縮記帳の適用要件を満たすものである。

区　　分	交　換　譲　渡　資　産		交換取得資産
	交換直前の帳簿価額	時　　価	時　　価
土　　　　地	15,000,000円	25,000,000円	20,000,000円
現　　　　金	――――	――――	5,000,000円
合　　　計	15,000,000円	25,000,000円	25,000,000円

⑵　当社は、この交換契約に基づいて、交換譲渡資産である土地の上にあった工作物を撤去しており、その除却損及び撤去費用の合計額500,000円を当期の費用に計上している。

⑶　当社は、この交換により収受した交換差金5,000,000円を収益に計上するとともに、交換取得資産である土地については時価を取得価額として資産に計上し、交換譲渡資産である土地の譲渡直前の帳簿価額との差額を固定資産売却益として当期の収益に計上している。なお、交換取得資産である土地について、圧縮記帳の適用を受けることとし、15,000,000円の圧縮損を当期の費用に計上している。

⑷　交換取得資産である土地について、その取得後、直ちに整地のための地盛りを行い、2,000,000円を支出し当期の費用に計上している。また、この土地について納付した所有権移転登記のための登録免許税500,000円及び不動産取得税400,000円は、租税公課として当期の費用に計上している。

問題9 交換（総合） 重要 応用 10分

次の資料により、当社の当期における税務上の調整を示しなさい。

(1) 当社は令和7年7月23日にE社との間で、次に掲げる資産の交換を行っている。

種 類	交換譲渡資産		種 類	交換取得資産
	譲渡直前の帳簿価額	時 価		時 価
A 建 物	11,120,000円	20,400,000円	C 建 物	20,600,000円
B 機 械	14,100,000円	19,600,000円	D 機 械	19,400,000円
合 計	25,220,000円	40,000,000円	合 計	40,000,000円

(2) 交換譲渡資産及び交換取得資産は当社及びE社において数年前から所有していたものであり、交換のために取得したものではない。なお、交換取得資産は取得後直ちに交換譲渡資産の譲渡直前の用途と同一の用途に供している。

(3) 当社は(1)の交換にあたり、交換譲渡資産に係る経費として仲介手数料を支払い、当期の費用に計上している。また、交換取得資産であるD機械を事業の用に供するにあたり改良費を支出し、修繕費として当期の費用に計上している。

(4) 上記の交換に関し当社が行った経理処理は、次のとおりである。

（C 建 物）	20,600,000円	（A 建 物）	11,120,000円
（D 機 械）	19,400,000円	（B 機 械）	14,100,000円
		（機械売却益）	14,780,000円
（仲介手数料）	408,000円	（現 金）	408,000円
（修 繕 費）	850,000円	（現 金）	850,000円
（C建物圧縮損）	9,480,000円	（C 建 物）	9,480,000円
（D機械圧縮損）	5,300,000円	（D 機 械）	5,300,000円
（減価償却費）	2,300,000円	（C建物・D機械）	2,300,000円

(注) 減価償却費のうち1,000,000円はC建物分、1,300,000円はD機械分である。

(5) 当社は、減価償却資産の償却方法として定額法を選定し届け出ている。なお、C建物の見積残存耐用年数は20年（定額法償却率 0.050）D機械の見積残存耐用年数は8年（定額法償却率 0.125）である。

問題10　交換（経理の特例）　重要▶　基本　5分

次の資料により、当社の当期における税務上の調整を示しなさい。

(1)　令和 7 年10月25日に、当社はA社との間で次の土地の交換を行っている。なお、この交換取引は、法人税法第50条《交換により取得した資産の圧縮額の損金算入》の規定による圧縮記帳の適用要件を満たすものである。

区　　分	交　換　譲　渡　資　産		交換取得資産
	交換直前の帳簿価額	時　　価	時　　価
土　　　地	15,340,000円	51,600,000円	60,000,000円
現　　　金	——	8,400,000円	——
合　　　計	15,340,000円	60,000,000円	60,000,000円

(2)　当社は、この交換取引について、交付した交換差金と交換譲渡資産の譲渡直前の帳簿価額との合計額を交換取得資産の取得価額としているため、固定資産の譲渡損益は計上していない。

(3)　当社は、上記の交換に係る契約に基づいて、交換譲渡資産である土地の上に存していた当社所有の倉庫を取壊しているが、その倉庫の取壊し直前の帳簿価額及び取壊費用の合計額1,230,000円を雑損失として当期の費用に計上している。

問題11 買換え（直接控除方式）

重要 基本 7分

次の資料により、当社の当期における税務上の調整を示しなさい。

(1) 当社は、令和8年1月10日に集中地域に所在する当社所有の次の土地（本店資産に該当しない。）を不動産会社に譲渡している。なお、この土地の譲渡に伴い、この土地の上に存していた倉庫用建物を取り壊しており、その帳簿価額及び取壊費用その他譲渡に要した経費の合計額2,250,000円を当期の費用に計上している。

種　類	取　得　日	譲渡対価の額	譲渡直前の帳簿価額	面　積
土　地	平成16年4月17日	90,000,000円	45,000,000円	1,164㎡

(2) 当社は令和8年3月3日に(1)の譲渡代金に手持資金を加えて集中地域以外の地域に所在する次の土地及びその上に存する倉庫用建物を取得し、直ちに事業の用に供している。

種　類	取　得　日	購入代価の額	面　積
土　　地	令和8年3月3日	75,000,000円	6,000㎡
倉庫用建物	令和8年3月3日	38,000,000円	—

(3) 当社は上記の買換えに伴い、取得資産の購入代価の額を取得価額として付すとともに、譲渡資産の譲渡対価の額と譲渡直前の帳簿価額との差額を固定資産売却益として当期の収益に計上している。また、当社は、この買換えについて租税特別措置法第65条の7《特定の資産の買換えの場合の課税の特例》の規定の適用を受けることとし、取得した土地及び倉庫用建物について、次のとおり損金経理により圧縮損及び減価償却費を計上している。

種　類	圧　縮　損	減価償却費
土　　地	35,000,000円	—
倉庫用建物	10,000,000円	98,000円

(4) 当社は、減価償却資産の償却方法につき、定額法を選定し届け出ている。なお、償却率等の資料は　次のとおりである。

耐用年数	定額法償却率
24年	0.042

問題12　買換え（積立金方式）

次の資料により、当社の当期における税務上の調整を示しなさい。

⑴　当社は、平成17年2月24日に取得したA市にある次の土地（東京23区内に所在する本店資産に該当する面積100㎡の土地である。）を、令和7年4月10日に譲渡している。

種　類	譲渡対価の額	譲渡直前の帳簿価額
土　地	20,000,000円	8,000,000円

⑵　当社は、⑴の譲渡について、譲渡対価の額と譲渡直前の帳簿価額との差額12,000,000円を固定資産譲渡益として当期の収益に計上している。なお、この譲渡に関する契約の一環としてこの土地の上にあった建物を取壊し、その建物の取壊し直前の帳簿価額450,000円及び取壊し費用150,000円を当期の費用に計上している。

⑶　⑴の土地の譲渡対価及び銀行借入金をもってB市近郊（集中地域以外の地域に所在する。）に建物を建設し、租税特別措置法第65条の7《特定の資産の買換えの場合の課税の特例》の規定を適用するため、当期の確定した決算において圧縮積立金を積み立てている。その敷地及び建物（本店資産）の取得価額並びに圧縮積立金の額は、次のとおりである。なお、建物の完成日は令和8年3月20日で、その建物の使用開始予定日は令和8年6月1日である。

種　類	取　得　価　額	圧　縮　積　立　金
敷地（面積800㎡）	11,000,000円	5,000,000円
建物	12,000,000円	7,000,000円

問題13 買換え（差益割合を個別に計算する場合） 重要 応用 13分

次の資料により、当社の当期における税務上の調整を示しなさい。

(1) 令和7年7月14日に、当社がA市（集中地域）に所有していた工場用建物及びその敷地（本店資産に該当せず、敷地の面積は160㎡であり、いずれも平成17年9月に取得したものである。）を譲渡し、その譲渡代金及び自己資金をもって集中地域以外の地域に新たに土地（面積は1,000㎡である。）を取得し、その上に工場を建築し令和8年1月25日から事業の用に供している。

(2) 上記の買換えに係る譲渡資産及び買換資産に関する資料は、次のとおりである。当社は、譲渡資産の譲渡直前の帳簿価額と譲渡対価の額との差額を、譲渡益として当期の収益に計上している。また、この買換えに係る譲渡に要した仲介手数料は4,900,000円であり、当期の費用に計上されている。

種　　類	譲渡対価の額	譲渡直前帳簿価額	買換資産の取得価額
土　　地	110,000,000円	21,505,000円	100,000,000円
工場用建物	90,000,000円	20,895,000円	85,000,000円
計	200,000,000円	42,400,000円	185,000,000円

(注) 譲渡した工場用建物には、前期から繰り越された償却超過額が300,000円ある。

(3) 当社は、上記の買換えにより取得した資産について特定の資産の買換えの場合の課税の特例を適用することとし、損金経理により、圧縮損として土地について50,000,000円及び建物について52,000,000円を計上するとともに、償却費として300,000円を計上している。

(4) 工場用建物の耐用年数は24年であり、耐用年数24年の場合の定額法償却率は、0.042である。

問題14　ミニテスト　　　　　　　　　　　重要｜基本｜13分

次の資料により、当社（期末資本金の額 300,000,000 円）の当期における税務調整を行いなさい。なお、当社は減価償却資産の償却方法について何ら選定の届出をしていない。

(1) 当期の5月15日に当社の工場から失火し、次に掲げる資産が全焼し、当期の8月4日に保険金 35,000,000円を取得した。当社は取得した保険金を収益に計上するとともに、焼失資産の被害直前帳簿価額を特別損失として損金経理している。

種類	被害直前帳簿価額	受取保険金	備考
建物　A	15,129,000 円	20,000,000 円	繰越償却超過額 455,000 円がある。
機械装置 B	8,987,500 円	12,500,000 円	繰越償却超過額 62,500 円がある。
製　品	2,375,000 円	2,500,000 円	

(2) 焼失等に伴い次の金額を支出し、損金経理している。

① 消防費用　　　　　　　　　　190,000 円
② 近隣への見舞金　　　　　　　200,000 円
③ 焼け跡の整理費用　　　　　　650,000 円
④ 建物Aの取壊し損　　　　　　395,000 円

(3) 当社は当期において、上記の保険金と自己資金を合わせて、次に掲げる代替資産を取得し、直ちに事業の用に供している。

なお、これら以外に代替資産を取得する予定はない。

種類	耐用年数	取得価額	取得日	圧縮損（損金経理）	減価償却費
建物　C	50 年	30,000,000 円	令7.9.30	7,500,000 円	375,000 円
機械装置 D	10 年	11,250,000 円	令7.9.30	5,000,000 円	500,000 円

(4) 減価償却資産の償却率、改定償却率及び保証率の表は、次のとおりである。

① 旧定額法、旧定率法及び定額法の償却率並びに平成19年4月1日から平成24年3月31日までに取得した減価償却資産の定率法の償却率、改定償却率、保証率の表（一部）

耐用年数	定額法償却率	定率法			旧定額法償却率	旧定率法償却率
		償却率	改定償却率	保証率		
10	0.100	0.250	0.334	0.04448	0.100	0.206
50	0.020	0.050	0.053	0.01072	0.020	0.045

② 平成24年4月1日以後に取得した減価償却資産の定率法の償却率、改定償却率及び保証率の表（一部）

耐用年数	償却率	改定償却率	保証率
10	0.200	0.250	0.06552
50	0.040	0.042	0.01440

問題15　ミニテスト

重要　基本　10分

次の資料により、当社（期末資本金の額 300,000,000 円）の当期における税務調整を行いなさい。

(1) 当社は、A市近郊に本社の建設を計画中であり、それに伴い工場の移転も行うこととし、令和7年7月11日にB社との間で土地及び工場用建物の交換（B社において1年以上所有していたものであり、交換のために取得したものではない。）を行い、直ちに事業の用（交換直前の用途と同一の用途）に供した。当社が交換に供した資産と交換により取得した資産の明細は次のとおりである。なお、この交換により交換差金 3,400,000 円を収受している。

交換に供した資産				交換により取得した資産	
区分	取得日	交換直前簿価	交換時の時価	区分	交換時の時価等
土地	平 22. 4 .23	17,125,000 円	35,400,000 円	土地	31,250,000 円
建物	平 22. 4 .23	8,250,750 円	11,212,500 円	建物	11,962,500 円
合計額		25,375,750 円	46,612,500 円	合計額	43,212,500 円

(注) 当社は交換に供した資産の交換時の時価の合計額 46,612,500 円とその交換直前の帳簿価額（建物には前期から繰り越された減価償却超過額が 10,000 円ある。）の合計額 25,375,750 円との差額 21,236,750 円を固定資産売却益として当期の収益に計上している。また、この交換の際に仲介手数料として 750,000 円（土地に係る金額 575,000 円、建物に係る金額 175,000 円）を支出し、当期の費用に計上している。

(2) 当社は、これらの取得資産につき法人税法第50条《交換により取得した資産の圧縮記帳》の規定の適用を受けることとした。

当社は、交換により取得した土地の帳簿価額を損金経理により 25,000,000 円、建物の帳簿価額を 3,000,000 円減額している。なお、建物については減価償却費を 125,000 円計上している（償却方法は定額法で耐用年数 20 年の償却率 0.050 で計算すること。）。

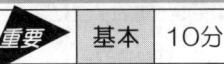

理論 計算

→ 解答・解説 12−31

問題16　ミニテスト

重要　基本　10分

次の資料により、当社（期末資本金の額 300,000,000 円）の当期における税務調整を行いなさい。なお、法人税等調整額の調整については考慮不要とする

(1)　当社は、令和7年10月6日に集中地域以外の地域内に所在する当社所有のA土地（平成10年4月4日取得、面積 800 ㎡、帳簿価額 72,000,000 円、本店資産に該当。）を、A土地の上にあったB建物（帳簿価額 12,000,000 円、繰越償却超過額 240,000 円）を取り壊した上で、C社に対して譲渡し、その対価として 120,000,000 円を収受し、その対価とA土地の帳簿価額との差額を譲渡益に計上するとともに、譲渡に要した費用 3,600,000 円、B建物の帳簿価額 12,000,000 円及びB建物取壊費 1,500,000 円を費用に計上している。

(2)　当社は上記(1)の譲渡対価及び自己資金により令和8年1月11日に東京 23 区に所在するD土地（面積 5,000 ㎡）及びE建物（本店資産に該当）を取得し、直ちに事業の用に供している。なお、これらの取得資産につき租税特別措置法第 65 条の7《特定の資産の買換えの場合の特例》の規定の適用を受けることとし、次の圧縮記帳の経理及び減価償却費の 1,000,000 円計上を行っている。なお、その経理額及びこれらの資産の取得価額等の詳細は次のとおりである。

買換資産・償却率等	取得価額	剰余金処分圧縮積立金	繰延税金負債計上額
D　　　土　　　地	80,000,000 円	13,000,000 円	7,000,000 円
E建物 0.025（41年定額法）	60,000,000 円	5,200,000 円	2,800,000 円

1. 圧縮記帳

(1) 圧縮限度額

50,000,000円＜65,000,000円　∴　50,000,000円

(2) 圧縮超過額

60,000,000－50,000,000＝10,000,000円（償却費）

2. 減価償却

(1) 償却限度額

$(65,000,000-50,000,000) \times 0.200 = 3,000,000$円 $\geqq (65,000,000-50,000,000) \times 0.06552 = 982,800$円

∴　$3,000,000 \times \dfrac{2}{12} = 500,000$円

(2) 償却超過額

$(1,250,000+10,000,000) - 500,000 = 10,750,000$円

（単位：円）

	項　　　　　目	金　　額	留　　保	社 外 流 出
加算	減 価 償 却 超 過 額 （機 械 装 置）	10,750,000	10,750,000	
減算				

解説

① 国庫補助金の返還を要しないことが当期末までに確定したため、当期において圧縮記帳の適用を受けることができます。

② 圧縮限度額は、交付を受けた国庫補助金（返還不要確定額）と機械装置の取得価額のいずれか少ない金額となります。

③ 圧縮記帳をした資産の取得価額は、本来の取得価額から損金の額に算入された圧縮額を控除した金額となります。また、直接控除方式により圧縮損を計上した場合の圧縮超過額は、償却費として損金経理をした金額に含まれます。

解答　問題2　国庫補助金（積立金方式）

1．圧縮記帳（前期）

(1) 圧縮限度額

35,000,000円＜50,000,000円　　∴　35,000,000円

(2) 圧縮超過額（※）

42,000,000－35,000,000＝7,000,000円

※　当期の計算には不要

2．減価償却

(1) 償却限度額

(45,525,000－35,000,000＋3,132,500)×0.143＝1,953,022円≧(50,000,000－35,000,000)

×0.04854＝728,100円　　∴　1,953,022円

(2) 償却超過額

2,000,000－1,953,022＝46,978円

(単位：円)

	項　　　　目	金　　額	留　　保	社外流出
加算	減価償却超過額 （機　　械）	46,978	46,978	
減算				

解説

① 税効果会計を適用している場合の圧縮積立金の積立額は、圧縮積立金として積み立てた金額とその圧縮積立金に係る繰延税金負債の合計額となります。

② 前期以前に圧縮記帳の適用を受けている場合には、取得価額は、損金の額に算入された圧縮額を控除した金額となっています（帳簿価額も同様です。）。

解答　問題3　保険金等（滅失経費の範囲）

滅失経費の額

1．工場建物

$(200,000+500,000) \times \dfrac{20,000,000}{40,000,000^{※}} = 350,000$円

※　20,000,000＋17,000,000＋3,000,000＝40,000,000円

2．機械

$(200,000+500,000) \times \dfrac{17,000,000}{40,000,000} = 297,500$円

解説

消防費及び取壊費は、滅失経費に該当します。特に建物に係るものや機械に係るものと限定がないため、共通経費に該当し、保険金の比により各資産に配賦します。

解 答　問題4　保険金等（直接控除方式）

1．圧縮記帳

(1)　滅失経費の額

　① 事務所建物

$$(770,000+450,000)\times\frac{20,000,000}{20,000,000+5,000,000}=976,000円$$

　② 事務機器

$$(770,000+450,000)\times\frac{5,000,000}{20,000,000+5,000,000}=244,000円$$

(2)　差引保険金等の額

　① 事務所建物

　　20,000,000－976,000＝19,024,000円

　② 事務機器

　　5,000,000－244,000＝4,756,000円

(3)　保険差益金の額

　① 事務所建物

　　19,024,000－(12,300,000＋217,000)＝6,507,000円

　② 事務機器

　　4,756,000－(3,355,000＋245,000)＝1,156,000円

(4)　圧縮限度額

　① 事務所建物

$$6,507,000\times\frac{^{※}19,024,000}{19,024,000}=6,507,000円$$

　　※　30,000,000円＞19,024,000円　　∴　19,024,000円

　② 事務機器

$$1,156,000\times\frac{^{※}4,550,000}{4,756,000}=1,105,929円$$

　　※　4,550,000円＜4,756,000円　　∴　4,550,000円

(5)　圧縮超過額

　① 事務所建物

　　7,700,000－6,507,000＝1,193,000円（償却費）

　② 事務機器

　　1,645,000－1,105,929＝539,071円（償却費）

2．減価償却

(1)　事務所建物

　① 償却限度額

$$(30,000,000-6,507,000)\times0.033\times\frac{3}{12}=193,817円$$

　② 償却超過額

　　(200,000＋1,193,000)－193,817＝1,199,183円

(2) 事務機器

① 償却限度額

$(4,550,000-1,105,929) \times 0.200 = 688,814$円 $\geqq (4,550,000-1,105,929) \times 0.06552 = 225,655$円

$\therefore \quad 688,814 \times \dfrac{3}{12} = 172,203$円

② 償却超過額

$(300,000+539,071) - 172,203 = 666,868$円

（単位：円）

	項　　　　　目	金　　額	留　　保	社 外 流 出
加算	減 価 償 却 超 過 額 （事 務 所 建 物） （事 務 機 器）	 1,199,183 666,868	 1,199,183 666,868	
減算	減 価 償 却 超 過 額 認 容 （事 務 所 建 物） （事 務 機 器）	 217,000 245,000	 217,000 245,000	

解 説

① 被災資産に繰越償却超過額がある場合には、直ちに減算調整が必要です。

② 焼跡整理費用と消防費が滅失経費の額に該当しますが、共通経費であるため保険金の比による按分が必要です。

③ 圧縮限度額は、次の算式により計算します。

保険差益金の額 $\times \dfrac{\text{代替資産の取得等に充てた保険金等の額（※）}}{\text{差引保険金等の額}}$

※　代替資産の取得価額と差引保険金等の額のいずれか少ない金額

1. 圧縮記帳

(1) 滅失経費の額

$$850,000 \times \frac{16,000,000}{16,000,000 + 14,000,000} = 453,333円$$

(2) 差引保険金等の額

$$16,000,000 - 453,333 = 15,546,667円$$

(3) 保険差益金の額

$$15,546,667 - (5,000,000 + 215,000) = 10,331,667円$$

(4) 圧縮限度額

$$10,331,667 \times \frac{{}^{※}15,546,667}{15,546,667} = 10,331,667円$$

※ 19,000,000円 > 15,546,667円 ∴ 15,546,667円

(5) 圧縮超過額

$$15,000,000 - 10,331,667 = 4,668,333円$$

2. 減価償却

(1) 償却限度額

$$(19,000,000 - 10,331,667) \times 0.033 \times \frac{1}{12} = 23,837円$$

(2) 償却超過額

$$132,000 - 23,837 = 108,163円$$

(単位：円)

	項　　目	金　額	留　保	社外流出
加算	圧縮積立金積立超過額（B工場建物）	4,668,333	4,668,333	
	減価償却超過額（B工場建物）	108,163	108,163	
減算	圧縮積立金認定損（B工場建物）	15,000,000	15,000,000	
	減価償却超過額認容（A工場建物）	215,000	215,000	

解説

　積立金方式による圧縮超過額は、償却費として損金経理をした金額に含まれません。

解 答　問題6　交換（譲渡経費の範囲）

(1)　判　定（土地）

$40,000,000-35,000,000=5,000,000$円$\leqq40,000,000\times20\%=8,000,000$円　　∴　適用あり

(2)　譲渡経費の額

$500,000+1,500,000+700,000=2,700,000$円

(3)　圧縮限度額

$35,000,000-(13,000,000+2,700,000)\times\dfrac{35,000,000}{35,000,000+5,000,000}=21,262,500$円

解 説

①　譲渡経費の額は、譲渡する土地の上に存する建物の取壊し費用及び取壊し直前の帳簿価額並びに仲介手数料の額の合計額となります。

②　交換差金等は、交換譲渡資産の時価と交換取得資産と時価との差額です。本問は交換差金等を取得したケースに該当します。

解 答　問題7　交換（2以上の資産の同時交換）

(1)　判　定

①　土　地

$40,000,000-38,000,000=2,000,000$円$\leqq40,000,000\times20\%=8,000,000$円　　∴　適用あり

②　建　物

$12,000,000-10,000,000=2,000,000$円$\leqq12,000,000\times20\%=2,400,000$円　　∴　適用あり

(2)　譲渡経費の額

①　土　地

$880,000$円

②　建　物

$420,000$円

(3)　圧縮限度額

①　土　地

$38,000,000-(16,220,000+880,000)\times\dfrac{38,000,000}{38,000,000+2,000,000}=21,755,000$円

②　建　物

$12,000,000-(6,500,000+420,000+2,000,000)=3,080,000$円

解 説

①　交換の圧縮記帳は、同種資産の交換が前提であり、2以上の種類の固定資産を同時に交換した場合には、同一種類の固定資産ごとに、それぞれ交換したものと考えます。したがって、土地は土地と、建物は建物と交換したものと考えます。

②　土地は、交換差金等を取得したケース、建物は、交換差金等を交付したケースに該当します。

(1) 判 定

　$25,000,000 - 20,000,000 = 5,000,000$円 $\leqq 25,000,000 \times 20\% = 5,000,000$円　∴　適用あり

(2) 譲渡経費の額

　500,000円

(3) 圧縮限度額

　$20,000,000 - (15,000,000 + 500,000) \times \dfrac{20,000,000}{20,000,000 + 5,000,000} = 7,600,000$円

(4) 圧縮超過額

　$15,000,000 - 7,600,000 = 7,400,000$円

（単位：円）

	項　　　　　　　　目	金　　額	留　　保	社　外　流　出
加算	土 地 圧 縮 超 過 額	7,400,000	7,400,000	
	土 地 計 上 も れ	2,000,000	2,000,000	
減算				

解 説

① 　工作物の撤去に係る除却損（撤去直前の帳簿価額）及び撤去費用は、譲渡経費に該当します。

② 　交換による取得後、事業供用するまでの間に交換取得資産について支出した費用は、交換取得資産の取得価額を構成します。したがって、整地のための地盛りを行った費用は取得価額に含まれます。なお、登録免許税及び不動産取得税については、取得価額に含めないことができます。

③ 　取得費用は、取得価額を構成しますが、交換により取得したものではないため、交換の圧縮記帳の対象とはなりません。

1. 圧縮記帳

(1) 判 定

C建物 $20,600,000 - 20,400,000 = 200,000$円 $\leqq 20,600,000 \times 20\% = 4,120,000$円

D機械 $19,600,000 - 19,400,000 = 200,000$円 $\leqq 19,600,000 \times 20\% = 3,920,000$円

∴ C建物、D機械ともに適用あり

(2) 譲渡経費の額

C建物 $408,000 \times \dfrac{20,400,000}{40,000,000} = 208,080$円

D機械 $408,000 \times \dfrac{19,600,000}{40,000,000} = 199,920$円

(3) 圧縮限度額

C建物 $20,600,000 - (11,120,000 + 208,080 + 200,000) = 9,071,920$円

D機械 $19,400,000 - (14,100,000 + 199,920) \times \dfrac{19,400,000}{19,400,000 + 200,000} = 5,245,998$円

(4) 圧縮超過額

C建物 $9,480,000 - 9,071,920 = 408,080$円（償却費）

D機械 $5,300,000 - 5,245,998 = 54,002$円（償却費）

2. 減価償却

(1) 償却限度額

① C建物

$(20,600,000 - 9,071,920) \times 0.050 \times \dfrac{9}{12} = 432,303$円

② D機械

$(19,400,000 + 850,000 - 5,245,998) \times 0.125 \times \dfrac{9}{12} = 1,406,625$円

(2) 償却超過額

① C建物

$(1,000,000 + 408,080) - 432,303 = 975,777$円

② D機械

$(1,300,000 + 54,002 + 850,000) - 1,406,625 = 797,377$円

（単位：円）

	項　　　　　　目	金　　額	留　　保	社　外　流　出
加算	減 価 償 却 超 過 額 （C　建　物） （D　機　械）	 975,777 797,377	 975,777 797,377	
減算				

(1) 判 定

60,000,000 − 51,600,000 = 8,400,000円 ≦ 60,000,000 × 20% = 12,000,000円 ∴ 適用あり

(2) 譲渡経費の額

1,230,000円

(3) 圧縮限度額

60,000,000 − (15,340,000 + 1,230,000 + 8,400,000) = 35,030,000円

(4) 会社計上の圧縮損の額

60,000,000 − (15,340,000 + 8,400,000) = 36,260,000円

(5) 圧縮超過額

36,260,000 − 35,030,000 = 1,230,000円

(単位：円)

	項　　　　　　目	金　　額	留　　保	社 外 流 出
加算	土 地 圧 縮 超 過 額	1,230,000	1,230,000	
減算				

解 説

　本問では、交付した交換差金と交換譲渡資産の譲渡直前の帳簿価額との合計額を交換取得資産の取得価額としているため、圧縮損が計上されていません（経理の特例）。会社計上の圧縮損の額は次の算式により計算します。

会社計上の圧縮損 ＝ 交換取得資産の時価 − 会社計上の取得価額

解答　問題11　買換え（直接控除方式）

1．圧縮記帳

(1) 差益割合

$$\frac{90,000,000-(45,000,000+2,250,000)}{90,000,000}=0.475$$

(2) 圧縮限度額

① 土　地

$90,000,000円＞75,000,000×\dfrac{1,164㎡×5}{6,000㎡}=72,750,000円$　　∴　72,750,000円

$72,750,000×0.475×80\%=27,645,000円$

② 倉庫用建物

$90,000,000-72,750,000=17,250,000円＜38,000,000円$　　∴　17,250,000円

$17,250,000×0.475×80\%=6,555,000円$

(3) 圧縮超過額

① 土　地

$35,000,000-27,645,000=7,355,000円$

② 倉庫用建物

$10,000,000-6,555,000=3,445,000円（償却費）$

2．減価償却

(1) 償却限度額

$(38,000,000-6,555,000)×0.042×\dfrac{1}{12}=110,057円$

(2) 償却超過額

$(98,000+3,445,000)-110,057=3,432,943円$

（単位：円）

	項　　　　　目	金　　額	留　　保	社 外 流 出
加算	土　地　圧　縮　超　過　額	7,355,000	7,355,000	
	減　価　償　却　超　過　額			
	（倉　庫　用　建　物）	3,432,943	3,432,943	
減算				

解説

　譲渡資産に土地がある場合には、買換資産である土地について面積制限の規定が適用されます。買換資産である土地のうち、譲渡資産である土地の面積の5倍を超える部分は、圧縮記帳の対象となりません。

(1) 差益割合

$$\frac{20,000,000-(8,000,000+450,000+150,000)}{20,000,000}=0.57$$

(2) 圧縮限度額

① 土 地

$20,000,000円 > 11,000,000 \times \dfrac{100㎡ \times 5}{800㎡}=6,875,000円$　　∴ 6,875,000円

$6,875,000 \times 0.57 \times 90\% = 3,526,875円$

② 建 物

$20,000,000-6,875,000=13,125,000円 > 12,000,000円$　　∴ 12,000,000円

$12,000,000 \times 0.57 \times 90\% = 6,156,000円$

(3) 圧縮超過額

① 土 地

$5,000,000-3,526,875=1,473,125円$

② 建 物

$7,000,000-6,156,000=844,000円$

（単位：円）

	項　　　　　　目	金　額	留　保	社外流出
加算	圧縮積立金積立超過額			
	（土　　地）	1,473,125	1,473,125	
	（建　　物）	844,000	844,000	
減算	圧縮積立金認定損			
	（土　　地）	5,000,000	5,000,000	
	（建　　物）	7,000,000	7,000,000	

解 説

　買換えの圧縮記帳は、買換資産を取得し、その取得日から１年以内に事業の用に供したとき又は供する見込みであるときに適用されます。買換資産である減価償却資産について、事業の用に供していれば、減価償却を行うことになります。しかし、事業の用に供する見込みである場合には、圧縮記帳の適用はあっても、減価償却を行うことはできません。

　第三号で譲渡資産が東京23区内に所在する本店資産であり、買換資産が集中地域以外の地域に所在する本店資産のため、圧縮割合は90％となります。

解 答　問題13　買換え（差益割合を個別に計算する場合）

1．圧縮記帳

(1) 譲渡経費の額

① 土　地

$$4,900,000 \times \frac{110,000,000}{200,000,000} = 2,695,000円$$

② 建　物

$$4,900,000 \times \frac{90,000,000}{200,000,000} = 2,205,000円$$

(2) 差益割合

① 土　地

$$\frac{110,000,000 - (21,505,000 + 2,695,000)}{110,000,000} = 0.78$$

② 建　物

$$\frac{90,000,000 - (20,895,000 + 2,205,000 + 300,000)}{90,000,000} = 0.74$$

(3) 圧縮限度額

① 土　地

$$110,000,000円 > 100,000,000 \times \frac{160㎡ \times 5}{1,000㎡} = 80,000,000円 \qquad \therefore \quad 80,000,000円$$

$$80,000,000 \times 0.78 \times 80\% = 49,920,000円$$

② 建　物

(イ)　$110,000,000 - 80,000,000 = 30,000,000円 < 85,000,000円$　∴　$30,000,000円$

$$30,000,000 \times 0.78 \times 80\% = 18,720,000円$$

(ロ)　$90,000,000円 > 85,000,000 - 30,000,000 = 55,000,000円$　∴　$55,000,000円$

$$55,000,000 \times 0.74 \times 80\% = 32,560,000円$$

(ハ)　(イ) ＋ (ロ) ＝ 51,280,000円

(4) 圧縮超過額

① 土　地

$$50,000,000 - 49,920,000 = 80,000円$$

② 建　物

$$52,000,000 - 51,280,000 = 720,000円（償却費）$$

2．減価償却

(1) 償却限度額

$$(85,000,000 - 51,280,000) \times 0.042 \times \frac{3}{12} = 354,060円$$

(2) 償却超過額

$$(300,000 + 720,000) - 354,060 = 665,940円$$

（単位：円）

	項　　　　　　　目	金　　額	留　　保	社　外　流　出
加算	土　地　圧　縮　超　過　額	80,000	80,000	
	減　価　償　却　超　過　額			
	（工　場　用　建　物）	665,940	665,940	
減算	減　価　償　却　超　過　額　認　容			
	（工　場　用　建　物）	300,000	300,000	

解 説

①　本問では、差益割合を一括計算する旨の指示がないため、原則どおり差益割合は譲渡資産ごとに個別に計算することになります。

②　差益割合を個別に計算する場合には、差益割合の高い譲渡対価を優先的に使用し、課税延期の効果が長いものから順に取得したと考えて、圧縮限度額を計算することになります。

解 答　問題14　ミニテスト

1．圧縮記帳

(1)　滅失経費の額

①　建物

$$(190,000 + 650,000) \times \frac{20,000,000}{35,000,000} + 395,000 = 875,000円$$

②　機械装置

$$(190,000 + 650,000) \times \frac{12,500,000}{35,000,000} = 300,000円$$

(2)　差引保険金等の額

①　建物

20,000,000 － 875,000 ＝ 19,125,000円

②　機械装置

12,500,000 － 300,000 ＝ 12,200,000円

(3)　保険差益金の額

①　建物

19,125,000 － (15,129,000 ＋ 455,000) ＝ 3,541,000円

②　機械装置

12,200,000 － (8,987,500 ＋ 62,500) ＝ 3,150,000円

(4)　圧縮限度額

①　建物C

$$3,541,000 \times \frac{^{※}19,125,000}{19,125,000} = 3,541,000円$$

※　30,000,000円 ＞ 19,125,000円　　∴　19,125,000円

②　機械装置D

$$3,150,000 \times \frac{^{※}11,250,000}{12,200,000} = 2,904,713円$$

Ch 1
Ch 2
Ch 3
Ch 4
Ch 5
Ch 6
Ch 7
Ch 8
Ch 9
Ch 10
Ch 11
Ch 12
Ch 13
Ch 14
Ch 15
Ch 16
Ch 17
総合問題

※　11,250,000円＜12,200,000円　　∴　11,250,000円

(5)　圧縮超過額

①　建物C

7,500,000－3,541,000＝3,959,000円（償却費）

②　機械装置D

5,000,000－2,904,713＝2,095,287円（償却費）

2．減価償却

(1)　建物C

①　償却限度額

$(30,000,000-3,541,000) \times 0.020 \times \dfrac{7}{12}=308,688$円

②　償却超過額

$(3,959,000+375,000)-308,688=4,025,312$円

(2)　機械装置D

①　償却限度額

$(11,250,000-2,904,713) \times 0.200=1,669,057$円$\geqq (11,250,000-2,904,713) \times 0.06552$

$=546,783$円　　∴　$1,669,057 \times \dfrac{7}{12}=973,616$円

②　償却超過額

$(2,095,287+500,000)-973,616=1,621,671$円

(単位：円)

	項　　　　　目	金　　額	留　　保	社　外　流　出
加算	減 価 償 却 超 過 額 （建　物　C） （機 械 装 置 D）	 4,025,312 1,621,671	 4,025,312 1,621,671	
減算	減 価 償 却 超 過 額 認 容 （建　物　A） （機 械 装 置 B）	 455,000 62,500	 455,000 62,500	

1．圧縮記帳

(1) 判 定

土地　$35,400,000 - 31,250,000 = 4,150,000$円 $\leqq 35,400,000 \times 20\% = 7,080,000$円

建物　$11,962,500 - 11,212,500 = 750,000$円 $\leqq 11,962,500 \times 20\% = 2,392,500$円

∴　土地、建物ともに適用あり

(2) 譲渡経費の額

土地　575,000円

建物　175,000円

(3) 圧縮限度額

土地　$31,250,000 - (17,125,000 + 575,000) \times \dfrac{31,250,000}{31,250,000 + 4,150,000} = 15,625,000$円

建物　$11,962,500 - (8,250,750 + 10,000 + 175,000 + 750,000) = 2,776,750$円

(4) 圧縮超過額

土地　$25,000,000 - 15,625,000 = 9,375,000$円

建物　$3,000,000 - 2,776,750 = 223,250$円（償却費）

2．減価償却

(1) 償却限度額

$(11,962,500 - 2,776,750) \times 0.050 \times \dfrac{9}{12} = 344,465$円

(2) 償却超過額

$(125,000 + 223,250) - 344,465 = 3,785$円

（単位：円）

	項　　　　目	金　額	留　保	社 外 流 出
加算	土 地 圧 縮 超 過 額	9,375,000	9,375,000	
	建 物 減 価 償 却 超 過 額	3,785	3,785	
減算	譲 渡 建 物 減 価 償 却 超 過 額 認 容	10,000	10,000	

解答　問題16　ミニテスト

1. 買換え

(1) 差益割合

$$\frac{120,000,000-(72,000,000+12,000,000+240,000+3,600,000+1,500,000)}{120,000,000}=0.2555$$

(2) 圧縮限度額

① 土　地

$$120,000,000円>80,000,000\times\frac{800㎡\times5}{5,000㎡}=64,000,000円 \qquad\therefore\quad 64,000,000円$$

$$64,000,000\times0.2555\times60\%=9,811,200円$$

② 建　物

$$120,000,000-64,000,000=56,000,000円<60,000,000円 \qquad\therefore\quad 56,000,000円$$

$$56,000,000\times0.2555\times60\%=8,584,800円$$

(3) 会社計上圧縮額

① 土　地

$$13,000,000+7,000,000=20,000,000円$$

② 建　物

$$5,200,000+2,800,000=8,000,000円$$

(4) 圧縮超過額

① 土　地

$$20,000,000-9,811,200=10,188,800円$$

② 建　物

$$8,000,000-8,584,800=△584,800（切捨）$$

2．減価償却

(1) 償却限度額

$$(60,000,000-8,000,000)\times0.025\times\frac{3}{12}=325,000円$$

(2) 償却超過額

$$1,000,000-325,000=675,000円$$

（単位：円）

	項　　　　　　　目	金　　額	留　　保	社　外　流　出
加算	圧縮積立金積立超過額 （D　　土　　　地）	10,188,800	10,188,800	
	E 建物減価償却超過額	675,000	675,000	
減算	圧　縮　積　立　金　認　定　損 （D　　土　　　地）	20,000,000	20,000,000	
	（E　　建　　　物）	8,000,000	8,000,000	
	B 建物減価償却超過額認容	240,000	240,000	

Chapter 12 | 圧縮記帳 | *12-31*（207）

········ *Memorandum Sheet* ········

Chapter 13

棚卸資産等

No	内　　容		標準時間	重要度	難易度
問題1	棚卸資産の期末評価(1)	計算	5分	B	基本
問題2	棚卸資産の期末評価(2)	計算	5分	B	基本
問題3	短期売買商品の期末評価(1)	計算	7分	B	基本
問題4	短期売買商品の期末評価(2)	計算	10分	B	応用

問題1 棚卸資産の期末評価(1) 基本 5分

次の資料により、当社の当期における税務上の調整を示しなさい。

⑴ 当社の当期におけるA商品有高帳は、次のとおり記載されている。

A 商 品 有 高 帳

日付	摘要	受　入			払　出			残　高		
		数量	単価	金　額	数量	単価	金　額	数量	単価	金　額
2025年		個	円	円	個	円	円	個	円	円
4．1	繰　越	200	5,000	1,000,000				200	5,000	1,000,000
5．12	仕　入	250	4,900	1,225,000				450		
6．18	売　上				250			200		
7．7	仕　入	300	4,850	1,455,000				500		
10．23	売　上				350			150		
2026年										
2．24	仕　入	100	4,700	470,000				250		
3．15	売　上				100			150		
3．31	繰　越				150					
	合　計	850		4,150,000	850					

⑵ 当社は、前期まで棚卸資産の評価方法として総平均法による低価法を採用してきたが、当期より先入先出法による原価法に変更するため、令和7年5月28日に評価方法を変更する旨の申請書を所轄税務署長に提出している。なお、当期末に至るまで、所轄税務署長から何ら通知も受けていない。

⑶ 当社は、A商品の期末帳簿価額として750,000円を付している。なお、当期末におけるA商品の時価は@4,650円である。

| Ch 1 |
| Ch 2 |
| Ch 3 |
| Ch 4 |
| Ch 5 |
| Ch 6 |
| Ch 7 |
| Ch 8 |
| Ch 9 |
| Ch 10 |
| Ch 11 |
| Ch 12 |
| Ch 13 |
| Ch 14 |
| Ch 15 |
| Ch 16 |
| Ch 17 |
| 総合問題 |

理論 計算

→ 解答・解説 13-6

問題2 棚卸資産の期末評価(2)　　基本　5分

次の資料により、当社の当期における税務上の調整を示しなさい。

(1) 当期中のA商品の受入れ及び払出しの状況は、次のとおりである。なお、当社は、棚卸資産について、評価方法の選定の届出を行っていない。

年　月　日	受　　入			払　出	残　高
前　期　繰　越	2,500個	@1,100円	2,750,000円		2,500個
令和7年4月26日	1,500個	980円	1,470,000円		4,000個
令和7年7月18日				2,750個	1,250個
令和7年12月8日	1,000個	1,110円	1,110,000円		2,250個
令和8年1月12日				1,960個	290個
令和8年3月7日	2,200個	1,160円	2,552,000円		2,490個

(2) 当社は、A商品の期末帳簿価額として2,722,400円を付している。なお、A商品の当期末における時価は@1,080円である。

問題3　短期売買商品の期末評価(1)　　基本　7分

次の資料により、当社の当期における税務上の調整を示しなさい。

(1)　当社は、短期売買商品を有しているが、その短期売買商品の当期における購入及び譲渡の異動状況は、次のとおりである。

日付	摘要	購入			譲渡			残高		
		数量	単価	金　額	数量	単価	金　額	数量	単価	金　額
2025年		kg	円/10g	円	kg	円/10g	円	kg	円/10g	円
4. 2	繰越	50	450	2,250,000				50	450	2,250,000
5. 23	譲渡				20			30		
6. 7	購入	110	330	3,630,000				140		
7. 14	購入	60	420	2,520,000				200		
11. 2	譲渡				80			120		
2026年										
1. 17	購入	130	390	5,070,000				250		
2. 4	譲渡				50			200		
3. 31	繰越				200					
	合計	350		13,470,000	350					

（注）　当社は、短期売買商品の1単位当たりの帳簿価額の算出方法について、何ら選定の届出を行っていない。

(2)　当社は、短期売買商品の期末帳簿価額として7,800,000円を付しているが、期末における評価損益の計上は行っていない。なお、短期売買商品の当期末における時価は10g当たり410円である。

→ 解答・解説 13-8

Ch 1
Ch 2
Ch 3
Ch 4
Ch 5
Ch 6
Ch 7
Ch 8
Ch 9
Ch 10
Ch 11
Ch 12
Ch 13
Ch 14
Ch 15
Ch 16
Ch 17
総合問題

理論 計算

問題4 | 短期売買商品の期末評価(2) 応用 10分

次の資料により、当社の当期における税務上の調整を示しなさい。

(1) 当社は、卸売業を営む内国法人であるが、当期末において短期売買商品に該当するプラチナを有している。当社がトレーディング目的で売買し、当期末現在保有しているプラチナの異動状況は、次のとおりである。

年 月 日	受 入			払 出	残 高
	数 量	単 価	金 額		
前 期 繰 越	3,000 g	4,500円	13,500,000円		3,000 g
令7. 5. 11	7,000 g	4,200円	29,400,000円		10,000 g
令7. 7. 6				8,000 g	2,000 g
令7. 12. 20	10,000 g	3,600円	36,000,000円		12,000 g
令8. 1. 24				5,000 g	7,000 g
令8. 3. 16	13,000 g	3,900円	50,700,000円		20,000 g

(2) 当期末におけるプラチナの時価は1g当たり3,850円である。当社は、当期末における帳簿価額 78,000,000円（時価評価前）と時価との差額1,000,000円を評価損として当期の費用に計上している。

(3) 当社は、短期売買商品の1単位あたりの帳簿価額の算出方法について何ら選定の届出を行っていない。

解答 問題1 棚卸資産の期末評価(1)

1．期末評価方法

総平均法による低価法

2．期末評価

(1) 会社計上の簿価

750,000円

(2) 税務上の簿価

① $\dfrac{4,150,000}{850}=4,882$円

4,882円＞4,650円 ∴ 4,650円

② 4,650×150個＝697,500円

(3) 過大計上

(1)－(2)＝52,500円

(単位：円)

	項　　　　　目	金　　額	留　　保	社外流出
加算				
減算	棚　卸　資　産　過　大　計　上	52,500	52,500	

解説

　本問では、評価方法を変更するため申請書を提出していますが、その申請書の提出日は、令和7年5月28日であり、前期末までに提出されたものではないため、当期については、変更前の総平均法による低価法で評価することになります。なお、変更が認められた場合には、変更後の評価方法は、翌期からの適用になります。

解答 問題2 棚卸資産の期末評価(2)

(1) 期末評価方法

最終仕入原価法による原価法

(2) 期末評価

① 会社計上の簿価

2,722,400円

② 税務上の簿価

1,160×2,490個＝2,888,400円

③ 計上もれ

②－①＝166,000円

（単位：円）

	項　　目	金　額	留　保	社外流出
加算	棚　卸　資　産　計　上　も　れ	166,000	166,000	
減算				

解　説

当社は、評価方法を選定していないため、法定評価方法である最終仕入原価法による原価法で評価することになります。

解　答　問題3　短期売買商品の期末評価(1)

1．譲渡損益

(1) 会社計上の簿価

7,800,000円

(2) 税務上の簿価

① 帳簿価額の算出方法

移動平均法

② 平均単価

(イ) $\dfrac{2,250,000 \times \dfrac{30\text{kg} \times 1,000}{50\text{kg} \times 1,000} + 3,630,000 + 2,520,000}{200\text{kg} \times 1,000} = 37.5$円

(ロ) $\dfrac{37.5 \times 120\text{kg} \times 1,000 + 5,070,000}{250\text{kg} \times 1,000} = 38.28$円

③ 税務上の簿価

$38.28 \times 200\text{kg} \times 1,000 = 7,656,000$円

(3) 過大計上

(1)−(2)＝144,000円

2．評価損益

(1) 税務上の簿価

7,656,000円

(2) 時価評価金額

$\dfrac{410}{10} \times 200\text{kg} \times 1,000 = 8,200,000$円

(3) 計上もれ

(2)−(1)＝544,000円

（単位：円）

	項　　　　　目	金　　額	留　　保	社外流出
加算	短 期 売 買 商 品 評 価 益 計 上 も れ	544,000	544,000	
減算	短 期 売 買 商 品 過 大 計 上	144,000	144,000	

解 説

　当社は、短期売買商品の帳簿価額の算出方法について、選定の届出を行っていないため、法定算出方法である移動平均法により帳簿価額を算出することになります。なお、短期売買商品の期末評価方法は時価法になります。

解 答　問題4　短期売買商品の期末評価(2)

1．譲渡損益

　(1)　会社計上の簿価

　　　78,000,000円

　(2)　税務上の簿価

　　①　帳簿価額の算出方法

　　　　移動平均法

　　②　平均単価

　　　(イ)　$\dfrac{13,500,000 + 29,400,000}{10,000\text{g}} = 4,290$円

　　　(ロ)　$\dfrac{4,290 \times 2,000\text{g} + 36,000,000}{12,000\text{g}} = 3,715$円

　　③　税務上の簿価

　　　　$3,715 \times 7,000\text{g} + 50,700,000 = 76,705,000$円

　(3)　過大計上

　　　(1)－(2)＝1,295,000円

2．評価損益

　(1)　税務上の簿価

　　　76,705,000円

　(2)　時価評価金額

　　　$3,850 \times 20,000\text{g} = 77,000,000$円

　(3)　計上もれ

　　　(2)－(1)＝295,000円

　　　※　会社計上の評価損1,000,000円は、全額否認

(単位：円)

	項　　　　　　目	金　　額	留　　保	社外流出
加算	短期売買商品評価損否認	1,000,000	1,000,000	
	短期売買商品評価益計上もれ	295,000	295,000	
減算	短期売買商品過大計上	1,295,000	1,295,000	

解説

　本問の短期売買商品の時価評価金額は77,000,000円であり、当社は帳簿価額として正しい金額を計上しています。しかし、法人税法上の取扱いとして、時価法の適用による評価損益は、毎期洗替処理が必要であり、譲渡損益の取扱いとは異なるため、その内訳まで正しく計上されている必要があります。したがって、譲渡損益と評価損益の内訳を正しく修正するための税務調整が必要になります。

········ *Memorandum Sheet* ········

Chapter 14

有価証券等

No	内　　容		標準時間	重要度	難易度
問題１	有価証券の譲渡損益	計算	5分	A	基本
問題２	取得価額の取扱い	計算	5分	A	基本
問題３	特別分配金の取扱い	計算	5分	A	基本
問題４	売買目的有価証券の期末評価	計算	5分	A	基本
問題５	償還有価証券⑴	計算	5分	B	基本
問題６	償還有価証券⑵	計算	5分	B	基本
問題７	デリバティブ取引	計算	3分	B	基本

→ 解答・解説　14－5

理論 計算

問題1　有価証券の譲渡損益

重要　基本　5分

次の資料により、当社の当期における税務上の調整を示しなさい。

⑴　当社は、A株式（売買目的有価証券には該当しない。）を有しているが、当期中におけるA株式の異動の状況は、次のとおりである。

| 年　月　日 | 摘　要 | 受　　入 | | | 払出株数 | 残　　高 |
		株　数	単　価	金　額		
令和7年4月1日	繰　越					20,000株
令和7年6月27日	購　入	40,000株	1,900円	76,000,000円		60,000株
令和7年9月16日	譲　渡				22,000株	38,000株
令和8年2月3日	購　入	15,000株	1,800円	27,000,000円		53,000株

（注1）　期首繰越高（20,000株）の帳簿価額は、35,000,000円である。

（注2）　令和7年9月16日の譲渡に係る譲渡対価の額は42,900,000円であり、当社は1,100,000円を有価証券売却益として収益に計上している。

⑵　当社は、有価証券の帳簿価額の算出方法について選定の届出をしていない。

理論 計算

→ 解答・解説　14－5

問題2　取得価額の取扱い

重要　基本　5分

次の資料により、銘柄ごとに有価証券の取得価額を求めなさい。

⑴　当社は、当期において、A株式を1株1,750円で証券会社を通じて10,000株購入しているが、その購入に当たり購入手数料を1,650,000円、通信事務費を200円及び名義書換料を16,500円証券会社に支払っている。

⑵　当社は、当期において、B株式の発行法人であるB社の増資に際して、B株式を第三者割当てにより1株当たり650円を払い込んで30,000株取得しているが、B株式の払込期日における時価は800円であった。

⑶　当社は、当期おいて、C株式をD社からの贈与により200,000株取得している。なお、贈与時における時価は1株当たり280円であった。

問題3　特別分配金の取扱い

次の資料により、当社の当期における税務上の調整を示しなさい。

当社が、当期において証券投資信託の受益権につき支払を受けた収益分配金の額は次のとおりである。なお、当社は収益分配金の額から源泉徴収税額を控除した差引手取額を当期の収益に計上している。

銘　柄　等	配当等の額	源泉徴収税額	計　算　期　間
A証券投資信託	500,000円	53,602円	令和6．7．1～令和7．6．30
B証券投資信託	900,000円	137,835円	令和7．1．1～令和7．12．31

（注1）　A証券投資信託は内国法人が発行したものであり、その信託財産の50%超75%以下を外貨建証券等に運用することとされているものである。当社は、A証券投資信託を数年前より所有しており、収益分配金の額のうち150,000円は特別分配金の額である。なお、源泉徴収税額のうち1,102円は、復興特別所得税の額である。

（注2）　B証券投資信託は、特定株式投資信託に該当するものである。当社は、数年前より所有している。なお、源泉徴収税額のうち2,835円は復興特別所得税の額である。

問題4　売買目的有価証券の期末評価

次の資料により、当社の当期における税務上の調整を示しなさい。

(1)　当社は、売買目的有価証券に該当するA株式を当期末において所有しているが、A株式の当期における異動状況は、次のとおりである。

年　月　日	摘　要	取　　得		譲　　渡	残　　高
令和7年4月1日	繰　越	60,000株	18,000,000円		60,000株
令和7年5月23日	譲　渡			50,000株	10,000株
令和7年8月8日	購　入	50,000株	15,000,000円		60,000株
令和8年2月9日	購　入	90,000株	22,500,000円		150,000株

（注）　令和7年5月23日の譲渡に係る譲渡対価の額は12,940,000円であり、当社はA株式の譲渡益として440,000円を計上している。なお、A株式の当期末における時価は1株当たり320円である。

(2)　当社は、有価証券の1単位当たりの帳簿価額の算出方法として総平均法を選定し、所定の届出を行っている。なお、当社は当期においてA株式に係る評価損益は計上していない。

問題5 償還有価証券(1)

基本 5分

次の資料により、当社の当期における税務上の調整を示しなさい。

(1) 当社は、前期(令和6年4月1日～令和7年3月31日)において、次の社債をその発行価額相当額で取得している。

銘柄	額面金額	発行価額	償還期限	取得年月日
A社債	10,000,000円	9,700,000円	令和11年9月30日	令和6年10月1日

(2) A社債は、償還有価証券に該当するものであるが、当社の前期末における帳簿価額は9,700,000円となっていたため、前期の別表四において「A社債計上もれ 30,000円」の加算調整がされている。なお、当社の当期末におけるA社債の帳簿価額は9,700,000円のままとなっている。

(3) 期間計算が必要な場合には、月数計算によること。

問題6 償還有価証券(2)

基本 5分

次の資料により、当社の当期における税務上の調整を示しなさい。

(1) 当社は、当期において、次の社債をその発行価額相当額で取得している。

銘柄	額面金額	発行価額	償還期限	取得年月日
B社債	10,000,000円	9,350,000円	令和12年1月31日	令和7年12月1日

(2) B社債は、償還有価証券に該当するものであるが、当社の当期末における帳簿価額は9,350,000円となっている。

(3) 期間計算が必要な場合には、月数計算によること。

問題7 デリバティブ取引

基本 3分

次の資料により、当社の当期における税務上の調整を示しなさい。

(1) 当社は、令和7年8月1日に証券会社に委託して国債先物(額面総額は600,000,000円であり、1口当たり額面は100円のものである。)を単価99円で売り付けている。

(2) 当社は、(1)の取引に伴い、委託証拠金として10,000,000円を証券会社に支払っているが、次の経理処理を行ったのみであり、他に経理処理は行っていない。

(先物取引差入証拠金) 10,000,000円 (現 金 預 金) 10,000,000円

(3) 上記の取引は当期末現在決済されていないが、令和8年3月31日における国債先物相場は単価97円となっている。

解答　問題1　有価証券の譲渡損益

(1)　会社計上の簿価

$(35,000,000＋76,000,000＋27,000,000)－(42,900,000－1,100,000)＝96,200,000$円

(2)　税務上の簿価

① $\dfrac{35,000,000＋76,000,000}{60,000}＝1,850$円

② $1,850×38,000＋27,000,000＝97,300,000$円

(3)　計上もれ

(2)－(1)＝1,100,000円

（単位：円）

	項　　目	金　額	留　保	社外流出
加算	A　株　式　計　上　も　れ	1,100,000	1,100,000	
減算				

解説

　当社は、有価証券の帳簿価額の算出方法について、選定の届出を行っていないため、法定算出方法である移動平均法により帳簿価額を算出することになります。

解答　問題2　取得価額の取扱い

(1)　A株式

$1,750×10,000＋1,650,000＝19,150,000$円

(2)　B株式

$800×30,000＝24,000,000$円

(3)　C株式

$280×200,000＝56,000,000$円

解説

① 　購入した有価証券の取得価額は、購入代価に購入費用を加算した金額ですが、通信事務費及び名義書換料については、取得価額に含めないことができます。

② 　有利発行に係る払込みによる場合（株主等として取得したもの等を除きます。）の取得価額は、払込期日の価額（時価）によります。B株式は、第三者割当てにより時価より有利な価額で取得しているため、払込期日における時価を取得価額とします。

③ 　贈与により取得した有価証券の取得価額は、贈与時の時価によります。

1．受取配当等の益金不算入額

(1) 配当等の額（非支配目的株式等）

900,000円

(2) 益金不算入額

(1)×20%＝180,000円

2．法人税額控除所得税額

53,602＋137,835＝191,437円（別表四加算・別表一控除）

（単位：円）

	項　　　　目	金　　額	留　　保	社外流出
加算				
減算	A 受 益 権 過 大 計 上	150,000	150,000	
	受 取 配 当 等 の 益 金 不 算 入 額	180,000		※　180,000
	仮　　　　　計	×××	×××	×××
	法 人 税 額 控 除 所 得 税 額	191,437		191,437

解説

　A証券投資信託について、支払いを受けた特別分配金は、元本の払い戻しに相当する金銭の交付額であり、有価証券の帳簿価額から控除します。なお、特別分配金は、配当等の額の計算の基礎となる収益分配金には含まれません。

解答 問題4 売買目的有価証券の期末評価

1．有価証券の譲渡損益

(1) 会社計上の簿価

18,000,000－(12,940,000－440,000)＋15,000,000＋22,500,000＝43,000,000円

(2) 税務上の簿価

① $\dfrac{18,000,000＋15,000,000＋22,500,000}{60,000株＋50,000株＋90,000株}＝277.5円$

② 277.5円×150,000株＝41,625,000円

(3) 過大計上

(1)－(2)＝1,375,000円

2．有価証券の評価損益

(1) 税務上の簿価

41,625,000円

(2) 時価評価金額

320×150,000＝48,000,000円

(3) 計上もれ

(2)－(1)＝6,375,000円

(単位：円)

	項　　目	金　額	留　保	社外流出
加算	Ａ株式評価益計上もれ	6,375,000	6,375,000	
減算	Ａ株式過大計上	1,375,000	1,375,000	

解説

　売買目的有価証券の期末評価方法は、時価法です。なお、法人税法上の取扱いとして、時価法の適用による評価損益は、毎期洗替処理が必要であり、譲渡損益の取扱いとは異なるため、評価損益に係る調整（Ａ株式評価益計上もれ）と譲渡損益に係る調整（Ａ株式過大計上）は、それぞれ行い、相殺することはできません。

解答　問題5　償還有価証券(1)

(1) 会社計上の簿価

9,700,000円

(2) 税務上の簿価

① 当期末調整前帳簿価額

9,700,000＋30,000＝9,730,000円

② 調整差益

$(10,000,000-9,730,000) \times \dfrac{12}{12+42} = 60,000$円

③ ①＋②＝9,790,000円

(3) 計上もれ

(2)－(1)－30,000＝60,000円

(単位：円)

	項　　　　　目	金　　額	留　　保	社外流出
加算	Ａ　社　債　計　上　も　れ	60,000	60,000	
減算				

解 説

　　Ａ社債は、償還有価証券に該当するため、償却原価法による評価となります。Ａ社債は、前期に取得したものであり、既に前期において「Ａ社債計上もれ　30,000円」の加算調整がなされているため、当期におけるＡ社債計上もれ額を計算する際に、前期に加算調整した30,000円を２重に加算しないように注意が必要です。

解 答　問題6　償還有価証券(2)

(1)　会社計上の簿価

　　　9,350,000円

(2)　税務上の簿価

　①　当期末調整前帳簿価額

　　　9,350,000円

　②　調整差益

$$(10,000,000-9,350,000) \times \frac{\overset{※}{4}}{\underset{※}{4}+46} = 52,000円$$

　　※　$12 \times \frac{1}{2} = 6 > 4$　　∴　4

　③　①＋②＝9,402,000円

(3)　計上もれ

　　　(2)－(1)＝52,000円

(単位：円)

	項　　　　　目	金　　額	留　　保	社外流出
加算	Ｂ　社　債　計　上　も　れ	52,000	52,000	
減算				

解 説

　　Ｂ社債は、当期に取得しており、かつ、その取得が１回のみであることから、調整差益の計算にあたって、実際の所有月数を使用することができます。

解答　問題7　デリバティブ取引

$(99-97) \times 600,000,000 \times \dfrac{1}{100} = 12,000,000$円

（単位：円）

	項　　　　目	金　　額	留　　保	社外流出
加算	先　物　利　益　計　上　も　れ	12,000,000	12,000,000	
減算				

解説

　先物取引は、デリバティブ取引に該当しますが、期末において未決済であるデリバティブ取引は、期末において決済したものとみなして、決済損益相当額を認識しなければなりません。本問では、「売り付け」の契約となっているため、期末の相場（時価）97円で購入し、契約単価99円で売却するものとして先物利益を計上することになります。

········ *Memorandum Sheet* ········

Chapter 15

資産の評価損益

No	内　　容		標準時間	重要度	難易度
問題1	棚卸資産	計算	7分	A	基本
問題2	有価証券	計算	10分	A	基本
問題3	ミニテスト	計算	5分	A	基本

問題1　棚卸資産　　　　　　　　　　　　　　重要　基本　7分

次の資料により、当社の当期における税務上の調整を示しなさい。

区　　　分	評価換え直前の 帳　簿　価　額	期　末　時　価	評価損計上額 （損金経理）	備　　　　　考
A　製　品	1,000,000円	300,000円	700,000円	過剰生産により値下がりしたため回復が見込めない。
B　製　品	5,000,000円	2,200,000円	3,000,000円	火災により著しく損傷したため通常の方法で販売できない。
C　製　品	1,700,000円	1,400,000円	300,000円	物価変動により時価が下落した。
D　製　品	6,000,000円	2,600,000円	3,100,000円	性能が著しく異なる新製品が発売されたため、今後通常の方法で販売できないことが明らかである。

問題2　有価証券

重要　基本　10分

次の資料により、当社の当期における税務上の調整を示しなさい。

当社が当期末において有する有価証券は、次のとおりであり、当社は評価換えを行い、評価損計上額につき損金経理をしている。なお、売買目的有価証券に該当するものはない。

区分	評価換え直前の帳簿価額	期末時価	評価損計上額	備　　考
A株式	700,000円	350,000円	350,000円	近い将来の価額回復の見込みは不明である。
B株式	600,000円	200,000円	400,000円	前期以前の評価損損金不算入額が300,000円ある。
C株式	1,000,000円	400,000円	600,000円	C社の資産状態が著しく悪化し、価額が著しく低下したものである。
D株式	1,200,000円	600,000円	600,000円	業績悪化による下落である。
E株式	850,000円	380,000円	500,000円	E社が民事再生法による再生手続開始の決定があったことによる評価換えである。
F株式	2,500,000円	1,200,000円	1,000,000円	取得時の1株当たりの純資産価額に比し、期末の1株当たりの純資産価額が50％相当額を下回っている。
G株式	1,800,000円	1,200,000円	600,000円	G社の公害問題が発生したことによる評価換えである。

（注1）　A株式、B株式及びG株式は、上場有価証券等に該当し、これら以外は上場有価証券以外の有価証券に該当する。

（注2）　A株式を除き、近い将来において価額の回復見込みはない。

（注3）　C株式の取得時におけるC社の純資産価額は1株当たり700円であったが、当期末の純資産価額は1株当たり400円である。

（注4）　D株式（当社が発行済株式の20％を有している。）の取得時におけるD社の純資産価額は1株当たり1,400円であったが、当期末の純資産価額は1株当たり900円である。

（注5）　D株式以外の株式の所有割合は、いずれも1％未満である。

問題3 ミニテスト

重要 基本 5分

次の資料により、当社の当期における税務上の調整を示しなさい。

当期において損金経理により評価損を計上した資産の内訳は、次のとおりである。なお、当社は、棚卸資産の評価方法について選定の届出を行っていない。

(1) A製品（期末帳簿価額72,000,000円、期末時価9,000,000円）は、新製品が発売されたことにより、今後通常の方法により販売することができないものであるため、69,000,000円の評価損を計上した。

(2) 長期的な需給バランスの変化によって価額が変動したB製品の期末帳簿価額45,000,000円（期末時価18,000,000円）のうち、価額低下分として30,000,000円を評価損に計上した。

(3) 販売店数に合わせて過剰に生産したため販売価額が低下したC製品114,000,000円（期末時価73,500,000円）のうち、45,000,000円を評価損に計上した。

解答 問題1 棚卸資産

評価損損金不算入額

1. A製品

    700,000円　過剰生産による値下がりのため、評価損計上不可

2. B製品

    $3,000,000-(5,000,000-2,200,000)=200,000$円

3. C製品

    300,000円　物価変動により時価が下落したものであるため、評価損計上不可

4. D製品

    $3,100,000-(6,000,000-2,600,000)=\triangle 300,000 \rightarrow 0$

（単位：円）

	項　目	金　額	留　保	社外流出
加算	A 製 品 評 価 損 損 金 不 算 入 額	700,000	700,000	
	B 製 品 評 価 損 損 金 不 算 入 額	200,000	200,000	
	C 製 品 評 価 損 損 金 不 算 入 額	300,000	300,000	
減算				

解説

① A製品は、過剰生産による値下がりであるため、評価損を計上することはできません。

② B製品は、災害により著しい損傷を受けているため、評価損を計上することができます。ただし、損金算入限度額（評価換え直前の帳簿価額と時価との差額）が設けられています。

③ C製品は、物価変動により時価が下落したものであるため、評価損を計上することはできません。

④ D製品は、著しく陳腐化しているため、損金算入限度額の範囲内で、評価損を計上することができます。

解答 問題2 有価証券

1. A株式

    近い将来の価額回復の見込みは不明　　∴　評価損計上不可

    350,000円

2. B株式

    (1) 近い将来価額回復の見込みがない

    (2) $(600,000+300,000)\times 50\%=450,000$円$>200,000$円　　∴　評価損計上可

    　　$400,000-(600,000+300,000-200,000)=\triangle 300,000$

    　　300,000円＝300,000円　　∴　300,000円（認容）

3．C株式

$700 \times 50\% = 350円 \leqq 400円$　　∴　評価損計上不可

600,000円

4．D株式

(1)　$20\% \geqq 20\%$　　∴　企業支配株式に該当

(2)　$1,400 \times 50\% = 700円 \leqq 900円$　　∴　評価損計上不可

600,000円

5．E株式

(1)　再生手続の開始決定

(2)　$850,000 \times 50\% = 425,000円 > 380,000円$

(3)　近い将来価額回復の見込みがない　　∴　評価損計上可

$500,000 - (850,000 - 380,000) = 30,000円$

6．F株式

(1)　取得時1株当たり純資産価額の50%相当額 > 期末の1株当たりの純資産価額

(2)　$2,500,000 \times 50\% = 1,250,000円 > 1,200,000円$

(3)　近い将来価額回復の見込みがない　　∴　評価損計上可

$1,000,000 - (2,500,000 - 1,200,000) = \triangle 300,000 \rightarrow 0$

7．G株式

$1,800,000 \times 50\% = 900,000円 \leqq 1,200,000円$　　∴　評価損計上不可

600,000円

(単位：円)

	摘　　目	金　額	留　保	社外流出
加	A 株式評価損損金不算入額	350,000	350,000	
	C 株式評価損損金不算入額	600,000	600,000	
	D 株式評価損損金不算入額	600,000	600,000	
	E 株式評価損損金不算入額	30,000	30,000	
算	G 株式評価損損金不算入額	600,000	600,000	
減算	B 株式評価損損金不算入額認容	300,000	300,000	

解　説

①　上場有価証券等（A株式、B株式及びG株式）については時価が著しく低下した場合に、非上場有価証券等（C株式、D株式、E株式及びF株式）については資産状態が著しく悪化したため、時価が著しく低下した場合に評価損の計上が認められます。なお、いずれの場合も、近い将来、その価額の回復の見込みがない場合に限り、適用されます。

②　A株式は、近い将来、その価額の回復の見込みが不明であり、回復の見込みがないとは言えないため、評価損の計上は認められません。

③　B株式は、時価が著しく低下しているため評価損を計上することができます。なお、前期以前の評価損損金不算入額は、当期の損金算入限度額の範囲内で、減算調整し損金の額に算入することができます。

④　C株式及びD株式は、1株当たりの純資産価額による判定を行うと、資産状態の著しい悪化とは認められないため、評価損を計上することはできません。

⑤　E社は、民事再生法による再生手続開始の決定を受けており、資産状態が著しく悪化していると認められます。時価も著しく低下しているため、評価損の計上が認められます。

⑥　F株式は、評価損を計上することができます。損金算入額は、損金算入限度額の範囲内で会社が計上した評価損の額に限られます。

⑦　G株式は、時価が著しく低下していないため、評価損を計上することはできません。

解答　問題3　ミニテスト

評価損損金不算入額

1．A製品

69,000,000 − (72,000,000 − 9,000,000) = 6,000,000円

2．B製品

30,000,000円　長期的な需給バランスの変化によって価額が変動のため、評価損計上不可

3．C製品

45,000,000円　過剰生産による値下がりのため、評価損計上不可

（単位：円）

	項　目	金　額	留　保	社外流出
加算	A製品評価損損金不算入額	6,000,000	6,000,000	
	B製品評価損損金不算入額	30,000,000	30,000,000	
	C製品評価損損金不算入額	45,000,000	45,000,000	
減算				
	仮　計	×××	×××	×××

········ *Memorandum   Sheet* ········

Chapter 16

外貨建取引等

No	内　　容		標準時間	重要度	難易度
問題1	外貨建資産等の換算	計算	7分	A	基本
問題2	外国為替相場の特例	計算	5分	A	基本
問題3	為替予約差額の配分	計算	5分	A	基本
問題4	ミニテスト	計算	5分	A	基本

問題1　外貨建資産等の換算

重要 基本 7分

次の資料により、当社の当期における税務上の調整を示しなさい。

⑴　当社が当期末において有する外貨建資産等の保有状況は、次のとおりである。なお、当期末における為替レートは1ポンド151円である。

区　分		帳簿価額
定　期　預　金	3,000ポンド	465,000円
貸　付　金	40,000ポンド	6,080,000円
売　掛　金	55,000ポンド	8,415,000円
当社発行普通社債	3,000,000ポンド	462,000,000円

（注1）　定期預金は、令和7年7月1日に預け入れたものであり、預入期間は1年のものである。

（注2）　貸付金は、令和7年11月1日に貸し付けたものであり、支払期限は令和12年10月31日とされているものである。この貸付金については、貸付けと同時に1ポンド152円の為替予約を締結しており、予約レートで換算したほかは、何の経理処理もしていない。なお、令和7年11月1日における為替レートは1ポンド149円であった。

（注3）　売掛金は、支払期限が令和7年11月10日のものであるが、当期末現在、まだ入金されていないため、計上されたままとなっているものである。

（注4）　当社発行普通社債は、当社が令和2年4月1日に英国で1ポンド160円で発行した普通社債で、償還期限は令和9年3月31日のものである。

（注5）　帳簿価額は、当期末現在のものであり、貸付金を除き、その取得又は発生日における為替相場により円換算した金額である。

⑵　当社は外貨建資産等の換算方法について、短期外貨建債権債務及び短期外貨預金については期末時換算法をその他のものについては発生時換算法を選定し所定の届出を行っている。

⑶　期間計算が必要な場合には、月数計算によるものとする。

問題2　外国為替相場の特例

次の資料により、当社の当期における税務上の調整を示しなさい。

(1) 当社の当期末における貸借対照表に計上されている資産及び負債には、次の外貨建債権債務が含まれている。

区　分	貸借対照表計上額	回収及び支払期限
売　掛　金	1,010,000円（10,000ドル）	令和8年4月30日
買　掛　金	515,000円（ 5,000ドル）	令和8年5月15日

　（注）貸借対照表計上額は、その取得又は発生日の為替相場による円換算額である。

(2) 当期末における為替相場は、次のとおりである。なお、当社は外貨建資産等の円換算について、継続して電信買相場又は電信売相場を採用している。

　　電信売相場　　　　　　　98円

　　電信売買相場の仲値　　　97円

　　電信買相場　　　　　　　96円

(3) 当社は、外貨建債権及び外貨建債務の換算方法について、期末時換算法を選定し所定の届出を行っている。

問題3　為替予約差額の配分

次の資料により、当社の当期における税務上の調整を示しなさい。

(1) 当期末における外貨建資産等の保有状況は、次のとおりである。

区　分		期末帳簿価額	支払及び回収期限
貸付金	30,000ユーロ	3,930,000円	令和9年9月30日
借入金	60,000ユーロ	7,680,000円	令和12年12月9日

　（注1）　貸付金30,000ユーロは、令和7年10月1日に貸付けたものであるが、その貸付けと同時に1ユーロ131円の為替予約が付されている。なお、期末帳簿価額は予約レートによる円換算額であるが、当社は、この経理処理以外の経理処理を行っていない。

　（注2）　借入金60,000ユーロは、令和7年12月10日に借入れたものであるが、令和8年2月10日に1ユーロ128円の為替予約を行っている。なお、期末帳簿価額は、予約レートによる円換算額であるが、当社は、この経理処理以外の経理処理を行っていない。

(2) 1ドル当たりの為替レートは、次のとおりである。

年月日	令和7年10月1日	令和7年12月10日	令和8年2月10日	令和8年3月31日
為替レート	128円	129円	127円	133円

(3) 当社は、外貨建債権及び外貨建債務の換算方法として、期末時換算法を選定し届け出ている。なお、期間計算を要する場合には、月数によるものとする。

問題4 ミニテスト

重要 基本 5分

次の資料により、当社の当期における税務上の調整を示しなさい。

(1) 当期末における貸借対照表の資産及び負債には、次の外貨建資産等が含まれている。

区 分	外貨建金額	帳 簿 価 額	回収、満期又は支払期限
預 金	40,000 ドル	4,400,000 円	令 9 . 4 . 30
売 掛 金	200,000 ドル	22,200,000 円	令 8 . 5 . 10
借 入 金	300,000 ドル	34,200,000 円	令 10 . 9 . 30

(注1) 帳簿価額は、借入金を除いて取得時又は発生時の為替レートによって円換算をした金額である。

(注2) 借入金は、令和7年10月1日に外国法人から借り入れたものであるが、令和8年2月1日にこの借入金について先物外国為替契約を締結し、1ドル114円の為替レートによりその円換算額を確定させた。帳簿価額は、この為替予約により確定させた円換算額であり、この借入金の発生時の為替レートによる円換算額との差額については、当期の費用に計上している。

　　　なお、令和7年10月1日における為替レートは1ドル108円、令和8年2月1日における為替レートは1ドル112円であった。

(注3) 令和8年3月31日における為替レートは1ドル113円である。

(2) 当社は、外貨建資産等の換算方法について所轄税務署長への選定の届出を行っていない。また、為替予約差額の配分は月数按分によるものとする。

解答　問題1　外貨建資産等の換算

1．定期預金

(1) 会社計上の簿価　465,000円

(2) 税務上の簿価　3,000×151＝453,000円

(3) 過大計上

(1)－(2)＝12,000円

2．前受収益計上もれ

$(152-149) \times 40,000 - (152-149) \times 40,000 \times \dfrac{5}{60} = 110,000$円

3．売掛金

短期外貨建債権に該当しないため、発生時換算法　∴　調整不要

4．当社発行普通社債

(1) 会社計上の簿価　462,000,000円

(2) 税務上の簿価　3,000,000×151＝453,000,000円

(3) 過大計上

(1)－(2)＝9,000,000円

（単位：円）

	項　目	金　額	留　保	社外流出
加算	当社発行普通社債過大計上	9,000,000	9,000,000	
減算	定期預金過大計上	12,000	12,000	
	前受収益計上もれ	110,000	110,000	

解説

① 定期預金は、令和7年7月1日に預け入れ、預入期間が1年であることから、短期外貨預金であり、期末時換算法により換算します。

② 貸付金には、為替予約が付されているため、貸付金は、その予約レートで換算した金額となります。なお、為替予約差額は、令和7年11月1日から令和12年10月31日までの期間に渡って配分することになりますが、配分が必要となるのは、いわゆる直先差額（1ポンド当たり予約レート152円と予約日レート149円との差額）です。当期に帰属する5ヶ月分以外の金額は、前受収益として計上することになります。

③ 売掛金は、支払期限を過ぎたものであり、短期外貨建債権には該当しません。したがって、発生時換算法により換算することになります。

④ 当社発行普通社債は、当社が発行した社債であり、外貨建負債です（有価証券（資産）としての社債ではありません。）。償還期限は令和9年3月31日のものであるため、短期外貨建債務に該当し、期末時換算法により換算することになります。

1．売掛金

⑴　会社計上の簿価　　1,010,000円

⑵　税務上の簿価

　　10,000×96＝960,000円

⑶　過大計上

　　⑴－⑵＝50,000円

2．買掛金

⑴　会社計上の簿価　　515,000円

⑵　税務上の簿価

　　5,000×98＝490,000円

⑶　過大計上

　　⑴－⑵＝25,000円

（単位：円）

	項　　　　目	金　額	留　保	社外流出
加算	買　掛　金　過　大　計　上	25,000	25,000	
減算	売　掛　金　過　大　計　上	50,000	50,000	

解説

①　為替レートの採用は、原則（特に指示がない場合）として電信売買相場の仲値によりますが、継続適用を要件に、資産について電信買相場（Ｔ・Ｔ・Ｂ）、負債について電信売相場（Ｔ・Ｔ・Ｓ）を採用することができます。

②　本問では、売掛金及び買掛金のいずれも期末時換算法により換算しますが、継続して電信買相場又は電信売相場を採用している旨の指示があるため、特例による為替レートで換算することになります。

解答 問題3 為替予約差額の配分

1．前受収益計上もれ

　$(131-128) \times 30,000 - (131-128) \times 30,000 \times \dfrac{6}{24} = 67,500$円

2．前払費用計上もれ

　$(128-127) \times 60,000 - (128-127) \times 60,000 \times \dfrac{2}{58} = 57,932$円

（単位：円）

	項　　　　目	金　　額	留　　保	社外流出
加算	前 払 費 用 計 上 も れ	57,932	57,932	
減算	前 受 収 益 計 上 も れ	67,500	67,500	

解説

　本問では、貸付金及び借入金のいずれも為替予約を付しています。為替予約が付されている場合には、事前予約のケースであっても事後予約のケースであっても、取引日と予約日のいずれか遅い日の直物レートによる円換算額と予約レートによる円換算額との差額（直先差額）について期間配分し、翌期以後に帰属する金額について前払費用又は前受収益として調整することになります。

解答　問題4　ミニテスト

1．預金

　　短期外貨建債権に該当しないため、発生時換算法　　∴　調整不要

2．売掛金

　(1)　会社計上の簿価

　　　22,200,000 円

　(2)　税務上の簿価

　　　200,000×113＝22,600,000 円

　(3)　(2)－(1)＝400,000 円

3．前払費用計上もれ

　　$(114-112) \times 300,000 - (114-112) \times 300,000 \times \dfrac{2}{32} = 562,500$ 円

（単位：円）

	項　　　　目	金　　額	留　　保	社外流出
加算	売 掛 金 計 上 も れ	400,000	400,000	
	前 払 費 用 計 上 も れ	562,500	562,500	
減算				
	仮　　　　計	×××	×××	×××

········ *Memorandum Sheet* ········

Chapter 17

貸倒引当金等

理論 計算

→ 解答・解説 17−9

問題1　法律上の貸倒れ

重要　基本　3分

次の資料により、当社の当期における税務上の調整を示しなさい。

⑴　令和7年10月10日にA社に対し会社更生法の規定による更生計画認可の決定が行われ、当社が同社に対して有する売掛金800,000円及び貸付金900,000円が、全額が切捨てられることになった。

　　当社は、回収方法を検討中であり、何ら処理を行っていない。

⑵　得意先B社に対し売掛金4,000,000円を有しているが、同社はここ数年の間債務超過の状態が継続しているため、売掛金の支払いを受けることができないと認められる。当社は、同社に対する売掛金のうち3,000,000円を免除することとし、当期において文書によりその旨を通知するとともに、貸倒損失として3,000,000円を計上している。

理論 計算

→ 解答・解説　17−9

問題2　事実上の貸倒れ

重要　基本　3分

次の資料により、当社の当期における税務上の調整を示しなさい。

⑴　A社に対する売掛金が2,000,000円あるが、A社の資産状況、支払能力等からみて全額が回収できないことが明らかになった。当社は、当期末現在これに関して何らの経理も行っていない。

⑵　B商店に対する貸付金が10,000,000円あるが、B商店の資産状況、支払能力等からみて全額の回収不能が明らかになったため、当社は当期において10,000,000円の貸倒損失を計上している。

　　なお、この貸付金については同商店所有の宅地（時価10,000,000円）が担保に供されている（当期末現在、その宅地の処分は行われていない。）。

理論 計算

→ 解答・解説　17−10

問題3　売掛債権の特例

重要　基本　5分

次の資料により、当社の当期における税務上の調整を示しなさい。

⑴　A商会とは数年来取引を続けてきたが、A商会の支払能力が悪化したため、令和6年3月21日を最終取引日として以後取引を停止している（代金を収受した最終日は令和6年6月20日である。）。

　　当社は、取引停止後1年以上を経過したため、同商会に対する売掛金300,000円及び貸付金400,000円について、それぞれ備忘価額1円を残した699,998円を貸倒損失として計上している。

⑵　B商店に対して有する売掛金101,000円は、再三にわたる督促にもかかわらず、その弁済がないため、当社は101,000円から1円を控除した残額を貸倒損失として計上している。なお、同一地域における他の債務者はなく、取立てのための旅費その他の回収費用の合計額は110,000円である。

⑶　令和7年3月10日にC氏に対して注文住宅を販売したが、当期末現在その代金のうち9,000,000円の支払いが行われていない。当社は、取引日以後1年以上を経過しているため、備忘価額1円を控除した8,999,999円を貸倒損失として計上している。

理論　計算　　　　　　　　　　　　　　　　　　→ 解答・解説　17－10

問題4　個別貸倒引当金（実質基準）　　　　　　応用｜5分

次の資料により、当社の当期における税務上の調整を示しなさい。

(1)　当社は、得意先A社に対して売掛金10,000,000円を有しているが、A社については債務超過の状態が相当期間継続し、その事業に好転の見通しがないことから、A社に対する売掛金のうち4,000,000円については取立て等の見込みがないと認められる。当社は、A社に対する売掛金に対して損金経理により個別貸倒引当金として5,000,000円を繰り入れている。

(2)　当社は、得意先B社に対して売掛金2,000,000円及び貸付金12,000,000円を有しているが、B社は災害により甚大な被害を受けたため、B社に対する債権のうち10,000,000円については取立て等の見込みがないと認められる。当社は、B社に対する債権に対して損金経理により個別貸倒引当金として8,000,000円を繰り入れている。

(3)　当社は、当期末における資本金の額が1億円（株主は全員個人）の製造業を営む内国法人である。

理論　計算　　　　　　　　　　　　　　　　　　→ 解答・解説　17－11

問題5　個別貸倒引当金（形式基準）　　　　重要▶｜基本｜5分

次の資料により、当社の当期における税務上の調整を示しなさい。

(1)　当社は、製造業を営む内国法人であり、得意先A社に対して売掛金3,000,000円及び受取手形600,000円を有しているが、A社は令和7年6月5日に民事再生法の規定による再生手続開始の申立てを行っている。なお、当社は、A社に対して買掛金1,200,000円及び支払手形1,000,000円の債務を有している。

　当社は、A社に対する債権に対して、当期において1,500,000円の個別貸倒引当金を損金経理により繰り入れている。

(2)　B社に対して売掛金4,000,000円、貸付金5,000,000円を有しているが、B社は令和8年3月15日に不渡手形を出している。B社は、その後も資金繰りが好転せず、令和8年4月15日に2度目の不渡手形を出したため、同日において手形交換所の取引停止処分を受けている。なお、B社に対する貸付金については、B社所有の土地（時価30,000,000円）に対して第2順位の抵当権（第1順位の抵当権に係る債権金額は25,000,000円である。）が設定されている。

　当社は、B社に対する債権に対して、当期において3,000,000円の個別貸倒引当金を損金経理により繰り入れている。

(3)　当社の期末資本金の額は80,000,000円（株主は全員個人）である。

理論 計算

問題6　個別貸倒引当金（長期棚上げ基準）　重要 基本 7分

次の資料により、当社の当期における税務上の調整を示しなさい。

⑴　当社は取引先Ａ社に対して、売掛金5,000,000円及び受取手形2,000,000円を有しているが、Ａ社は、令和7年12月10日に手形交換所の取引停止処分を受けている。

　　なお、当社はＡ社との取引に際し、保証金として4,000,000円を受け入れている。

⑵　当社は取引先Ｂ社に対して、売掛金3,000,000円を有しているが、令和7年6月10日に債権者集会が開かれ、次の内容の協議決定（合理的な基準により債務者の負債整理を定めたものである。）がなされている。

　①　債権金額のうち50％は切捨てる。

　②　切捨て後の債権金額については、翌期首から3年間据置後、4年目以降毎年6月10日に150,000円ずつ10回均等の弁済とする。

⑶　当社は、当期において損金経理により個別貸倒引当金4,000,000円（Ａ社に対する債権に係るもの2,500,000円及びＢ社に対する債権に係るもの1,500,000円の合計額）を繰り入れているが、これ以外の処理は行っていない。

⑷　当社の期末資本金の額は50,000,000円であり、株主は全て個人である。

問題7　繰入限度額の計算（貸倒実績率）　重要　基本　5分

次の資料により、当社の当期における税務上の調整を示しなさい。

(1)　当社は、当期末における資本金の額が100,000,000円（株主に法人株主はいない。）の製造業を営む内国法人である。当期末における貸借対照表に計上されている債権等の金額（貸倒引当金控除前）及びその留意点は、次のとおりである。

区　分	金　額	留　意　点
受 取 手 形	130,000,000円	——
売　掛　金	82,000,000円	A社に対する売掛金が4,500,000円あるが、A社には借入金が3,000,000円ある。
未　収　金	15,000,000円	土地の譲渡代金の未収金10,000,000円、配当金の未収金500,000円及び仕入割戻しの未収金4,500,000円の合計額である。
貸　付　金	12,000,000円	——
仮　払　金	880,000円	車両購入のための手付金520,000円と従業員に対する前払い給料360,000円の合計額である。

(2)　当期末における貸借対照表に脚注表示されているものは次のとおりである。

区　分	金　額	留　意　点
裏 書 手 形	50,000,000円	このうち20,000,000円は売掛金の回収として受け入れた手形を裏書きしたものであり、30,000,000円は得意先の依頼により割引取得した手形を裏書きしたものである。

(3)　最近の各事業年度における貸倒損失の額及び期末一括評価金銭債権の額は、次のとおりである。

事 業 年 度	期末一括評価金銭債権の額	貸倒損失の額
令和4.4.1〜令和5.3.31	234,000,000円	3,210,000円
令和5.4.1〜令和6.3.31	213,500,000円	2,100,000円
令和6.4.1〜令和7.3.31	258,300,000円	2,520,000円

(4)　当期において、損金経理により貸倒引当金勘定に繰り入れた金額は3,000,000円である。なお、前期において損金経理により貸倒引当金勘定に繰り入れた金額2,600,000円（税務上適正額）は、当期において全額戻し入れて収益に計上している。

(5)　繰入限度額の計算は、貸倒実績率により計算するものとする。

理論 計算

問題8　繰入限度額の計算（法定繰入率）　重要　基本　7分

次の資料により、当社の当期における税務上の調整を示しなさい。

(1)　当社は、当期末における資本金の額が50,000,000円（当社の株主に法人株主はいない。）の小売業を営む内国法人であるが、当期末において次の債権等を有している。

① 売掛金 … 74,000,000円

得意先A社に対する売掛金が7,000,000円あるが、A社には買掛金が4,400,000円ある。

② 受取手形 … 62,000,000円

受取手形のうち6,000,000円は得意先B社から取得したものであるが、B社からの借入金が9,000,000円ある。

③ 貸付金 … 7,000,000円

貸付金はすべて、当社の取引先であるC社に対するものである。

④ 未収金 … 3,400,000円

未収入金のうち3,000,000円は、仕入割戻しの未収金であり、残額はC社に対する貸付金に係る未収利息である。

(2)　実質的に債権とみられないものの額を計算する場合における基準年度の控除割合は0.081923……である。なお、一括貸倒引当金の繰入限度額の計算は、法定繰入率によるものとする。

(3)　当期において、費用に計上した貸倒引当金の繰入額は1,600,000円である。なお、前期において費用に計上した貸倒引当金の繰入額1,300,000円（税務上適正額）は、当期においてその全額を取崩して収益に計上している。

問題9　総　合　　　　　　　　　　　　　　　重要　応用　13分

次の資料により、当社の当期における税務上の調整を示しなさい。

(1)　当社は、当期末における資本金の額が80,000,000円（株主はすべて個人である。）の製造業を営む内
国法人であるが、当期末における貸借対照表に計上されている売掛金等の債権の金額（貸倒引当金控除
前の金額）は、次のとおりである。

科　目	金　額	備　　考
売　掛　金	175,000,000円	売掛金のうちには、次のものが含まれている。 ①　A社に対する売掛金（前期の売上に係るものである。）が5,000,000 円あるが、A社は令和8年3月27日に手形交換所の取引停止処分を 受けている。 ②　B社に対する売掛金8,000,000円がある。なお、B社から営業保証 金6,000,000円を受け入れている。
受　取　手　形	150,000,000円	受取手形は、すべて売掛金の回収により取得したものである。なお、 この他に割引手形（すべて売掛金の回収により取得したものである。） の未決済残高10,000,000円があるが、その旨注記表示されている。
貸　付　金	76,000,000円	貸付金の内訳は、次のとおりである。 ①　従業員に対する前払給料　　　　　　2,000,000円 ②　原材料購入のための前渡金　　　　　21,000,000円 ③　子会社であるC社に対する貸付金　　50,000,000円 ④　従業員に対する貸付金　　　　　　　3,000,000円

(2)　実質的に債権とみられない金額を計算する場合における基準年度の控除割合は0.00844……である。

(3)　当社の最近の各事業年度末における一括評価金銭債権の額及び貸倒損失の額は、次のとおりである。

事業年度 区　分	令4.4.1 〜令5.3.31	令5.4.1 〜令6.3.31	令6.4.1 〜令7.3.31
一括評価金銭債権の額	247,000,000円	267,000,000円	248,000,000円
貸　倒　損　失　の　額	2,659,000円	1,704,000円	2,660,000円

(4)　当社が当期において損金経理により繰り入れた貸倒引当金の額は7,000,000円（うちA社の売掛金に係
るものは3,000,000円である。）である。また、前期において損金経理により繰り入れた貸倒引当金の額
5,000,000円（うち繰入超過額800,000円が含まれている。）は、当期にその全額を取り崩して収益に計
上している。

理論 計算

問題10 ミニテスト 　　　　　　　　　　　重要 応用 10分

次の資料により、当社（製造業。株主は全員個人。期末資本金の額 100,000,000 円）の当期における税務調整を行いなさい。

(1) 当期末の貸借対照表に計上されている債権等の内容は、次のとおりである。

区　分	金　額	備　　　考
売 掛 金	730,400,000 円	令和8年1月28日に不渡手形を出し、同年4月9日に手形交換所取引停止処分となったA社の売掛金 13,300,000 円が含まれている（受取手形の備考欄参照）。
受 取 手 形	583,140,000 円	① 得意先の依頼に基づき割引によって取得した手形 20,600,000 円が含まれている。 ② A社の手形 7,000,000 円が含まれている。
貸 付 金	140,800,000 円	取引先に対するものであり、時価 40,000,000 円の担保物を徴している。
未 収 入 金	63,400,000 円	仕入割戻しの未収入金 30,885,000 円及び受託加工の加工料 2,000,000 円が含まれている。その他は一括評価金銭債権に該当するものである。
差 入 保 証 金	50,000,000 円	仕入先に対して営業保証金として差し入れたものである。
長 期 貸 付 金	21,800,000 円	前期に破産手続開始の申立てをしたB社に対するものであり、前期において貸倒引当金 10,000,000 円を繰り入れている（繰入超過額が 600,000 円生じている。）。B社からは 3,000,000 円相当の担保物を徴している。 　なお、B社については、破産手続開始の申立て以後当期末までその状況に変化は生じていない。

(2) 貸借対照表には、割引手形200,200,000円が個別注記されている。

　この割引手形の中には得意先の依頼に基づき、割引によって取得した手形で再割引したもの 37,000,000 円が含まれている。

　なお、これ以外の割引手形は売掛金の回収のために取得した受取手形を割引したものである。

(3) 前期に損金経理した貸倒引当金の繰入額（B社分貸倒引当金繰入額を含む。）18,000,000円は、当期にその全額を取崩し収益に計上している。また、当期に損金経理した貸倒引当金の繰入額は、A社分 11,000,000円、B社分10,000,000円、一括評価分15,000,000円である。

(4) 法人税法施行令第96条第2項《貸倒実績率の計算》の規定により計算した当期前3年以内に開始した各事業年度における貸倒実績率は0.0086である。なお、当社は貸倒実績率により計算することとする。

Ch 1
Ch 2
Ch 3
Ch 4
Ch 5
Ch 6
Ch 7
Ch 8
Ch 9
Ch 10
Ch 11
Ch 12
Ch 13
Ch 14
Ch 15
Ch 16
Ch 17

解答　問題1　法律上の貸倒れ

1．A社　　貸倒損失認定損　800,000＋900,000＝1,700,000円

2．B社　　適　正

（単位：円）

	項　　目	金　額	留　保	社外流出
加算				
減算	貸　倒　損　失　認　定　損 　　　　　　（A　　社）	1,700,000	1,700,000	

解　説

① A社に対して有する売掛金及び貸付金について、A社が更生計画認可の決定を受けていることから、その決定による切捨て額は、貸倒損失として認識しなければなりません。当社は、何ら処理を行っていないことから、別表四で減算調整をして認識することになります。

② B社は債務超過の状態が相当期間継続し、当社はB社に対して有する売掛金の回収ができない状況にあります。この場合において、当社がB社に対して債務免除を行い、その旨を文書により通知したときは、その債務免除通知額は貸倒損失として認められます。なお、債権の一部を免除した場合でも、この取扱いは適用されます。

解答　問題2　事実上の貸倒れ

1．A社　　回収できない金額を損金経理していない。　∴　調整なし

2．B商店　担保（宅地）処分前　∴　貸倒損失否認

（単位：円）

	項　　目	金　額	留　保	社外流出
加算	貸　倒　損　失　否　認 　　　　　　（B　商　店）	10,000,000	10,000,000	
減算				

解　説

① A社に対する売掛金の全額が回収できないことが明らかとなっていますが、法的には債権が残っている状態であり、全額の回収不能を理由とする貸倒損失の計上は、損金経理を行うことが要件とされています。したがって、別表四で減算調整を行って認識することはできません。

② B商店に対する貸付金の全額の回収不能が明らかとなっていますが、担保の提供を受けています。担保の提供を受けている場合には、その担保物の処分後でなければ貸倒損失を計上することはできません。したがって、当社が計上した貸倒損失は、別表四で否認することになります。

1．A商会　　貸倒損失否認　　400,000－1＝399,999円

2．B商店　　101,000円＜110,000円　　∴　適正

3．C氏　　継続的取引に該当しない。　　∴　貸倒損失否認

(単位：円)

	項　　　目	金　額	留　保	社外流出
加算	貸　倒　損　失　否　認			
	（A　　商　　会）	399,999	399,999	
	（C　　　　　氏）	8,999,999	8,999,999	
減算				

解 説

① 　A商会との取引停止時（取引停止時、最後の弁済期、最後の弁済時のうち最も遅い時（本問の場合は令和6年6月20日）をいいます。）から1年以上を経過しているため、売掛債権（売掛金や受取手形等）については、その売掛債権の額から備忘価額を控除した金額を貸倒損失として計上することができます。ただし、貸付金（売掛債権以外）については、この規定の適用がないため、貸付金に対して計上した貸倒損失は、別表四で否認することになります。

② 　B商店に対する売掛金については、督促にもかかわらず弁済がなく、かつ、取立費用が債権金額を上回っているため、貸倒損失の計上が認められます。

③ 　売掛債権の特例は、継続的な取引をその適用対象としているため、個人との間の不動産取引のような単発の取引には適用がありません。したがって、C氏に対する債権について計上した貸倒損失は、別表四で否認することになります。

解 答　問題4　個別貸倒引当金（実質基準）

(1)　繰入限度額

①　A社

4,000,000円

②　B社

10,000,000円

(2)　繰入超過額

①　A社

5,000,000－4,000,000＝1,000,000円

②　B社

8,000,000－10,000,000＝△2,000,000　→　0

（単位：円）

	項　　目	金　額	留　保	社外流出
加算	個別貸倒引当金繰入超過額 （Ａ　　社）	1,000,000	1,000,000	
減算				

解説

①　債務超過の状態が相当期間継続し、かつ、その営む事業に好転の見通しがないため、金銭債権の一部につき取立て等の見込みがないと認められる場合には、個別貸倒引当金を設定することができます。したがって、Ａ社に対する売掛金については、取立て等の見込みがないと認められる4,000,000円を繰入限度額として個別貸倒引当金を設定することになります。

②　災害等により多大な損害が生じたため、金銭債権の一部につき取立て等の見込みがないと認められる場合には、個別貸倒引当金を設定することができます。したがって、Ｂ社に対する売掛金及び貸付金については、取立て等の見込みがないと認められる10,000,000円を繰入限度額として個別貸倒引当金を設定することになります。なお、貸倒引当金の繰入れは、損金経理が要件とされているため、繰入限度額の余裕額を別表四で減算調整して損金の額に算入することはできません。

解答　問題5　個別貸倒引当金（形式基準）

(1)　繰入限度額

①　Ａ社　　{(3,000,000＋600,000)－1,200,000}×50％＝1,200,000円

②　Ｂ社　　{(4,000,000＋5,000,000)－(30,000,000－25,000,000)}×50％＝2,000,000円

(2)　繰入超過額

①　Ａ社　　1,500,000－1,200,000＝300,000円

②　Ｂ社　　3,000,000－2,000,000＝1,000,000円

（単位：円）

	項　　目	金　額	留　保	社外流出
加算	個別貸倒引当金繰入超過額 （Ａ　　社） （Ｂ　　社）	300,000 1,000,000	300,000 1,000,000	
減算				

解説

① 債務者に再生手続開始の申立ての事由が生じている場合には、形式基準により個別貸倒引当金を設定することができます。

　したがって、A社に対する売掛金及び受取手形について、次の算式により計算した金額を繰入限度額として、個別貸倒引当金の設定が認められます。

> （個別評価金銭債権の額－取立て等の見込額）×50%

　なお、個別貸倒引当金の形式基準における取立て等の見込み額には、支払手形は含まれません。

② 債務者が手形交換所の取引停止処分を受けた場合には、形式基準により個別貸倒引当金を設定することができます。また、当期末までに手形が不渡りとなり、当期に係る確定申告書の提出期限までに債務者が手形交換所の取引停止処分を受けた場合には、特例として当期において個別貸倒引当金を設定することが認められています。

　したがって、B社に対する売掛金及び貸付金について、形式基準による個別貸倒引当金の設定が認められます。なお、B社所有の土地に抵当権が設定されていますが、当社は第2順位であるため、取立て等の見込額は、その土地の時価から第1順位の抵当権に係る債権金額を控除した金額となります。

解答　問題6　個別貸倒引当金（長期棚上げ基準）

1．貸倒損失認定損

　B社　　3,000,000×50%＝1,500,000円

2．個別貸倒引当金

(1)　繰入限度額

① A社　{(5,000,000＋2,000,000)－4,000,000}×50%＝1,500,000円

② B社　3,000,000×(100－50)%－150,000×2＝1,200,000円

(2)　繰入超過額

① A社　2,500,000－1,500,000＝1,000,000円

② B社　1,500,000－1,200,000＝300,000円

（単位：円）

	項　　目	金　額	留　保	社外流出
加算	個別貸倒引当金繰入超過額			
	（A　社）	1,000,000	1,000,000	
	（B　社）	300,000	300,000	
減算	貸倒損失認定損			
	（B　社）	1,500,000	1,500,000	

解 説

　債権者集会の協議決定（合理的な基準により債務者の負債整理を定めたもの）があった場合には、次の区分に応じて、それぞれ次のとおり取り扱います。

㈡　協議決定による債権の切捨額は、貸倒損失（法律上の貸倒れ）とします。

㈣　弁済を猶予され又は賦払により弁済することとされた債権は個別評価金銭債権に該当します。したがって、長期棚上げ基準による個別貸倒引当金を設定することができます。

　したがって、B社に対する売掛金の50％は別表四で減算調整をして貸倒損失を認識し、売掛金の残額については、次の算式により計算した金額を繰入限度額として個別貸倒引当金を設定します。

$$個別評価金銭債権の額 - \frac{事由発生年度の翌期首から}{5年以内に弁済される金額} - 取立て等の見込額$$

　本問では、3年間の据え置き期間があるため、上記の算式における事由発生年度の翌期首から5年以内に弁済される金額は、10回均等弁済の2回分となります。

解 答　問題7　繰入限度額の計算（貸倒実績率）

(1)　期末一括評価金銭債権

130,000,000＋82,000,000＋10,000,000＋12,000,000＋20,000,000＝254,000,000円

(2)　貸倒実績率

$$\frac{(3,210,000＋2,100,000＋2,520,000) \times \frac{12}{36}}{(234,000,000＋213,500,000＋258,300,000) \div 3} = 0.01109\cdots \rightarrow 0.0111$$

(3)　繰入限度額

254,000,000×0.0111＝2,819,400円

(4)　繰入超過額

3,000,000－2,819,400＝180,600円

（単位：円）

	項　目	金　額	留　保	社外流出
加算	一括貸倒引当金繰入超過額	180,600	180,600	
減算				

解 説

①　貸倒実績率による繰入限度額を計算する場合には、実質的に債権とみられないものの額は、考慮する必要はありません。

②　配当金の未収金、仕入割戻しの未収金及び従業員に対する前払い給料は、一括評価金銭債権に含まれません。

③ 売掛金の回収として受け入れた手形の裏書手形の金額は、一括評価金銭債権の額に集計する必要があります。なお、割引取得した手形を裏書したものは、既存債権がないため、一括評価金銭債権に含まれません。

④ 貸倒実績率は、次の算式により計算します。

$$\dfrac{\text{分母の期間の貸倒損失の額の合計額}\times\dfrac{12}{\text{分母の期間の月数}}}{\text{当期首前3年以内に開始した各事業年度末} \div \text{当期首前3年以内に開始した各事業年度の数}}\quad\left[\begin{array}{l}\text{小数点以下}\\\text{4 位 未 満}\\\text{切}\qquad\text{上}\end{array}\right]$$

解答 問題8 繰入限度額の計算（法定繰入率）

(1) **期末一括評価金銭債権**

74,000,000＋62,000,000＋7,000,000＋(3,400,000－3,000,000)＝143,400,000円

(2) **実質的に債権とみられない金額**

　① 原則法

　　(イ)　Ａ　社

　　　7,000,000円＞4,400,000円　　∴　4,400,000円

　　(ロ)　Ｂ　社

　　　6,000,000円＜9,000,000円　　∴　6,000,000円

　　(ハ)　(イ)＋(ロ)＝10,400,000円

　② 簡便法

　　143,400,000×※0.081＝11,615,400円

　　※　0.081923… → 0.081

　③　①＜②　∴　10,400,000円

(3) **繰入限度額**

　$(143,400,000－10,400,000)\times\dfrac{10}{1,000}＝1,330,000円$

(4) **繰入超過額**

　1,600,000－1,330,000＝270,000円

(単位：円)

	項　　　　　目	金　　額	留　　保	社外流出
加算	一括貸倒引当金繰入超過額	270,000	270,000	
減算				

解説

① 法定繰入率により繰入限度額を計算する場合には、実質的に債権とみられないものの額を集計する必要があります。

② 実質的に債権とみられないものの額を原則法により計算する場合には、取引先ごとに債権と債務を
比較していずれか少ない金額を集計します。

③ 実質的に債権とみられないものの額を簡便法により計算する場合の控除割合は、小数点以下３位未
満を切捨てて使用します。

④ 当社は小売業を営んでいるため、法定繰入率は1,000分の10となります。

⑤ 当社は中小法人に該当するため、法定繰入率により繰入限度額を計算することができます。

解答　問題９　総合

１．個別評価金銭債権（Ａ社）

(1) 繰入限度額

5,000,000×50%＝2,500,000円

(2) 繰入超過額

3,000,000－2,500,000＝500,000円

２．一括評価金銭債権

(1) 期末一括評価金銭債権

175,000,000－5,000,000＋150,000,000＋10,000,000＋50,000,000＋3,000,000＝383,000,000円

(2) 貸倒実績率

$$\frac{(2,659,000+1,704,000+2,660,000) \times \frac{12}{36}}{(247,000,000+267,000,000+248,000,000) \div 3}=0.00921\cdots \to 0.0093$$

(3) 実質的に債権とみられない金額

① 原則法

　Ｂ　社　　8,000,000円＞6,000,000円　　∴　6,000,000円

② 簡便法

383,000,000×※0.008＝3,064,000円

※　0.00844… → 0.008

③ ①＞②　∴　3,064,000円

(4) 繰入限度額

① 383,000,000×0.0093＝3,561,900円

② (383,000,000－3,064,000)×$\frac{8}{1,000}$＝3,039,488円

③ ①＞②　　∴　3,561,900円

(5) 繰入超過額

(7,000,000－3,000,000)－3,561,900＝438,100円

（単位：円）

	項　　　　　目	金　　額	留　　保	社外流出
加算	個別貸倒引当金繰入超過額			
	（Ａ　　　　社）	500,000	500,000	
	一括貸倒引当金繰入超過額	438,100	438,100	
減算	貸倒引当金繰入超過額認容	800,000	800,000	

解説

① 当社は、資本金の額が80,000,000円（株主はすべて個人）であり、中小法人に該当するため、実積率による繰入限度額と法定繰入率による繰入限度額のいずれか多い方を繰入限度額とすることができます。

② 当社は前期の繰入超過額を含めて、当期に取崩しを行い収益に計上しているため、前期の繰入超過額を別表四で減算調整することになります。

解答　問題10　ミニテスト

1．Ａ社貸倒引当金

(1) 繰入限度額

$(13,300,000+7,000,000) \times 50\% = 10,150,000$ 円

(2) 繰入超過額

$11,000,000 - (1) = 850,000$ 円

2．Ｂ社貸倒引当金

(1) 繰入限度額

$(21,800,000-3,000,000) \times 50\% = 9,400,000$ 円

(2) 繰入超過額

$10,000,000 - (1) = 600,000$ 円

3．一括評価金銭債権

(1) 期末一括評価金銭債権

$(730,400,000-13,300,000) + (583,140,000-7,000,000) + 140,800,000 + (63,400,000 -30,885,000) + (200,200,000-37,000,000) = 1,629,755,000$ 円

(2) 貸倒実績率

0.0086（小数点以下4位未満切上）

(3) 繰入限度額

$(1) \times (2) = 14,015,893$ 円

(4) 繰入超過額

$15,000,000 - (3) = 984,107$ 円

	項　　　　目	金　　額	留　　保	社外流出
加算	個別貸倒引当金繰入超過額			
	（Ａ　　　　社）	850,000	850,000	
	（Ｂ　　　　社）	600,000	600,000	
	一括貸倒引当金繰入超過額	984,107	984,107	
減算	Ｂ社貸倒引当金繰入超過額認容	600,000	600,000	
	仮　　　　計	×××	×××	×××

········ *Memorandum Sheet* ········

総合計算問題

No	内　　　容	標準時間	重要度	難易度
問題1	総合計算問題	60分	A	基本
問題2	総合計算問題	60分	A	基本

問題1 総合計算問題

重要 基本 60分

　内国法人である甲株式会社（常時従業員数は500人以下であり、適用除外事業者に該当しない。以下「甲社」という。）は、製造業を営む年1回3月末決算の法人である。甲社は、設立以来毎期連続して適法に青色の申告書により法人税の確定申告書を提出しており、当期（令和7年4月1日から令和8年3月31日までの事業年度）においても申告期限内に青色の申告書により法人税の確定申告を行う予定である。

　甲社の当期分の確定した決算（株主総会の承認を受けた決算）に基づく株主資本等変動計算書の内容及び法人税の確定申告のために必要な資料は下記のとおりである。

　これらに基づき、当期分の法人税の課税標準である所得の金額及び確定申告により納付すべき法人税額を計算しなさい（計算過程を答案用紙の所定の欄に示すこと。）。

　なお、解答に当たっては、次の事項を前提として計算すること。

⑴　税法上選択できる計算方法が2以上ある事項については、設問上において指示されている事項を除き、当期の法人税額が最も少なくなる計算方法によるものとする。

⑵　法人税の確定申告に当たって必要な申告の記載及び証明書の添付その他の手続は、いずれも適法に行うものとする。

⑶　解答に当たって補足すべき事項がある場合には、それを明記して解答するものとする。

記

I　株主資本等変動計算書の内容

（単位：円）

| | 資　本　金 | 利　益　剰　余　金 | | | 株　主　資　本合　　　計 |
| | | 利益準備金 | その他利益剰余金 | | |
			別途積立金	繰越利益剰余金	
当期首残高	50,000,000	5,000,000	125,000,000	18,136,500	198,136,500
当期変動額					
剰余金の配当				△15,000,000	△15,000,000
剰余金の配当に伴う利益準備金の積立て		1,500,000		△ 1,500,000	－
別途積立金の積立て			15,000,000	△15,000,000	－
当期純利益				42,904,000	42,904,000
当期変動額合計		1,500,000	15,000,000	11,404,000	27,904,000
当期末残高	50,000,000	6,500,000	140,000,000	29,540,500	226,040,500

Ⅱ 所得金額等の計算に関する事項

1 株主の状況

甲社の当期末における株主構成は次のとおりである。

氏 名	役 職 等	続 柄	持株割合
A	代表取締役社長	－	20%
B	専務取締役	Aの弟	10%
C	取締役営業担当		10%
D	取締役兼総務部長	Cの妹	8%
E	経理部長	Aの妻	5%
F	監査役	－	4%
G	顧問	Aの父	3%
その他の少数株主		－	40%
合　　計			100%

（注）　Dは常時使用人としての職務に従事しており、E及びGは実質的に会社の経営に従事している。
なお、その他の少数株主の持株割合は、すべて5％未満であり、相互に特殊の関係のある者はいない。

2 給与に関する事項

甲社の当期における役員等に対する給与等に関する事項は、次のとおりであり、費用計上している。

氏 名	給 料		賞 与
	役 員 分	使用人分	使用人分
A	8,400,000円	－	－
B	6,000,000円	－	－
C	3,000,000円	1,200,000円	900,000円
D	2,400,000円	1,200,000円	900,000円
E	－	3,000,000円	750,000円
F	4,200,000円	－	－
G	4,500,000円	－	－
合 計	28,500,000円	5,400,000円	2,550,000円

（注1）　上表中の給料は毎月月末に損金経理により同額を支給したものである。なお、その支給額は、各人別には不相当に高額とは認められず適正額の範囲内である。
また、甲社の定款に定める取締役及び監査役に支給される給料及び賞与の支給限度額についても、当期の役員に対する支給額から比較して充分余裕がある。

（注2）　使用人兼務役員に対する使用人分の賞与は他の使用人と同一時期に支給している。

（注3）　上記のほか、Bに対して10月に商品券（券面額500,000円）を贈与し、雑費勘定に計上している。

（注4）　甲社は、給与について特に届出書の提出は行っていない。

3 租税公課に関する事項

(1) 当期の法人税等未払金勘定は次表のとおりである。　　　　　　　　　　（単位：円）

年　月　日	摘　要	相手勘定	減　少	増　加	残　高
令和7年4月1日	前期繰越				15,782,600
5月31日	納付法人税	普通預金	10,875,000		
	納付地方法人税	普通預金	1,120,100		
	納付住民税	普通預金	1,131,000		
	納付事業税	普通預金	2,656,500		0
令和8年3月31日	確定分計上	当期分法人税等		17,500,000	17,500,000

(2) 当期中に納付し、租税公課として損金経理した金額は次のとおりである。

① 固定資産税 　　　　　　　　　　　　　　　　　　　　　　　　　　　3,768,500円
② 自動車税 　　　　　　　　　　　　　　　　　　　　　　　　　　　　　731,000円
③ 印紙税（過怠税30,000円を含む。）　　　　　　　　　　　　　　　　　2,362,500円
④ 法人税の延滞税 　　　　　　　　　　　　　　　　　　　　　　　　　　18,000円
⑤ 役員が業務中に起こした交通違反に係る反則金 　　　　　　　　　　　　17,500円

(3) 仮払金勘定には、当期分の中間申告に係る法人税12,937,500円、地方法人税1,332,500円、事業税3,138,000円及び住民税1,345,400円が含まれている。

4 減価償却に関する事項

減価償却費として計上した金額について検討を要するものは次のとおりである。また、甲社は、償却方法の選定の届出及び償却方法の変更等の手続は行っていない。

種　類　等	取　得　価　額	期首帳簿価額	当期償却額又は消耗品費計上額	法定耐用年数	事　業　供　用 年　月　日
事 務 所 用 建 物	25,000,000円	12,250,000円	500,000円	50年	平10.3.31
倉 庫 用 建 物	15,000,000円	――	600,000円	24年	令7.12.1
建 物 附 属 設 備	7,600,000円	390,000円	50,000円	20年	平18.5.12
乗 用 車 H	1,435,000円	1,060,000円	400,000円	6年	平28.12.2
乗 用 車 I	1,580,000円	――	500,000円	6年	令7.10.23
貨 物 自 動 車	1,000,000円	――	250,000円	5年	令7.8.20
器 具 備 品	4,180,000円	――	4,180,000円	4年	令7.10.28

(注1) 事務所用建物には前期から繰り越された償却超過額が141,500円ある。

(注2) 倉庫用建物は市場価格20,000,000円のものを甲社の取引先から15,000,000円で購入したものである。

(注3) 乗用車Hと乗用車Iは、構造又は用途及び細目が同一のものである。なお、乗用車Hには前期から繰り越された償却超過額が198,000円ある。

(注4) 貨物自動車は甲社の取引先から1,000,000円で取得したものであるが、取引先における取得価額は2,250,000円である。なお、その貨物自動車にはその取引先の製品名が塗装されている。

(注5) 器具備品はパソコンであり、1台当たり100,000円のものを32台、49,000円のものを20台購入したものであり、いずれも、取得価額相当額を消耗品費勘定に計上している。

なお、法人税法施行令第133条の２（一括償却資産の損金算入）の規定の適用は受けないものとする。

5 受取配当等に関する事項

(1) 甲社は当期中に次の配当等を収受し、源泉徴収税額（所得税額及び復興特別所得税額）控除後の差引手取額を雑収入に計上している。

銘 柄 等	区 分	配当等の計算期間	収益計上額	源泉徴収税額	持株割合
Ｊ社株式	剰余金配当	令6.4.1～令7.3.31	84,685円	15,315円	1％未満
Ｋ社株式	剰余金配当	令6.4.1～令7.3.31	750,000円	――	50％
Ｌ証券投資信託	収益分配金	令6.10.1～令7.9.30	42,343円	7,657円	――
銀行預金	利 子	――	12,703円	2,297円	――
合 計			889,731円	25,259円	――

(注1) Ｊ社株式に係る配当は、その効力発生日が令和7年6月25日であり、甲社は当該配当金を同日に収受している。Ｊ社株式は内国法人が発行する株式であり、Ｊ社株式の異動状況は次のとおりである。

日 付	摘 要	取 得	譲 渡	残 高
令7.3.22	購 入	20,000株		20,000株
令7.6.22	譲 渡		10,000株	10,000株

(注2) Ｋ社株式の発行会社であるＫ社は、設立以来、株主に変動は生じていない。

(注3) Ｌ証券投資信託の取得日は令和6年12月1日であるが、公社債投資信託に該当するものである。

(2) 当期において支払った負債利子の額は250,000円である。

6 社債に関する事項

令和7年10月1日に資金調達のため、社債（額面総額100,000,000円）を99,200,000円で発行し、その発行価額を帳簿価額として付した。甲社は、この社債の当期に係る利息3,000,000円及びその発行に要した費用250,000円を費用に計上したほかは、経理処理を行っていない。

なお、この社債の償還期限は5年（60ヶ月）である。

(注) 以上のほかは計算上考慮する必要がないものとし、解答に当たって補足すべき点がある場合は適宜補足した上で解答すること。

<参考資料>

減価償却資産の償却率、改定償却率及び保証率の表

① 定額法、旧定額法、旧定率法並びに平成19年4月1日から平成24年3月31日までに取得した減価
償却資産の定率法の償却率、改定償却率、保証率の表（一部）

耐用年数	定額法償却率	定率法			旧定額法償却率	旧定率法償却率
		償却率	改定償却率	保証率		
4	0.250	0.625	1.000	0.05274	0.250	0.438
5	0.200	0.500	1.000	0.06249	0.200	0.369
6	0.167	0.417	0.500	0.05776	0.166	0.319
20	0.050	0.125	0.143	0.02517	0.050	0.109
24	0.042	0.104	0.112	0.02157	0.042	0.092
50	0.020	0.050	0.053	0.01072	0.020	0.045

② 平成24年4月1日以後に取得した減価償却資産の定率法の償却率、改定償却率及び保証率の表（一部）

耐用年数	定率法		
	償却率	改定償却率	保証率
4	0.500	1.000	0.12499
5	0.400	0.500	0.10800
6	0.333	0.334	0.09911
20	0.100	0.112	0.03486
24	0.083	0.084	0.02969
50	0.040	0.042	0.01440

解 答　問題1 総合計算問題

計算過程欄(1)

【同族会社の判定及び役員等の判定】

1．同族会社の判定（判定★）

(1)　Aグループ

　　A20％＋B10％＋E5％＋G3％＝38％

(2)　Cグループ

　　C10％＋D8％＝18％

(3)　Fグループ

　　4％

(4)　判　定

　　(1)＋(2)＋(3)＝60％＞50％　　∴　同族会社

2．役員等の判定

	経営従事	50％超	10％超	5％超	判　定	
D		○	○	○	役　　員	★
E	○	○	○	○	みなし役員	

　　Gは、使用人以外の者で経営に従事しているため、みなし役員　★

【役員給与に関する事項】

損金不算入給与

(1)　B　　　　　　　500,000円　★

(2)　C　　　　　　　900,000円

(3)　D　　　　　　　900,000円

(4)　E　　　　　　　750,000円

(5)　合　計

　　(1)＋(2)＋(3)＋(4)＝3,050,000円

【租税公課に関する事項】

仮払税金認定損

12,937,500＋1,332,500＋3,138,000＋1,345,400＝18,753,400円

【減価償却に関する事項】

1．事務所用建物

(1) 償却限度額

$(12,250,000+141,500)×0.045＝557,617$円

(2) 償却超過額

$500,000－557,617＝△57,617$

$57,617$円＜$141,500$円 ∴ $57,617$円（認 容）

2．倉庫用建物

(1) 償却限度額

$20,000,000×0.042×\dfrac{4}{12}＝280,000$円

(2) 償却超過額

$(20,000,000－15,000,000+600,000)－280,000＝5,320,000$円

3．建物附属設備

(1) 償却限度額

① $390,000×0.109＝42,510$円 ★

② $390,000－7,600,000×5\%＝10,000$円

③ ①＞② ∴ $10,000$円

(2) 償却超過額

$50,000－10,000＝40,000$円

4．乗用車H・I

(1) 償却限度額

① 乗用車H

$(1,060,000+198,000)×0.333＝418,914$円≧$1,435,000×0.09911＝142,222$円

∴ $418,914$円

② 乗用車I

$1,580,000×0.333＝526,140$円≧$1,580,000×0.09911＝156,593$円

∴ $526,140×\dfrac{6}{12}＝263,070$円 ★

③ ①＋②＝$681,984$円

(2) 償却超過額

$(400,000+500,000)－681,984＝218,016$円

5．貨物自動車

(1) 受贈益の額

$2,250,000×\dfrac{2}{3}－1,000,000＝500,000$円＞$300,000$円 ∴ $500,000$円 ★

(2) 償却限度額

$(1,000,000+500,000)×0.400＝600,000$円≧$(1,000,000+500,000)×0.10800＝162,000$円

∴ $600,000×\dfrac{8}{12}＝400,000$円

(3) 償却超過額

$(250,000 + 500,000) - 400,000 = 350,000$円

6．器具備品

(1) 49,000円のもの・少額減価償却資産

49,000円＜100,000円　∴　適　正　★

(2) 100,000円のもの・中小企業者等の少額減価償却資産

① 単価判定

100,000円＜300,000円　★

② 総額判定

(イ)　$3,200,000$円＞$3,000,000 \times \dfrac{12}{12} = 3,000,000$円　★

(ロ)　$\dfrac{3,000,000}{100,000} = 30$台

100,000×30台＝3,000,000円≦3,000,000円　∴　3,000,000円（損金算入）★

(3) 通常償却

① 償却限度額

100,000×0.500＝50,000円≧100,000×0.12499＝12,499円　∴　50,000円

∴　$50,000 \times \dfrac{6}{12} \times$ （32台－30台）＝50,000円　★

② 償却超過額

100,000×2－50,000＝150,000円

【受取配当等の益金不算入】

(1) 配当等の額

① 関連法人株式等

750,000円

② 非支配目的株式等

84,685＋15,315＝100,000円　★

(2) 控除負債利子

① 当期支払負債利子

250,000円

② 控除負債利子の額

イ　配当等の額基準額

750,000×4％＝30,000円

ロ　支払負債利子基準額

250,000×10％＝25,000円

ハ　イ＞ロ　∴　25,000円

(3) 益金不算入

(750,000－25,000)＋100,000×20％＝745,000円

計算過程欄(4)

【法人税額から控除される所得税額】

(1) 株式出資 ($\frac{1}{12} < \frac{1}{2}$ ∴ 簡便法有利)

$$15,315 \times \frac{0 + (20,000 - 0) \times \frac{1}{2}}{20,000}(0.500) = 7,657円 \quad ★$$

(2) その他

$$7,657 + 2,297 = 9,954円$$

(3) 合　計

$$(1) + (2) = 17,611円$$

【社債に関する事項】

1．社債等発行費

任意償却の繰延資産 ∴ 適　正

2．償還差損

(1) 損金算入

$$(100,000,000 - 99,200,000) \times \frac{6}{60} = 80,000円$$

(2) 計上もれ

$$80,000 - 0 = 80,000円$$

I 所得金額の計算

区　　　　分		金　　　額
会　社　計　上　当　期　純　利　益	★	42,904,000円
損　金　経　理　法　人　税	★	12,937,500
損　金　経　理　地　方　法　人　税	★	1,332,500
損　金　経　理　住　民　税	★	1,345,400
損　金　経　理　納　税　充　当　金	★	17,500,000
損　金　経　理　過　怠　税	★	30,000
損　金　経　理　附　帯　税　等	★	18,000
損　金　経　理　罰　科　金　等	★	17,500
役　員　給　与　の　損　金　不　算　入　額	☆	3,050,000
減　価　償　却　超　過　額		
（倉　庫　用　建　物　）	☆	5,320,000
（建　物　附　属　設　備　）	☆	40,000
（乗　用　車　H・I　）	☆	218,016
（貨　物　自　動　車　）	☆	350,000
（器　具　備　品　）	☆	150,000
小　　　　　　　計		42,308,916

加算 (縦書き左端)

減 算	納 税 充 当 金 支 出 事 業 税 等	★	2,656,500
	仮 払 税 金 認 定 損	☆	18,753,400
	減 価 償 却 超 過 額 認 容 （事 務 所 用 建 物 ）	☆	57,617
	受 取 配 当 等 の 益 金 不 算 入 額	☆	745,000
	償 還 差 損 計 上 も れ	☆	80,000
	小　　　　　　　計		22,292,517
	仮　　　　　　　計		62,920,399
法 人 税 額 控 除 所 得 税 額		★	17,611
合　計　・　差　引　計　・　総　計			62,938,010
所　　　得　　　金　　　額			62,938,010

（注）　償還差損計上もれ80,000円については、社債計上もれ80,000円としても可。

Ⅱ 納付すべき法人税額の計算

区 分	金 額	計 算 過 程
所 得 金 額	62,938,000円	（千円未満切捨）★
法 人 税 額	13,945,616	【法人税額の計算】（算式★） (1) 年800万円以下の金額 　　$8,000,000 \times \dfrac{12}{12} = 8,000,000$円 (2) 年800万円超の金額 　　$62,938,000 - 8,000,000 = 54,938,000$円 (3) 法人税額 　　$(1) \times 15\% + (2) \times 23.2\% = 13,945,616$円
差 引 法 人 税 額	13,945,616	
法 人 税 額 計	13,945,616	
控 除 所 得 税 額	★　17,611	
差引所得に対する法人税額	13,928,000	（百円未満切捨）★
中 間 申 告 分 の 法 人 税 額	★ 12,937,500	
納 付 す べ き 法 人 税 額	990,500	完了点　★

配点：★１つにつき１点

☆１つにつき２点

【合計50点】

〈解 説〉

1. 出題概要

(1) 前提の確認

① 業　　種 ➡ 製造業

② 資 本 金 ➡ 50,000,000円株主資本等変動計算で確認

③ 会社区分 ➡ 同族会社、中小法人、中小企業者等（法人株主は最大でも40％のため）

(2) 出題形式

本問は、オーソドックスな申告調整型の問題となっています。

2. 当期純利益

税引後の金額であり、株主資本等変動計算書から転記します。

3. 同族会社の判定

(1) グループに属するもの

特殊の関係のある個人と特殊の関係のある法人がそのグループに属することになりますが、本問では、Aの親族であるB（Aの弟）、E（Aの妻）、G（Aの父）は、Aグループに属することになり、Cの親族であるD（Cの妹）はCグループに属することになります。

(2) 同族会社の判定

同族会社に該当するか否かの判定は、3グループ以下の持株割合等の合計が50％を超えるか否かで行います。同族会社に該当する場合には、一定の使用人及び使用人兼務役員について、持株等による判定を行わなければなりません。本問では、甲社は同族会社に該当するため、役員等の範囲に制限を受けることになります。

4. 役員等の判定

(1) 代表取締役社長A、専務取締役B、監査役F

これらの役員はいわゆる役付きの役員であり、使用人兼務役員となることはできません。したがって、純然たる役員として取り扱います。

(2) 取締役営業担当C

取締役○○担当はその部門を統括するという意味であり、使用人兼務役員となることはできません。

(3) 取締役兼総務部長D

甲社は同族会社に該当するため、持株等による判定（50％超基準、10％超基準、5％超基準）を行います。

本問では、第1順位のAグループの持株割合が38％以下で50％超とならず、第2順位の株主グループの持株割合18％を合計してはじめて50％超となります。したがって、第2順位のCグループに属するDは50％超基準を満たすことになります。

また、Cグループの持株割合は18％であり10％超基準を満たし、Dの持株割合が8％であることから5％超基準も満たすことになります。

したがって、Dは使用人兼務役員となることはできず、純然たる役員として取り扱います。

(4)　経理部長E

　　経理部長Eは使用人ですが、経営に従事しているため、持株等による判定が必要です。

　　Eは第1順位のAグループに属しているため、50％超基準を満たすことになります。

　　また、Aグループの持株割合は38％であり10％超基準を満たし、Eとその夫Aの持株割合の合計が25％（E5％、A20％）であることから5％超基準も満たすことになります。

　　したがって、Eはみなし役員となります。

(5)　顧問G

　　取締役でない顧問、会長等については、会社法上の役員ではありませんが、使用人でもありません。この使用人以外の者については、同族会社であるか非同族会社であるかを問わず、経営に従事していれば、みなし役員として取り扱うことになります。

　　したがって、経営に従事している顧問Gは、みなし役員として取り扱います。

5．役員給与

(1)　損金不算入給与

　　本問では、役員に対する給与として給料及び賞与を支給していますが、給料については、毎月月末に同額支給とあることから定期同額給与に該当します。

　　また、賞与については、定期同額給与には該当せず、かつ、問題文の（注4）において「特に届出書の提出は行っていない。」とあることから、事前確定届出給与にも該当しないことになります。したがって、C及びD（いずれも税務上は役員とされる者）に対する使用人分賞与の額は、損金不算入とされます。Eについても、みなし役員であるため、その使用人分賞与は、損金不算入とされます。

　　さらに、問題文の（注3）の商品券の贈与は、その時価相当額がBに対する経済的利益の額となり、臨時的なものであることから損金不算入となります。

(2)　過大役員給与

　　(1)で損金不算入とされた役員給与を除き、過大役員給与の額を求めていくことになりますが、本問では、問題文（注1）において、「各人別には不相当に高額とは認められず適正額の範囲内である。また、甲社の定款に定める取締役及び監査役に支給される給料及び賞与の支給限度額についても、当期の役員に対する支給額から比較して充分余裕がある。」とあることから、実質基準及び形式基準のいずれについても過大分はないと判断することになります。

6．租税公課

(1)　納税充当金支出事業税等

　　本問の(1)の表の5月31日に法人税等未払金を取り崩して法人税10,875,000円、地方法人税1,120,100円、住民税1,131,000円、事業税2,656,500円を納付しているため、納税充当金支出事業税等の額は2,656,500円となります。

(2) **損金経理納税充当金**

　本問の(1)の表の令和8年3月31日に確定分計上で法人税等未払金勘定を増額していますが、その増額部分は繰入額であり損金経理納税充当金として加算調整が必要となります。

(3) **過怠税**

　印紙税は損金の額に算入されますが、過怠税は印紙を文書に貼るのを怠ったものであるため、ペナルティーとして損金不算入とされ、加算調整が必要です。

(4) **法人税の延滞税**

　単なる納付の遅れによる附帯税等となり、損金不算入として取り扱います。

(5) **交通反則金**

　業務外であれば給与となりますが、業務中のため、罰科金等として加算調整となります。

(6) **仮払税金**

　仮払税金は、一旦損金経理をしたのと同じ状態にするために、別表四で減算調整し、その減算調整した金額のうち、損金不算入となるものについてあらためて加算調整をすることになります（本問の場合は、法人税、地方法人税及び住民税について加算調整をすることになります。）。

7．**減価償却**

(1) **事務所用建物**

　平成10年3月31日以前取得の建物であり、償却方法の選定を行っていないことから法定償却方法である旧定率法により償却限度額を計算します。

(2) **倉庫用建物**

　平成19年4月1日以後取得の建物であり、償却方法は定額法となります。また、市場価格（時価）より低い価額で取得（低額取得）しているため、時価を取得価額とし、その取得価額と支出額との差額は、受贈益として取り扱うことになります。また、支出金額を取得価額としており、受贈益が取得価額からもれているため、その取得価額が漏れている金額は、償却費として損金経理した金額と取り扱います。

(3) **建物附属設備**

　平成19年3月31日以前に取得した減価償却資産であり、当期の税務上の期首帳簿価額390,000円は取得価額の5％に近いことから、通常の償却限度額より、税務上の期首帳簿価額と取得価額の5％との差額の方が少ない可能性があり、償却可能限度額の計算を行います。

(4) **乗用車H・I**

　乗用車H及び乗用車Iについては、その設備の種類の区分、耐用年数及び償却方法が同一であることから、グルーピングが必要となります。

(5) **貨物自動車**

　貨物自動車の購入金額は時価より低いことが明らかですが、その貨物自動車には取引先の製品名が塗装されていることから、広告宣伝用資産の低額取得となり、取得価額は相手方の取得価額の3分の2相当額となります。また、取得価額と購入金額との差額は受贈益として取り扱うことになります。

　なお、受贈益の額が30万円以下である場合には、受贈益を認識する必要はなく、取得価額は購入金額を付すことになります。

⑹　器具備品

　　取得価額単価が10万円未満のものについて、取得価額相当額を損金経理しているため、少額の減価償却資産として取得価額の全額の損金算入が認められます。

　　取得価額単価30万円未満のものについて、甲社は常時従業員数500人以下の中小企業者等であるため、中小企業者等の少額減価償却資産の適用があります。ただし、年300万円以下に限られるため、2台分については、一括償却か通常償却を行っていくことになります（本問は問題文により通常償却を行うことになります。）。

8．受取配当等

⑴　配当等の額

　　本問は差引手取額が収益計上されていますが、源泉徴収前の金額が配当等の額になります。

⑵　J社株式

　　保有割合が5％以下のため、非支配目的株式等となります。

⑶　K社株式

　　配当等の計算期間中、保有割合が3分の1超であり、完全支配関係にないため、関連法人株式等となります。

⑷　L証券投資信託

　　証券投資信託の収益分配金で配当等の額になるのは、特定株式投資信託（外国株価指数連動型を除く。）に係るものだけです。

9．所得税税

　　元本を株式出資及び受益権に区分して、その区分ごとに個別法と簡便法の有利な方法を採用して控除税額を計算します。

　　なお、銀行預金利子、公社債利子、公社債投資信託収益分配金については、所有期間按分は不要であり、その全額を控除対象に含めます。

10．社債償還差損

　　償還差損のうち期間配分した金額が損金算入されます。損金算入額が直接規定されていることから、経理要件や限度額の定めはありません。

| 問題2 | 総合計算問題 | 重要 | 基本 | 60分 |

　内国法人である甲株式会社（株主は全員個人であり、適用除外事業者に該当しない。以下「甲社」という。）は、製造業（主たる事業）及び販売業を営む年１回３月末決算の法人である。甲社は、設立以来毎期連続して適法に青色の申告書により法人税の確定申告書を提出しており、令和７年４月１日から令和８年３月31日までの事業年度（以下「当期」という。）についても申告期限内に青色の申告書により法人税の確定申告を行う予定である。

　甲社の当期分の確定した決算（株主総会の承認を受けた決算）に基づく株主資本等変動計算書及び法人税の確定申告のために必要な資料は次のとおりである。

　これらに基づき、当期分の法人税の課税標準である所得の金額及び確定申告により納付すべき法人税額を計算しなさい（計算過程を答案用紙の所定の欄に示すこと）。

　なお、法人税の確定申告に当たって必要な申告の記載、証明書類の添付その他の手続はいずれも適法に行うものとするが、計算に当たり選択することができる計算方法が２以上ある場合には、設問中に特に指示されている事項を除き、当期分の納付すべき法人税額が最も少なくなる方法によるものとする。

I　株主資本等変動計算書（令和７年４月１日から令和８年３月31日まで）

（単位：円）

	株主資本				
	資　本　金	利　益　剰　余　金			合　　　計
		利益準備金	圧縮積立金	繰越利益剰余金	
当期首残高	60,000,000	11,000,000	100,000,000	226,574,000	397,574,000
剰余金の配当				△ 12,000,000	△ 12,000,000
準備金の積立て		1,200,000		△ 1,200,000	
圧縮積立金の積立て			20,000,000	△ 20,000,000	
当期純利益				133,000,500	133,000,500
当期変動額計	0	1,200,000	20,000,000	99,800,500	121,000,500
当期末残高	60,000,000	12,200,000	120,000,000	326,374,500	518,574,500

　（注）　「圧縮積立金」は、保険金により取得した工場用建物に係るものである（下記II２参照）。

Ⅱ 所得の金額等の計算に必要な事項

1 租税公課に関する事項

(1) 当期中に納付した下記の租税公課を費用に計上している。

①	当期中間申告分法人税（本　税）	36,900,000円
②	当期中間申告分地方法人税（本　税）	3,800,700円
③	当期中間申告分住民税（本　税）	3,837,600円
④	当期中間申告分事業税（本　税）	10,332,000円

(2) 当期における納税充当金の異動状況は次のとおりである。

税　目	期首現在額	期中減少額	期中増加額	期末現在額
法　人　税	32,760,000円	32,760,000円	39,600,000円	39,600,000円
地方法人税	3,374,200円	3,374,200円	4,078,800円	4,078,800円
住　民　税	3,407,000円	3,407,000円	4,118,400円	4,118,400円
事　業　税	9,180,000円	9,180,000円	11,160,000円	11,160,000円
そ　の　他	5,278,800円	5,278,800円	4,042,800円	4,042,800円
合　計	54,000,000円	54,000,000円	63,000,000円	63,000,000円

(注1)　期中減少額のうち法人税、地方法人税、住民税、事業税は、前期（令和6年4月1日から令和7年3月31日までの事業年度）確定申告分のそれぞれの税額を納付するために取り崩したものである。その他は、法人税の利子税104,400円、地方法人税の利子税10,700円、納期限延長に係る住民税の延滞金10,800円及び納期限延長に係る事業税の延滞金30,600円を納付するために取り崩し、残額についても納税充当金取崩益として収益に計上している。

(注2)　期中増加額については、当期確定申告分のそれぞれの税額に充てるため納税充当金繰入額として費用に計上している。

2 保険差益に関する事項

(1) 甲社は、令和7年9月12日に失火によって工場用建物及び工場内に保管されていた棚卸資産を全焼し、同年12月16日に保険金60,000,000円を取得し、その保険金の額から被害直前帳簿価額相当額及び火災に伴って支出した経費を控除した金額を保険差益に計上した。なお、焼失した資産及び受取保険金の内訳は、次のとおりである。

種　類	受取保険金	取得価額	被害直前帳簿価額
工場用建物	51,000,000円	52,000,000円	33,750,000円
棚卸資産	9,000,000円	6,000,000円	6,000,000円

(注1)　工場用建物には、被害直前帳簿価額のほか、前期から繰り越された償却超過額が158,100円ある。

(注2)　この火災に伴って支出した経費は、次のとおりである。

①	けが人への見舞金	1,000,000円
②	新聞謝罪広告費用	600,000円
③	消防費用	900,000円
④	焼跡整理費用	1,200,000円

⑤　旧工場用建物の取壊し費　1,700,000円

(2)　甲社は受取保険金により、取得した代替資産は次のとおりである。

種　　類	取得価額	取得日 （事業供用日）	圧縮積立金額	備　　考
工場用建物	65,000,000円	令8.1.23 （令8.2.1）	20,000,000円	減価償却は下記4
棚卸資産	7,000,000円	令8.2.1	———	———

3　交換に関する事項

　　甲社は、令和7年5月10日に次に掲げる土地及び倉庫用建物を交換し、翌月から事業の用に供した。この取引については、交換取得資産の取得価額として交換譲渡資産（平成23年11月27日に取得）の譲渡直前の帳簿価額を付し、交換差金及び譲渡経費を費用に計上している。

区　　分	交換譲渡資産		譲渡経費	交換取得資産
	時　価	帳簿価額		時　価
土　　地	208,000,000円 （面積400㎡）	162,000,000円		234,000,000円 （面積600㎡）
倉庫用建物	117,000,000円	98,800,000円	1,950,000円	104,000,000円
現　　金	13,000,000円	——		——
合　　計	338,000,000円	260,800,000円	1,950,000円	338,000,000円

（注1）　交換譲渡資産である倉庫用建物については減価償却超過額が920,000円繰り越されている。

（注2）　交換取得資産である土地及び倉庫用建物のいずれも、相手先である乙社が平成23年に取得したものである。

（注3）　減価償却は下記4において行うこと。なお、法定耐用年数により償却計算を行うこととする。

4　減価償却に関する事項

(1)　当期において減価償却費として費用に計上した金額の内訳及び償却限度額の計算に関する事項は次のとおりである。なお、下記以外の減価償却資産については税法上の適正額を減価償却費として計上している。

種　類　等	取得価額	期首帳簿価額	当期償却額	法定耐用年数	事業供用日
工場用建物	65,000,000円	———	2,400,000円	24年	令8.2.1
倉庫用建物	98,800,000円	———	5,000,000円	20年	令7.6.1
事務所用建物	172,000,000円	133,440,000円	2,000,000円	24年	平19.3.31
貨物自動車	12,480,000円	400,000円	400,000円	5年	平19.3.10
複　写　機	1,400,000円	260,000円	200,000円	5年	平24.6.22

（注1）　工場用建物は上記2に係るものである。

（注２）　倉庫用建物は上記３に係るものである。

（注３）　事務所用建物は取得時に買換えの圧縮記帳の規定を適用し、圧縮積立金として積み立てた金額が70,080,000円ある（税務上の圧縮限度額は105,000,000円である。）。

　　　　　なお、前期から繰り越された償却超過額が2,852,576円ある。

（注４）　貨物自動車については、前期から繰り越された償却超過額が224,000円ある。

（注５）　複写機は、前期まで調整前償却額が償却保証額に満たないこととなった事業年度はない。

⑵　甲社が設立時に減価償却資産の償却方法として選定し届け出た方法は旧定率法であり、その後当期末に至るまで償却方法の変更等の手続きは一切行っていない。

　　なお、償却率等の資料は次のとおりである。

耐用年数	定額法償却率	定率法（200%）			旧定額法償却率	旧定率法償却率
		償却率	改定償却率	保証率		
5	0.200	0.400	0.500	0.10800	0.200	0.369
20	0.050	0.100	0.112	0.03486	0.050	0.109
24	0.042	0.083	0.084	0.02969	0.042	0.092

5　交際費等に関する事項

⑴　当期の交際費として費用に計上した内訳は次のとおりである。

① 取引先との会議に関連した茶菓・弁当費用で通常要するもの 費用　　　1,000,000円

② 甲社従業員の慰安のための運動会の費用で通常要するもの　　　　　3,000,000円

③ 当期の７月に販売促進の目的で特定の地域の得意先である事業者に対して
　 販売奨励金として当期に交付した金銭　　　　　　　　　　　　　4,000,000円

④ 当期の２月に行った創立20周年記念行事に関する次に掲げる費用

　㈠ 得意先を招いてホテルで開催したパーティーの飲食費用　　　　1,660,000円
　　（１人当たりの飲食費用が10,000円超のものである。）

　㈡ パーティーに参加した得意先に交付した交通費　　　　　　　　　500,000円

⑤ 前期において得意先を接待し、何ら経理を行っていなかった費用　　　320,000円

⑥ 得意先の役員を観劇に招待した費用（参加人数８人）　　　　　　　　368,000円

⑦ 当期の４月に大口の取引先の役員及び従業員を旅行に招待した費用　2,400,000円

⑧ 仕入先・得意先に対する中元・歳暮の贈答費用（3,000円のもの）　　180,000円

⑨ 当期の９月に抽せんにより一般の消費者を当期に豪華海外旅行に招待した　1,920,000円
　 費用

⑩ 上記のほか、租税特別措置法第61条の４第６項に規定する交際費等に該当　9,642,000円
　 するもの

⑵　⑴⑩のうち接待飲食費に該当するものが7,440,000円含まれている。

6 寄附金に関する事項

(1) 当期において寄附金勘定に費用計上した金額の内訳は次のとおりである。

相手先	支出年月日	支出金額	摘　　　　　要
国立大学の図書館建設資金に充てられるもの	令7.4.10	600,000円	国立大学の図書館建設資金に充てられるものに充てるためのものである。
日本赤十字社	令7.5.28	1,000,000円	特定公益増進法人に対する寄附金に該当する。
町内会	令7.9.28	680,000円	内訳は町内会の年会費480,000円と秋祭りの費用200,000円である。
政治団体	令7.12.22	1,600,000円	政治資金のためのものである。

(2) 上記のほかに令和8年3月30日に支払い、仮払金として処理した宗教法人に対する寄附金4,000,000円がある。

(3) 甲社は令和7年12月14日に、子会社（完全支配関係はない。）に対して土地（贈与直前の帳簿価額60,000,000円、贈与時の時価90,000,000円）を10,000,000円で譲渡し、次の処理を行った。

　　（借）寄　附　金　50,000,000円　　（貸）土　　　地　60,000,000円
　　（借）現金預金　10,000,000円

7 貸倒引当金に関する事項

(1) 当期末の売掛金、貸付金等の帳簿価額は次のとおりである。

区　分	金　額	備　　　考
受取手形	150,720,000円	売掛金の回収のために取得したものである。なお、左の金額のうちには、A社に対するものが4,600,000円含まれているが、A社には支払手形を4,000,000円振り出している。
売掛金	250,560,000円	左の金額のうちには、令和7年10月20日に手形交換所の取引停止処分を受けた得意先B社に対する売掛金12,000,000円が含まれている。なお、B社には支払手形を2,000,000円振り出している。
未収金	16,640,000円	左の金額のうちには、仕入割戻しに係るものが8,640,000円含まれているが、その他は土地の売却の未収入金である。
貸付金	62,400,000円	左の金額のうちには、代表取締役に対する貸付金10,000,000円が含まれている。
差入保証金	20,000,000円	営業のために差し入れたものである。

(2)　直近の過去３事業年度における期末一括評価金銭債権の額及び貸倒損失額は、次のとおりである。
なお、当該各事業年度において個別貸倒引当金の繰入対象となった金銭債権はない。

事業年度	期末一括評価金銭債権の額	貸倒損失額
令４．４．１～令５．３.31	367,040,000円	4,500,000円
令５．４．１～令６．３.31	365,680,000円	2,720,000円
令６．４．１～令７．３.31	388,080,000円	680,000円

(3)　基準年度における期末一括評価金銭債権の額及び債務者から受け入れた金額があるため実質的に債権とみられない金額は、次のとおりである。

事業年度	期末一括評価金銭債権の額	実質的に債権とみられない金額
平27．４．１～平28．３.31	339,192,000円	3,000,000円
平28．４．１～平29．３.31	414,568,000円	3,600,000円

(4)　前期において費用に計上した貸倒引当金3,400,000円（うち繰入限度超過額450,000円）については、当期においてその全額を取り崩して収益に計上している。また、当期において費用に計上した貸倒引当金は11,800,000円（一括評価金銭債権に係るもの3,800,000円、Ｂ社の個別評価金銭債権に係るもの8,000,000円）である。

I　所得の金額の計算　　　　　　　　　　　　　　　　　　　　　　　　　　　　（単位：円）

区　　　　　分		金　　額
会 社 計 上 当 期 純 利 益	★	133,000,500円
損 金 経 理 法 人 税	★	36,900,000
損 金 経 理 地 方 法 人 税	★	3,800,700
損 金 経 理 住 民 税	★	3,837,600
損 金 経 理 納 税 充 当 金	★	63,000,000
圧 縮 積 立 金 積 立 超 過 額　（工 場 用 建 物）	★	6,393,100
土 地 圧 縮 超 過 額	☆	27,248,000
減 価 償 却 超 過 額　（工 場 用 建 物）	☆	2,040,249
（倉 庫 用 建 物）	☆	883,334
（貨 物 自 動 車）	☆	275,201
（複 写 機）	☆	70,000
未 払 交 際 費 否 認	★	320,000
交 際 費 等 の 損 金 不 算 入 額	☆	6,750,000
B 社 貸 倒 引 当 金 繰 入 超 過 額	☆	2,000,000
一 括 貸 倒 引 当 金 繰 入 超 過 額	☆	151,980
小　　計		153,670,164

（加算）

	納 税 充 当 金 支 出 事 業 税 等	★	14,458,800
	圧 縮 積 立 金 認 定 損		
	（工 場 用 建 物）	★	20,000,000
	減 価 償 却 超 過 額 認 容		
	（工 場 用 建 物）	★	158,100
	（倉 庫 用 建 物）	★	920,000
	（事 務 所 用 建 物）	☆	1,852,576
	仮 払 寄 附 金 認 定 損	★	4,000,000
減	貸 倒 引 当 金 繰 入 超 過 額 認 容	★	450,000
算			
	小　　　　　計		41,839,476
仮　　　　　計			244,831,188
寄 附 金 の 損 金 不 算 入 額			83,686,056
合 計 ・ 差 引 計 ・ 総 計			328,517,244
所 　 得 　 金 　 額			328,517,244

[租税公課に関する事項]

納税充当金支出事業税等

$9,180,000+5,278,800=14,458,800$円

[保険差益に関する事項]

(1)　滅失経費の額

$(900,000+1,200,000) \times \dfrac{51,000,000}{60,000,000}+1,700,000=3,485,000$円　★

(2)　差引保険金等の額

$51,000,000-3,485,000=47,515,000$円

(3)　保険差益金の額

$47,515,000-(33,750,000+158,100)=13,606,900$円

(4)　圧縮限度額

$13,606,900 \times \dfrac{{}^{※}47,515,000}{47,515,000}=13,606,900$円

※　$47,515,000$円$<65,000,000$円　　∴　$47,515,000$円

(5)　圧縮超過額

$20,000,000-13,606,900=6,393,100$円

［交換に関する事項］

1．土　地

(1)　判　定（算式★）

$234,000,000 - 208,000,000 = 26,000,000円 \leqq 234,000,000 \times 20\% = 46,800,000円$

∴　適用あり

(2)　譲渡経費の額

$1,950,000 \times \dfrac{208,000,000}{208,000,000 + 117,000,000} = 1,248,000円$

(3)　圧縮限度額

$234,000,000 - (162,000,000 + 1,248,000 + 26,000,000) = 44,752,000円$

(4)　圧縮超過額

$(234,000,000 - 162,000,000) - 44,752,000 = 27,248,000円$

2．建　物

(1)　判　定

$117,000,000 - 104,000,000 = 13,000,000円 \leqq 117,000,000 \times 20\% = 23,400,000円$

∴　適用あり

(2)　譲渡経費の額

$1,950,000 \times \dfrac{117,000,000}{208,000,000 + 117,000,000} = 702,000円$

(3)　圧縮限度額

$104,000,000 - (98,800,000 + 920,000 + 702,000) \times \dfrac{104,000,000}{104,000,000 + 13,000,000} = 14,736,000円$

(4)　圧縮超過額

$(104,000,000 - 98,800,000) - 14,736,000★ = △9,536,000 \rightarrow 0$（切捨て）

［減価償却に関する事項］

1．工場用建物

　(1)　償却限度額

　　　$(65,000,000 - 13,606,900) \times 0.042 \times \dfrac{2}{12} = 359,751$円

　(2)　償却超過額

　　　$2,400,000 - 359,751 = 2,040,249$円

2．倉庫用建物

　(1)　償却限度額

　　　$\{104,000,000 - (104,000,000 - 98,800,000)\} \times 0.050 \times \dfrac{10}{12} = 4,116,666$円

　(2)　償却超過額

　　　$5,000,000 - 4,116,666 = 883,334$円

3．事務所用建物

　(1)　償却限度額

　　　$(172,000,000 - 70,080,000) \times 0.9 \times 0.042 = 3,852,576$円

　(2)　償却超過額

　　　$2,000,000 - 3,852,576 = \triangle 1,852,576$

　　　$1,852,576$円 $< 2,852,576$円　　∴　$1,852,576$円（認容）

4．貨物自動車

　(1)　償却限度額

　　　$400,000 + 224,000 = 624,000$円 $\leqq 12,480,000 \times 5\% = 624,000$円　★

　　　∴　$(624,000 - 1) \times \dfrac{12}{60} = 124,799$円

　(2)　償却超過額

　　　$400,000 - 124,799 = 275,201$円

5．複写機

　(1)　償却限度額

　　　$260,000 \times 0.400 = 104,000$円 $< 1,400,000 \times 0.10800 = 151,200$円

　　　∴　$260,000 \times 0.500 = 130,000$円　★

　(2)　償却超過額

　　　$200,000 - 130,000 = 70,000$円

［交際費等に関する事項］

(1)　支出交際費等

　①　接待飲食費

　　　$1,660,000＋7,440,000＝9,100,000$円　★

　②　①以外

　　　$500,000＋368,000＋2,400,000＋180,000＋（9,642,000－7,440,000）＝5,650,000$円　★

　③　合　計　　①＋②＝14,750,000円

(2)　損金算入限度額（算式★）

　①　接待飲食費基準額

　　　(1)①×50％＝4,550,000円

　②　定額控除限度額

　　　$14,750,000$円$＞8,000,000×\dfrac{12}{12}＝8,000,000$円　　∴　8,000,000円

　③　①＜②　　∴　8,000,000円

(3)　損金不算入額（算式★）

　　　(1)－(2)＝6,750,000円

［寄附金に関する事項］

(1) 支出寄附金（区分★）

① 指定寄附金等　600,000円

② 特定公益増進法人等　1,000,000円

③ 一般寄附金　200,000＋1,600,000＋4,000,000＋（90,000,000－10,000,000）＝85,800,000円

④ 合　計

　　①＋②＋③＝87,400,000円

(2) 損金算入限度額

① 一般寄附金の損金算入限度額（算式★）

　㈠ 資本基準額

　　$60,000,000 \times \dfrac{12}{12} \times \dfrac{2.5}{1,000} = 150,000$円

　㈡ 所得基準額

　　$(244,831,188 + 87,400,000) \times \dfrac{2.5}{100} = 8,305,779$円

　㈢ $(㈠ + ㈡) \times \dfrac{1}{4} = 2,113,944$円

② 特別損金算入限度額（算式★）

　㈠ 資本基準額

　　$60,000,000 \times \dfrac{12}{12} \times \dfrac{3.75}{1,000} = 225,000$円

　㈡ 所得基準額

　　$(244,831,188 + 87,400,000) \times \dfrac{6.25}{100} = 20,764,449$円

　㈢ $(㈠ + ㈡) \times \dfrac{1}{2} = 10,494,724$円

(3) 損金不算入額（算式★）

　87,400,000－600,000－※1,000,000－2,113,944＝83,686,056円

　※　1,000,000円＜10,494,724円　　∴　1,000,000円

計算過程(6)   （単位：円）

［貸倒引当金に関する事項］

1．個別貸倒引当金（B社）

 (1)　繰入限度額

　　12,000,000×50％＝6,000,000円

 (2)　繰入超過額

　　8,000,000－6,000,000＝2,000,000円

2．一括貸倒引当金

 (1)　一括評価金銭債権

　150,720,000＋（250,560,000－12,000,000）＋（16,640,000－8,640,000）＋62,400,000

　＝459,680,000円

 (2)　貸倒実績率

$$\frac{(4,500,000+2,720,000+680,000)\times\frac{12}{36}}{(367,040,000+365,680,000+388,080,000)\div3}=0.00704\cdots \to 0.0071 \quad ★$$

 (3)　実質的に債権とみられないものの額

　①　原則法

　　4,600,000円＞4,000,000円　　∴　4,000,000円　★

　②　簡便法

　　459,680,000×※0.008＝3,677,440円

　　※　$\frac{3,000,000+3,600,000}{339,192,000+414,568,000}=0.0087\cdots \to 0.008$

　③　①＞②　　∴　3,677,440円

 (4)　繰入限度額

　①　実積率

　　459,680,000×0.0071＝3,263,728円　★

　②　法定繰入率

　　$(459,680,000-3,677,440)\times\frac{8}{1,000}=3,648,020円$

　③　①＜②　　∴　3,648,020円

 (5)　繰入超過額

　　3,800,000－3,648,020＝151,980円

Ⅱ 納付すべき法人税額の計算

区　　　　　分	金　　　額	計　算　過　程
所　得　金　額	328,517,000円	（千円未満切捨）
法　人　税　額	75,559,944	［法人税額の計算］
		(1)　年800万円以下の金額 　　$8,000,000 \times \dfrac{12}{12} = 8,000,000$円
		(2)　年800万円超の金額 　　$328,517,000 - 8,000,000 = 320,517,000$円
		(3)　法人税額 　　(1)×15%＋(2)×23.2%＝75,559,944円
差　引　法　人　税　額	75,559,944	
法　人　税　額　計	75,559,944	
差引所得に対する法人税額	75,559,900	（百円未満切捨）★
中間申告分の法人税額　★	36,900,000	
納付すべき法人税額	38,659,900	完了点　★

配点：★1つにつき1点

☆1つにつき2点

【合計50点】

1. 出題概要

(1) 前提の確認

① 業　種 ➡ 製造業

② 資 本 金 ➡ 60,000,000円（中小法人）

(2) 出題形式

本問は、オーソドックスな申告調整型の問題となっています。

2. 当期純利益

税引後の金額であり、株主資本等変動計算書から拾ってきます。

3. 租税公課・納税充当金の期中減少額

納税充当金の期中減少額から法人税本税、地方法人税本税及び住民税本税を控除した金額は、「納税充当金支出事業税等」として減算調整が必要です。この場合に、「納税充当金支出事業税等」として減算調整する金額には、附帯税等が含まれることになります（その附帯税等が損金算入とされるものであっても、損金不算入とされるものであっても取扱いは同様です。）。

なお、法人税及び地方法人税の利子税並びに事業税及び住民税の納期限延長に係る延滞金は損金の額に算入されます。損金不算入とされる附帯税等の場合は、別表四において、加算調整を行うことになります。

4. 保険差益の圧縮記帳

(1) 滅失経費

滅失経費となるものは、その滅失した資産につき直接生じたものに限られます。けが人への見舞金及び新聞広告掲載料については、滅失した資産につき直接生じたものではないため、滅失経費に該当しません。

したがって、消防費用900,000円、焼跡の整理に要した費用1,200,000円及び旧工場用建物の取壊し費用1,700,000円が滅失経費に該当することになります。

なお、旧工場用建物の取壊し費用については建物の個別経費となりますが、消防費用及び焼跡の整理に要した費用は共通経費として受取保険金の比による按分が必要となります。

(2) 差引保険金等の額

受け取った保険金から実質代替資産の取得に充てることができる金額を計算します。受け取った保険金から滅失経費を控除した金額となります。

(3) 保険差益金の額

保険金を受け取ったことによる利益額を算定します。差引保険金等の額から滅失資産の帳簿価額を控除することにより算出します。

なお、本問のように滅失資産の帳簿価額は、繰越償却超過額がある場合には、その繰越償却超過額を加算した税務上の帳簿価額によることになります。また、その繰越償却超過額については、同時に減算調整が必要になります。

⑷　**圧縮限度額**

　　保険金を受け取ったことにより発生する利益の額のうち繰り延べるべき利益の額は、差引保険金の
うち代替資産の取得に充てた割合に対応する利益の額となります。

　　したがって、発生利益の額に差引保険金のうち代替資産の取得に充てた割合を乗じて圧縮限度額を
計算します。

　　本問では、差引保険金をすべて代替資産の取得に充てているため、発生利益の全額が圧縮限度額と
なります。

　　減価償却の計算は、圧縮により損金の額に算入された金額を控除して計算します。なお、本問は、
圧縮超過額が算出されますが、積立金経理のため、その圧縮超過額は償却費として損金経理した金額
にならず、そのまま加算調整することになります。

5．交　換

⑴　**譲渡経費**

　　譲渡経費が区分されていない場合は、交換譲渡資産の時価の比により按分計算を行っていきます。

⑵　**土地の交換**

　　土地付き建物の交換の場合は、土地は土地、建物は建物と交換したと考えます。

　　土地の交換は、交換取得資産の時価が交換譲渡資産の時価より多い場合であり、その多い分だけ交
換差金等を支払ったとことになります。

　　この場合には、交換取得資産の時価（譲渡対価）から譲渡直前の帳簿価額、譲渡経費及び交換差金
等を控除して、圧縮限度額を求めます。

　　圧縮額は経理の特例によっていますが、交換取得資産の時価（交換の場合に通常取得価額に付すべ
き金額）と会社で取得価額に計上した金額との差額を圧縮損に計上したと考えます。

⑶　**建物の交換**

　　交換譲渡資産の時価が交換取得資産の時価より多い場合であり、その多い分だけ交換差金等を収受
したこととなります。

　　交換差金等を収受する場合は、交換取得資産の時価に対応する譲渡直前の帳簿価額と譲渡経費を計
算し、交換取得資産の時価からその計算した金額を控除して圧縮限度額を求めます。

　　本問は、計算の結果、圧縮不足額が生じ、切捨てとなります。

　　減価償却の計算は、圧縮により損金の額に算入された金額を控除して計算しますが、圧縮により損
金の額に算入された金額は、会社計上圧縮額と圧縮限度額とのいずれか少ない金額となります。

6．減価償却

⑴　**事務所用建物**

　　平成10年4月1日以後かつ平成19年3月31日以前取得の建物の償却方法は、旧定額法（のみ）です。

　　また、圧縮記帳により損金の額に算入された金額があるため、会社計上の取得価額からその損金算
入圧縮額（会社計上圧縮額と圧縮限度額のいずれか小さい金額）を控除した金額を基礎に償却限度額
を計算します。

(2)　貨物自動車

　　平成19年3月31日以前取得の有形減価償却資産について、税務上の期首帳簿価額（会社計上の期首帳簿価額400,000円に繰越償却超過額224,000円を加算した金額となります。）が取得価額の5％相当額以下のため、取得価額の5％相当額から1円を控除した金額を60月均等償却していきます。

(3)　複写機

　　定率法の計算で、調整前償却額（通常の償却限度額）が償却保証額に満たない場合には、改定取得価額（初めて調整前償却額が償却保証額に満たないこととなる事業年度における期首帳簿価額）に改定償却率を乗じて償却限度額を算出します。

　　本問では、「前期まで調整前償却額が償却保証額に満たないこととなった事業年度はない」ことから、当期に初めて調整前償却額が償却保証額に満たないこととなったことが読み取れます。したがって、改定取得価額は、当期首における税務上の帳簿価額となります。

7．交際費等

(1)　会議に際しての昼食費用

　　会議費に際しての茶菓、通常の昼食程度の食事代は、会議費として認められます。

(2)　従業員の慰安のための運動会の費用

　　福利厚生費となります。

(3)　販売奨励金

　　事業者に対して金銭又は事業用資産の交付により行ったものは、交際費等に該当せず、損金の額に算入されます。

(4)　得意先を招いて行ったパーティー費用

　　本問の場合、その内容が飲食費用で、1人当たり10,000円超となっているため、接待飲食費となります。

　　また、パーティーに招いた得意先に対して、交付した交通費は、記念代と同様に、接待飲食費に該当しない交際費等の額となります。

(5)　前期において接待し、何ら経理を行っていなかった費用

　　この交際費等の認識時期は、前期において接待等の事実が生じていることから前期であり、当期に計上した交際費等は否認されることになります。

(6)　得意先の役員を観劇に招待した費用

　　得意先に対する観劇又は旅行招待費用は交際費等となる典型的な費用です。

(7)　取引先の役員及び従業員の旅行招待費用

　　旅行招待費用で交際費等とならないケースとしては、当社の従業員の福利厚生費としての旅費、一般消費者に対する旅行招待費用（広告宣伝費）の2つ程度を押えておけば十分です。

(8)　仕入先・得意先に対する中元・歳暮の費用

　　金額の多寡にかかわらず、交際費等になります。

(9)　一般消費者に対する豪華旅行招待費用

　　一般消費者に対する旅行招待費用は、少額でなくても、広告宣伝費として損金算入されます。なお、取引先に対する旅行招待費用は、金額にかかわらず、交際費等となります。

8．寄附金

(1) 寄附金の額

① 国立大学の図書館建設資金に充てられるもの

　指定寄附金等に該当します。

② 町内会に対する寄附

　年会費は事業関連性が明らかな費用のため、損金算入となりますが、秋祭りの費用に充てられるものは、一般寄附金に該当します。

③ 政治団体に対する政治献金

　一般寄附金に該当します。

(2) 仮払寄附金

　寄附金の認識時期は、現実の支払いを行った時となります。したがって、仮払経理した寄附金については、別表四で減算調整をして、当期の支出寄附金の額に含まれることになります。

(3) 子会社に対する低額譲渡

　時価と対価との差額が一般寄附金の額になります。

(4) 資本準備金の記載がない場合

　資本基準額の計算で資本金準備金の額が記載されていない場合は、資本金の額をそのまま使うしかないことになります。

9．貸倒引当金

(1) 個別貸倒引当金

　B社は手形交換所の取引停止処分を受けているため、B社に対して有する金銭債権は形式基準による個別評価金銭債権となります。個別評価金銭債権の額から実質的に債権とみられないものの額、第三者振出の受取手形、担保金額、金融機関保証金額があれば、これらを控除して50％を乗じて繰入限度額を算出しますが、本問は控除する金額はなく、個別評価金銭債権の額に50％を乗じた金額が繰入限度額となります。

　なお、支払手形は個別評価金銭債権において、実質的に債権とみられないものの額になりません。

(2) 期末一括評価金銭債権の額

① B社に対する売掛金は個別評価金銭債権であるため、一括評価金銭債権の額には含めません。

② 未収金のうち仕入割戻しは、一括評価金銭債権の額に含まれません。差入営業保証金は金銭債権でないため、一括評価金銭債権の額に含まれません。

(3) 貸倒実績率

　当期開始前3事業年度の期末一括評価金銭債権の額の合計額に対する貸倒損失額（個別貸倒引当金の繰入額を含みます。）の合計額の占める割合です。小数点以下4位未満切上げの端数処理が必要です。

(4)　実質的に債権とみられないものの額（原則法による計算と簡便法による計算といずれか少ない金額）

　①　原則法

　　　本問はA社に対して、受取手形が4,600,000円ありますが、支払手形を4,000,000円振り出しています。いずれか少ない金額4,000,000円が実質的に債権とみられないものの額となります。

　②　簡便法

　　　基準年度（平成27年4月1日から平成29年3月31日までに開始した各事業年度）の期末一括評価金銭債権の額の合計額に対する原則法により計算した実質的に債権とみられないものの額の合計額の占める割合を当期末一括評価金銭債権の額に乗じて算出します。その割合は小数点以下3位未満切捨ての端数処理が必要です。

(5)　繰入限度額（実積率による計算と法定繰入率による計算とのいずれか多い金額）

　①　実積率

　　　期末一括評価金銭債権の額に貸倒実績率を乗じた金額です。

　②　法定繰入率

　　　期末一括評価金銭債権の額から実質的に債権とみられないものの額を控除して法定繰入率を乗じた金額です。

········ *Memorandum Sheet* ········

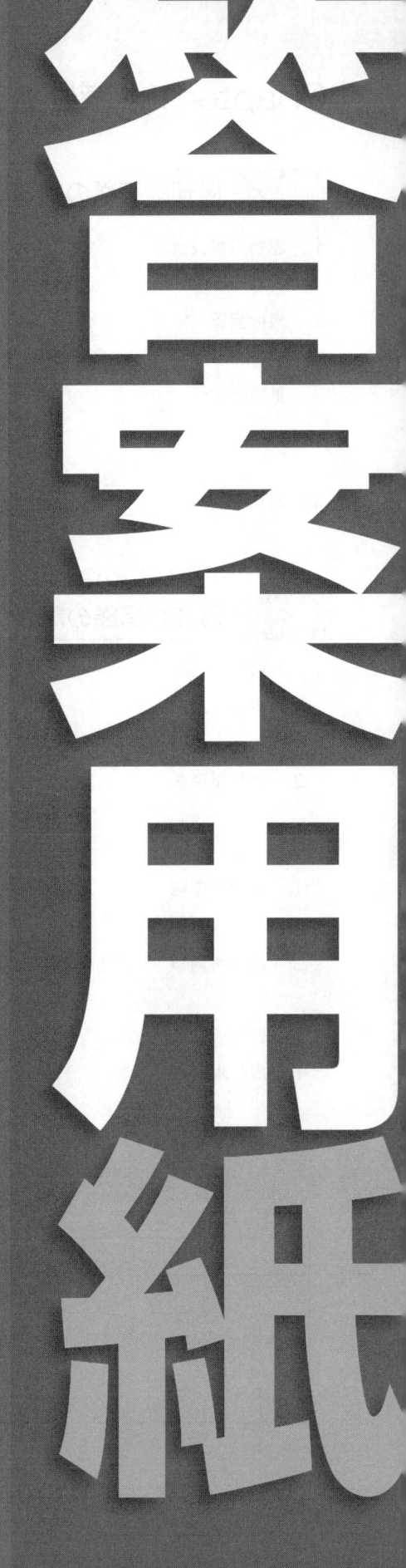

答案用紙

Chapter 1　減価償却（普通償却）

問題1　償却限度額の計算

１．建物附属設備

２．機械装置

３．車両運搬具

４．器具備品

問題2　償却超過額の調整

１．A機械
　⑴　償却限度額

　⑵　償却超過額

２．B車両
　⑴　償却限度額

　⑵　償却超過額

３．C器具
　⑴　償却限度額

　⑵　償却超過額

（単位：円）

	項　　　目	金　　額	留　　保	社外流出
加算				
減算				

問題3 グルーピング(1)

Ch 2
Ch 3
Ch 4
Ch 5
Ch 6
Ch 7
Ch 8
Ch 9
Ch 10
Ch 11
Ch 12
Ch 13
Ch 14
Ch 15
Ch 16
Ch 17
総合問題

1．A・B機械装置

(1) 償却限度額

① A機械装置

② B機械装置

③

(2) 償却超過額

2．C・D貨物自動車

(1) 償却限度額

① C貨物自動車

② D貨物自動車

③

(2) 償却超過額

3．E乗用車

(1) 償却限度額

(2) 償却超過額

(単位：円)

	項　　　　目	金　　額	留　　保	社外流出
加算				
減算				

問題4 | 期中供用資産

1．A建物

2．B建物

3．構築物

4．備品

問題5 | 償却可能限度額

1．建物附属設備
　⑴　償却限度額

　⑵　償却超過額

2．構築物
　⑴　償却限度額

　⑵　償却超過額

3．器具備品
　⑴　償却限度額

　⑵　償却超過額

（単位：円）

Ch 1
Ch 2
Ch 3
Ch 4
Ch 5
Ch 6
Ch 7
Ch 8
Ch 9
Ch 10
Ch 11
Ch 12
Ch 13
Ch 14
Ch 15
Ch 16
Ch 17
総合問題

	項　　　目	金　　額	留　　保	社外流出
加 算				
減 算				

問題6 　無形減価償却資産

1．ソフトウエア

　⑴　償却限度額

　⑵　償却超過額

2．意匠権

　⑴　償却限度額

　⑵　償却超過額

3．営業権

　⑴　償却限度額

　⑵　償却超過額

（単位：円）

	項　　　目	金　　額	留　　保	社外流出
加 算				
減 算				

1. A建物

　⑴　償却限度額

　⑵　償却超過額

2. B建物

　⑴　償却限度額

　⑵　償却超過額

3. C機械

　⑴　償却限度額

　⑵　償却超過額

4. D機械

　⑴　償却限度額

　⑵　償却超過額

（単位：円）

	項　　　　目	金　　額	留　　保	社外流出
加算				
減算				

問題8　減価償却超過額の認容

1．製造設備

　⑴　償却限度額

　⑵　償却超過額

2．乗用車

　⑴　償却限度額

　⑵　償却超過額

（単位：円）

	項　　　　目	金　　額	留　　保	社外流出
加算				
減算				

問題9　費用処理した付随費用

1．A機械装置

　⑴　償却限度額

　⑵　償却超過額

2．B機械装置

　⑴　償却限度額

　⑵　償却超過額

（単位：円）

	項　　　目	金　　額	留　　保	社外流出
加算				
減算				

問題10　少額減価償却資産

１．少額の減価償却資産

２．中小企業者等の少額減価償却資産

　⑴　単価判定

　⑵　総額判定

問題11　中小企業者等の少額減価償却資産

１．中小企業者等の少額減価償却資産

　⑴　単価判定

　⑵　総額判定

２．パソコン

　⑴　判　定

　⑵　償却方法の判定

(3)　損金算入限度額

(4)　損金算入限度超過額

（単位：円）

項　　　目		金　　額	留　　保	社外流出
加算				
減算				

問題12　一括償却資産

電気機器、容器

(1)　判定

　①　電気機器

　②　容器

(2)　償却方法の判定

　①　電気機器

　②　容器

(3)　一括償却資産

　①　損金算入限度額

　②　損金算入限度超過額

(4)　容器

　①　償却限度額

　②　償却超過額

（単位：円）

	項　　目	金　　額	留　　保	社外流出
加算				
減算				

問題13 受贈益（原則）

⑴　償却限度額

⑵　償却超過額

（単位：円）

	項　　目	金　　額	留　　保	社外流出
加算				
減算				

問題14 受贈益（広告宣伝用資産）

１．ネオンサイン

⑴　償却限度額

⑵　償却超過額

２．陳列ケース

⑴　受贈益の額

⑵

(3) 償却超過額

(単位：円)

	項　　　　目	金　　額	留　保	社外流出
加算				
減算				

（単位：円）

	項　　　　目	金　　額	留　　保	社外流出
加算				
減算				

問題16	ミニテスト

（単位：円）

	項　　　目	金　　額	留　保	社外流出
加算				
減算				

Chapter 2 繰延資産等

問題1 任意償却の繰延資産

(1) 創立費

(2) 開業費

(3) 開発費

(4) 株式交付費

問題2 公共的施設負担金

【設問1】

(1) 償却期間

(2) 償却限度額

【設問2】

(1) 償却期間

(2) 償却限度額

問題3 共同的施設負担金

1．展示場建設負担金

 (1) 償却期間

 (2) 償却限度額

2．会館建設負担金

 (1) 償却期間

 (2) 償却限度額

3．アーケード負担金

  ⑴ 償却期間

  ⑵ 償却限度額

問題4 　借家権利金

1．借家権利金

  ⑴ 償却期間

  ⑵ 償却限度額

  ⑶ 償却超過額

2．借家権利金

  ⑴ 償却期間

  ⑵ 償却限度額

  ⑶ 償却超過額

3．借家権利金

  ⑴ 償却期間

  ⑵ 償却限度額

  ⑶ 償却超過額

問題5 　広告宣伝用資産の贈与費用等

1．広告宣伝用資産（自動車）

  ⑴ 償却期間

  ⑵ 償却限度額

(3) 償却超過額

2. リース付随費用
(1) 償却期間

(2) 償却限度額

(3) 償却超過額

3. ノーハウの頭金
(1) 償却期間

(2) 償却限度額

(3) 償却超過額

4. 出版権の設定対価
(1) 償却期間

(2) 償却限度額

(3) 償却超過額

5. 広告宣伝用資産（看板）

（単位：円）

	項　　　　　目	金　　額	留　　保	社外流出
加 算				
減算				

問題6 分割払いの繰延資産等

1．同業者団体加入金

　⑴　償却期間

　⑵　償却限度額

　⑶　償却超過額

2．会館建設負担金

　⑴　償却期間

　⑵　償却限度額

　⑶　償却超過額

3．広告宣伝用資産

　⑴　償却期間

　⑵　償却限度額

　⑶　償却超過額

(単位：円)

	項　　　　目	金　　額	留　　保	社外流出
加 算				
減算				

問題7 　金銭債務の償還差損益

１．社債等発行費

２．償還差損

　⑴　損金算入額

　⑵　差損計上もれ

（単位：円）

	項　　　　目	金　　額	留　　保	社外流出
加算				
減算				

問題8 　総合

１．街灯

２．広告宣伝用資産

３．ノーハウの頭金

　⑴　償却期間

　⑵　償却限度額

　⑶　償却超過額

４．建物権利金

　⑴　償却期間

　⑵　償却限度額

　⑶　償却超過額

5．共同アーケード

  ⑴　償却期間

  ⑵　償却限度額

  ⑶　償却超過額

6．社債等発行費

7．金銭債務に係る償還差損

  ⑴　損金算入額

  ⑵　差損過大計上

（単位：円）

	項　　　　目	金　　額	留　　保	社外流出
加 算				
減算				

(単位：円)

	項　　　　目	金　　額	留　　保	社外流出
加算				
減算				

Chapter 3 租税公課

問題1 損金経理の場合

(1) 損金経理法人税

(2) 損金経理地方法人税

(3) 損金経理住民税

（単位：円）

	項　　　　　目	金　　額	留　　保	社外流出
加算				
減算				

問題2 仮払経理の場合

（単位：円）

	項　　　　　目	金　　額	留　　保	社外流出
加算				
減算				

問題3 納税充当金の取扱い(1)

納税充当金支出事業税等

（単位：円）

	項　　　　　目	金　　額	留　　保	社外流出
加算				
減算				

問題4 納税充当金の取扱い⑵

（単位：円）

	項　　　　　目	金　　額	留　保	社外流出
加算				
減算				

問題5 納税充当金の取扱い⑶

【設問1】

（単位：円）

	項　　　　　目	金　　額	留　　保	社外流出
加算				
減算				

【設問2】

（単位：円）

	項　　　　　目	金　　額	留　　保	社外流出
加算				
減算				

【設問3】

　納税充当金支出事業税等

(単位：円)

	項　　　　　目	金　　額	留　　保	社外流出
加算				
減算				

【設問 4 】

(1)　納税充当金支出事業税等

(2)　損金経理附帯税等

(単位：円)

	項　　　　　目	金　　額	留　　保	社外流出
加算				
減算				

問題6　法人税等調整額

（設問 1 ）

(単位：円)

	項　　　　　目	金　　額	留　　保	社外流出
加算				
減算				

（設問 2 ）

(単位：円)

	項　　　　　目	金　　額	留　　保	社外流出
加算				
減算				

23　（323）

納税充当金支出事業税等

（単位：円）

	項　　目	金　額	留　保	社外流出
加算				
減算				

⑴　仮払税金認定損

⑵　仮払税金消却否認

（単位：円）

	項　　目	金　額	留　保	社外流出
加算				
減算				
	仮　　　　計	×××	×××	×××

問題9	ミニテスト

（単位：円）

	項　　　　　目	金　　額	留　　保	社外流出
加算				
減算				

Chapter4 受取配当等の益金不算入

問題1 配当等の額の範囲

(1) 配当等の額

① 関連法人株式等

② 非支配目的株式等

(2) 控除負債利子の額

(3) 益金不算入額

(単位：円)

	項　　　　目	金　　額	留　　保	社外流出
加算				
減算				

問題2 益金不算入額の計算

(1) 配当等の額

① 完全子法人株式等

② 関連法人株式等

③ その他株式等

④ 非支配目的株式等

(2) 控除負債利子の額

(3) 益金不算入額

(単位：円)

	項　　目	金　額	留　保	社外流出
加算				
減算				

問題3　短期所有株式等(1)

(1) 短期所有株式等に係る配当等の額

　① A株式

　② B出資

(2) 配当等の額（非支配目的株式等）

問題4　短期所有株式等(2)

(1) 短期所有株式等に係る配当等の額

(2) 配当等の額（非支配目的株式等）

(3) 益金不算入額

(単位：円)

	項　　目	金　額	留　保	社外流出
加算				
減算				

問題5　控除負債利子

控除負債利子の額
  ① 　当期支払負債利子

  ② 　控除負債利子の額
    イ　配当等の額基準額

    ロ　支払負債利子基準額

    ハ

問題6　総　合

(1)　短期所有株式等に係る配当等の額（A株式）

(2)　配当等の額
  ① 　関連法人株式等

  ② 　非支配目的株式等

(3)　控除負債利子の額
  ① 　当期支払負債利子

  ② 　控除負債利子の額
    イ　配当等の額基準額

ロ　支払負債利子基準額

ハ

(4)　益金不算入額

（単位：円）

	項　　　目	金　　額	留　　保	社外流出
加算				
減算				

問題7 ミニテスト

（単位：円）

	項　　　目	金　　額	留　　保	社外流出
加算				
減算				

Chapter 5 　所得税額控除

問題1　個別法

(1)　株式出資

(2)　受益権

(3)　その他

(4)　合　計

(単位：円)

	項　　　　目	金　　額	留　　保	社外流出
加算				
減算				
	仮　　　　計	×××	×××	×××

問題2　簡便法

(1)　株式出資

(2)　受益権

(3)　その他

(4)　合　計

(単位：円)

	項　　　　目	金　　額	留　　保	社外流出
加算				
減算				
	仮　　　　計	×××	×××	×××

問題3 個別法と簡便法の選択

(1) 株式出資

　① 個別法

　② 簡便法

　③

(2) 受益権

(3) 合　計

（単位：円）

	項　　　　目	金　　額	留　　保	社外流出
加算				
減算				
仮　　　　計		××××	××××	××××

1．受取配当等の益金不算入額

　⑴　配当等の額

　⑶　益金不算入額

2．法人税額控除所得税額

　⑴　株式出資

　　①　個別法

　　②　簡便法

　　③

　⑵　受益権

　⑶　合　計

（単位：円）

	項　　　目	金　　額	留　　保	社外流出
加算				
減算				
仮　　　計		×××	×××	×××

問題5　未収配当等に対する所得税額控除(2)

1．受取配当等の益金不算入額

　⑴　配当等の額

　⑵　益金不算入額

2．法人税額控除所得税額

　⑴　株式出資

　⑵　その他

　⑶　合　計

（単位：円）

	項　　　目	金　　額	留　　保	社外流出
加算				
減算				
仮　　計		×××	×××	×××

問題6 総 合

(1) 株式出資
　① 個別法

　② 簡便法

　③
(2) 受益権

(3) その他

(4) 合 計

（単位：円）

	項　　目	金　額	留　保	社外流出
加算				
減算				
	仮　　　　計	×××	×××	×××

（単位：円）

	項　　　　目	金　　額	留　　保	社外流出
加算				
減算				
仮　　　計		×××	×××	×××

Chapter 6　同族会社等

問題1　同族会社の判定（特殊の関係のある個人）

同族会社の判定

(1)

(2)

(3)

(4)

問題2　同族会社の判定（特殊の関係のある法人）

同族会社の判定

(1)

(2)

(3)

(4)

問題3　使用人兼務役員の判定

1．同族会社の判定

(1)

(2)

(3)

(4)

2．役員等の判定

	50%超	10%超	5%超	判　定

1．同族会社の判定

　(1)　持株割合

　　　①

　　　②

　　　③

　　　④

　(2)　議決権割合

　　　①

　　　②

　　　③

　　　④

　(3)

　(4)

2．役員等の判定

50％超^{※1}　　10％超　　5％超　　　判　定

※1　①

　　　②

※2

問題5	総合

Ch 2
Ch 3
Ch 4
Ch 5
Ch 6
Ch 7
Ch 8
Ch 9
Ch 10
Ch 11
Ch 12
Ch 13
Ch 14
Ch 15
Ch 16
Ch 17
総合問題

1．同族会社の判定

　⑴

　⑵

　⑶

　⑷

　⑸

2．役員等の判定

　　　　　　　　　50％超　　　10％超　　　5％超　　　　判　定

Chapter 7　給与等

問題 1　役員給与（実質基準）

(1)　取締役（実質基準）

①

②

③

④

⑤

⑥

(2)　監査役（実質基準）

(3)　みなし役員

(4)　合　計

（単位：円）

	項　　　目	金　　額	留　　保	社外流出
加算				
減算				

問題 2　役員給与（形式基準）

(1)　取締役（形式基準）

(2)　監査役（形式基準）

(3)　合　計

（単位：円）

	項　　　目	金　　額	留　　保	社外流出
加算				
減算				

1．同族会社の判定

　(1)

　(2)

　(3)

　(4)

2．役員等の判定

　　　　　　　　　　50％超　　10％超　　5％超　　　判　定

3．役員給与

　(1)　損金不算入給与

　(2)　過大役員給与

　　①　実質基準

　　　(イ)　取締役

　　　(ロ)　監査役

　　　(ハ)

　　②　形式基準

　　　(イ)　取締役

　　　(ロ)　監査役

　　　(ハ)

　　③

　(3)

（単位：円）

	項　　目	金　　額	留　　保	社外流出
加算				
減算				

問題4　役員退職給与

1．役員給与の損金不算入額

2．未払役員退職給与認定損

3．未払役員退職給与否認

4．未払役員退職給与認容

（単位：円）

	項　　目	金　　額	留　　保	社外流出
加算				
減算				

問題5　役員給与（増額）

（単位：円）

	項　　目	金　　額	留　　保	社外流出
加算				
減算				

問題6 役員給与（減額）

（単位：円）

	項　　　目	金　　額	留　　保	社外流出
加算				
減算				

問題7 使用人賞与

【設例1】

（単位：円）

	項　　　目	金　　額	留　　保	社外流出
加算				
減算				

【設例2】

【設例3】

（単位：円）

	項　　　目	金　　額	留　　保	社外流出
加算				
減算				

問題8　特殊関係使用人給与

1．役員給与

(1) 取締役

(2) 監査役

(3) 合　計

2．使用人給与

（単位：円）

	項　　　　目	金　　額	留　　保	社外流出
加算				
減算				

問題9　ミニテスト

（単位：円）

	項　　　　目	金　　額	留　　保	社外流出
加算				
減算				

Chapter 8　寄附金

基本算式の確認

(1)　支出寄附金

　①　指定寄附金等

　②　特定公益増進法人等

　③　一般寄附金

　④　合　計

(2)　損金算入限度額

　①　一般寄附金の損金算入限度額

　　(イ)　資本基準額

　　(ロ)　所得基準額

　　(ハ)

　②　特別損金算入限度額

　　(イ)　資本基準額

　　(ロ)　所得基準額

　　(ハ)

(3)　損金不算入額

（単位：円）

	項　　　　　目	金　　　額	留　　保	社外流出
加算				
減算				
	仮　　　　　計	28,700,000	×××	×××

問題2　損金不算入額の計算

(1)　支出寄附金

　①　指定寄附金等

　②　特定公益増進法人等

　③　一般寄附金

　④　合　計

(2)　損金算入限度額

　①　一般寄附金の損金算入限度額

　　(イ)　資本基準額

　　(ロ)　所得基準額

　　(ハ)

　②　特別損金算入限度額

　　(イ)　資本基準額

　　(ロ)　所得基準額

　　(ハ)

(3)　損金不算入額

（単位：円）

	項　　　　目	金　　額	留　　保	社外流出
加算				
減算				
	仮　　　　計	49,000,000	×××	×××

問題3　未払寄附金と仮払寄附金

1．未払寄附金

2．寄附金の損金不算入
　⑴　支出寄附金
　　①　指定寄附金等

　　②　特定公益増進法人等

　　③　一般寄附金

　　④　合　計

　⑵　損金算入限度額
　　①　一般寄附金の損金算入限度額
　　　㈑　資本基準額

　　　㈠　所得基準額

　　　㈻

　　②　特別損金算入限度額
　　　㈑　資本基準額

　　　㈠　所得基準額

(ハ)

(3) 損金不算入額

(単位：円)

	項　　　　目	金　　額	留　　保	社外流出
加算				
減算				
仮　　　　計			×××	×××

問題4　みなし寄附金

(1) 支出寄附金

　① 指定寄附金等

　② 特定公益増進法人等

　③ 一般寄附金

　④ 合　計

(2) 損金算入限度額

　① 一般寄附金の損金算入限度額

　　(イ) 資本基準額

　　(ロ) 所得基準額

　　(ハ)

　② 特別損金算入限度額

　　(イ) 資本基準額

(ロ)　所得基準額

(ハ)

(3)　損金不算入額

（単位：円）

	項　　　　目	金　　　額	留　　保	社外流出
加算				
減算				
	仮　　　　計		×××	×××

（単位：円）

	項　　　目	金　　額	留　　保	社外流出
加算				
減算				
	仮　　　　計	×　×　×	×　×　×	×　×　×

Chapter 9　交際費等

問題 1 | 交際費等の範囲(1)

(1)　支出交際費等

　①　接待飲食費

　②　①以外

　③

(2)　損金算入限度額

(3)　損金不算入額

(単位：円)

	項　　　目	金　　額	留　　保	社外流出
加算				
減算				

(1) 支出交際費等

　① 接待飲食費

　② ①以外

　③ 合　計

(2) 損金算入限度額

(3) 損金不算入額

（単位：円）

	項　　　　　目	金　　額	留　　保	社外流出
加算				
減算				

Ch 1
Ch 2
Ch 3
Ch 4
Ch 5
Ch 6
Ch 7
Ch 8
Ch 9
Ch 10
Ch 11
Ch 12
Ch 13
Ch 14
Ch 15
Ch 16
Ch 17
総合問題

(1)　支出交際費等

　①　接待飲食費

　②　①以外

　③　合　計

(2)　損金算入限度額

(3)　損金不算入額

（単位：円）

	項　　　　目	金　　額	留　　保	社外流出
加算				
減算				

問題4 | 交際費等の範囲(4)

(1) 支出交際費等

　① 接待飲食費

　② ①以外

　③ 合　計

(2) 損金算入限度額

　① 接待飲食費基準額

　② 定額控除限度額

　③

(3) 損金不算入額

（単位：円）

	項　　　目	金　　額	留　保	社外流出
加算				
減算				

⑴　支出交際費等

　①　接待飲食費

　②　①以外

　③　合　計

⑵　損金算入限度額

　①　接待飲食費基準額

　②　定額控除限度額

　③

⑶　損金不算入額

(単位：円)

	項　　　　目	金　　額	留　　保	社外流出
加算				
減算				

問題6	ミニテスト

Ch 1
Ch 2
Ch 3
Ch 4
Ch 5
Ch 6
Ch 7
Ch 8
Ch 9
Ch 10
Ch 11
Ch 12
Ch 13
Ch 14
Ch 15
Ch 16
Ch 17
総合問題

（単位：円）

	項　　　　目	金　　額	留　　保	社外流出
加算				
減算				
仮　　　計		×××	×××	×××

問題7　ミニテスト

（単位：円）

	項　　　　目	金　　額	留　　保	社外流出
加算				
減算				
仮　　　計		×××	×××	×××

Chapter10　外国税額控除等

問題1	控除対象外国法人税額

(1)　A株式

(2)　B国

(3)　C国

(4)　合　計

(単位：円)

	項　　　　　目	金　　額	留　保	社外流出
加算				
減算				
	仮　　　　計	×××	×××	×××

問題2	控除外国税額の計算（非課税所得）

（別表四）

(単位：円)

	項　　　　　目	金　　額	留　　保	社外流出
加算				
減算				
	仮　　　　計	×××	×××	×××

（別表一）

⑴　控除対象外国法人税額

⑵　控除限度額

⑶

問題3　控除外国税額の計算（源泉徴収外国税）

（別表四）

（単位：円）

	項　　　　目	金　　額	留　　保	社外流出
加算				
減算				
	仮　　　　計	××××	××××	××××

（別表一）

⑴　控除対象外国法人税額

⑵　控除限度額

⑶

Ch 1
Ch 2
Ch 3
Ch 4
Ch 5
Ch 6
Ch 7
Ch 8
Ch 9
Ch 10
Ch 11
Ch 12
Ch 13
Ch 14
Ch 15
Ch 16
Ch 17
総合問題

問題4 控除外国税額の計算（支店等の所得）

（別表四）

（単位：円）

	項　　　　目	金　　額	留　　保	社外流出
加算				
減算				
	仮　　　　計	×××	×××	×××

（別表一）

(1)　控除対象外国法人税額

(2)　控除限度額

(3)

問題5 控除限度額の繰越し

（別表四）

（単位：円）

	項　　　　目	金　　額	留　　保	社外流出
加算				
減算				
	仮　　　　計	×××	×××	×××

（別表一）

(1) 控除対象外国法人税額

(2) 控除限度額

(3)

問題6 控除対象外国法人税額の繰越し

（別表四）

（単位：円）

	項　　　　　目	金　　額	留　　保	社外流出
加算				
減算				
	仮　　　　計	×××	×××	×××

（別表一）

(1) 控除対象外国法人税額

(2) 控除限度額

(3)

問題7 外国子会社配当等 （所得税額控除との関係）

1．外国子会社配当等

　⑴　配当等の額

　⑵　費用の額

　⑶　益金不算入額

2．外国源泉税等

3．法人税額控除所得税額

（単位：円）

	項　　　　目	金　　額	留　　保	社外流出
加算				
減算				
	仮　　　　計	×××	×××	×××

問題8 外国子会社配当等 （外国税額控除との関係）

＜別表四＞

1．外国子会社配当等

　⑴　配当等の額

　⑵　費用の額

　⑶　益金不算入額

2．外国源泉税等

3．控除対象外国法人税額

項　　目		金　額	留　保	社外流出
加算				
減算				
仮　　　計		×××	×××	×××

＜別表一＞

⑴　控除対象外国法人税額

⑵　控除限度額

⑶

問題9 ミニテスト

(単位：円)

	項　　目	金　　額	留　　保	社外流出
加算				
減算				
	仮　　計	×××	×××	×××

〈別表一〉

Chapter11　消費税額等

問題1　控除対象外消費税額等（固定資産等）

⑴　判定

⑵　損金算入限度額

⑶　損金算入限度超過額

（単位：円）

	項　　　　　目	金　　額	留　　保	社外流出
加算				
減算				

問題2　控除対象外消費税額等（棚卸資産等）

⑴　判定

⑵　損金算入限度額

⑶　損金算入限度超過額

（単位：円）

	項　　　　　目	金　　額	留　　保	社外流出
加算				
減算				

問題3　控除対象外消費税額等（交際費等との関係）

1．繰延消費税額等

　⑴　判定

　⑵　損金算入限度額

　⑶　損金算入限度超過額

2．交際費等の損金不算入額

(単位：円)

	項　　　目	金　　額	留　　保	社外流出
加算				
減算				

問題4　控除対象外消費税額等（損金算入限度超過額の認容）

1．当期分

　⑴　判定

　⑵　損金算入限度額

　⑶　損金算入限度超過額

2．前期分

　⑴　損金算入限度額

　⑵　損金算入限度超過額

（単位：円）

	項　　目	金　　額	留　　保	社外流出
加算				
減算				

Chapter12　圧縮記帳

問題1　国庫補助金（直接控除方式）

1．圧縮記帳

⑴　圧縮限度額

⑵　圧縮超過額

2．減価償却

⑴　償却限度額

⑵　償却超過額

（単位：円）

	項　　　　目	金　　　額	留　　保	社 外 流 出
加算				
減算				

問題2　国庫補助金（積立金方式）

1．圧縮記帳（前期）

⑴　圧縮限度額

⑵　圧縮超過額

2．減価償却

⑴　償却限度額

⑵　償却超過額

Ch 1 / Ch 2 / Ch 3 / Ch 4 / Ch 5 / Ch 6 / Ch 7 / Ch 8 / Ch 9 / Ch 10 / Ch 11 / Ch 12 / Ch 13 / Ch 14 / Ch 15 / Ch 16 / Ch 17 / 総合問題

69　（369）

（単位：円）

	項　　　　　目	金　　額	留　　　保	社 外 流 出
加算				
減算				

問題3　保険金等（滅失経費の範囲）

滅失経費の額

1．工場建物

2．機械

問題4　保険金等（直接控除方式）

1．圧縮記帳

(1)　滅失経費の額

①　事務所建物

②　事務機器

(2)　差引保険金等の額

①　事務所建物

②　事務機器

(3)　保険差益金の額

①　事務所建物

②　事務機器

(4)　圧縮限度額

①　事務所建物

② 事務機器

(5) 圧縮超過額

① 事務所建物

② 事務機器

2．減価償却

(1) 事務所建物

① 償却限度額

② 償却超過額

(2) 事務機器

① 償却限度額

② 償却超過額

（単位：円）

	項　　　　目	金　　額	留　　保	社　外　流　出
加算				
減算				

問題5　保険金等（積立金方式）

1．圧縮記帳

(1) 滅失経費の額

(2) 差引保険金等の額

(3) 保険差益金の額

(4) 圧縮限度額

(5) 圧縮超過額

2．減価償却
　(1) 償却限度額

　(2) 償却超過額

（単位：円）

	項　　　　　目	金　　　額	留　　保	社　外　流　出
加算				
減算				

問題6　交換（譲渡経費の範囲）

(1) 判　定(土地)

(2) 譲渡経費の額

(3) 圧縮限度額

問題7　交換（2以上の資産の同時交換）

(1) 判　定

　① 土　地

　② 建　物

(2) 譲渡経費の額

  ① 土 地

  ② 建 物

(3) 圧縮限度額

  ① 土 地

  ② 建 物

問題8 | 交換（取得費用との関係）

(1) 判 定

(2) 譲渡経費の額

(3) 圧縮限度額

(4) 圧縮超過額

（単位：円）

	項　　　　目	金　　額	留　保	社　外　流　出
加算				
減算				

問題9 | 交換（総合）

1. 圧縮記帳
  (1) 判 定

  (2) 譲渡経費の額

Ch 1 Ch 2 Ch 3 Ch 4 Ch 5 Ch 6 Ch 7 Ch 8 Ch 9 Ch 10 Ch 11 **Ch 12** Ch 13 Ch 14 Ch 15 Ch 16 Ch 17 総合問題

⑶ 圧縮限度額

⑷ 圧縮超過額

2．減価償却
　⑴　償却限度額
　　①　C建物

　　②　D機械

　⑵　償却超過額
　　①　C建物

　　②　D機械

（単位：円）

	項　　　　　　　目	金　　額	留　　保	社　外　流　出
加算				
減算				

問題10 交換（経理の特例）

⑴　判　定

⑵　譲渡経費の額

⑶　圧縮限度額

⑷　会社計上の圧縮損の額

⑸　圧縮超過額

（単位：円）

	項　　　　　目	金　　額	留　　保	社　外　流　出
加算				
減算				

問題11　買換え（直接控除方式）

1．圧縮記帳

(1)　差益割合

(2)　圧縮限度額

　①　土　　地

　②　倉庫用建物

(3)　圧縮超過額

　①　土　　地

　②　倉庫用建物

2．減価償却

(1)　償却限度額

(2)　償却超過額

（単位：円）

	項　　　　　目	金　　額	留　　保	社　外　流　出
加算				
減算				

⑴　差益割合

⑵　圧縮限度額

　①　土　地

　②　建　物

⑶　圧縮超過額

　①　土　地

　②　建　物

（単位：円）

	項　　　　　　　　目	金　　額	留　　保	社　外　流　出
加算				
減算				

問題13 買換え（差益割合を個別に計算する場合）

1．圧縮記帳

　⑴　譲渡経費の額

　　①　土　地

　　②　建　物

　⑵　差益割合

　　①　土　地

　　②　建　物

(3) 圧縮限度額
  ① 土　地

  ② 建　物

(4) 圧縮超過額
  ① 土　地

  ② 建　物

2．減価償却
  (1) 償却限度額

  (2) 償却超過額

（単位：円）

	項　　　　　　目	金　　　額	留　　保	社　外　流　出
加算				
減算				

（単位：円）

	項　　目	金　額	留　保	社外流出
加算				
減算				

（単位：円）

	項　　　目	金　額	留　保	社外流出
加算				
減算				

Ch 1
Ch 2
Ch 3
Ch 4
Ch 5
Ch 6
Ch 7
Ch 8
Ch 9
Ch 10
Ch 11
Ch 12
Ch 13
Ch 14
Ch 15
Ch 16
Ch 17
総合問題

（単位：円）

	項　　　　　目	金　　額	留　　保	社外流出
加算				
減算				

Chapter13　棚卸資産等

問題1　棚卸資産の期末評価(1)

１．期末評価方法

２．期末評価

　(1)　会社計上の簿価

　(2)　税務上の簿価

　(3)　過大計上

（単位：円）

	項　　　　目	金　　額	留　　保	社外流出
加算				
減算				

問題2　棚卸資産の期末評価(2)

　(1)　期末評価方法

　(2)　期末評価

　　①　会社計上の簿価

　　②　税務上の簿価

　　③　計上もれ

（単位：円）

	項　　　　目	金　　額	留　　保	社外流出
加算				
減算				

問題3　短期売買商品の期末評価(1)

1．譲渡損益

(1)　会社計上の簿価

(2)　税務上の簿価

　①　帳簿価額の算出方法

　②　平均単価

　③　税務上の簿価

(3)　過大計上

2．評価損益

(1)　税務上の簿価

(2)　時価評価金額

(3)　計上もれ

（単位：円）

	項　　　　目	金　　額	留　　保	社外流出
加算				
減算				

1．譲渡損益

(1)　会社計上の簿価

(2)　税務上の簿価

　　①　帳簿価額の算出方法

　　②　平均単価

　　③　税務上の簿価

(3)　過大計上

2．評価損益

(1)　税務上の簿価

(2)　時価評価金額

(3)　計上もれ

（単位：円）

	項　　　　　目	金　　額	留　　保	社外流出
加算				
減算				

Chapter14　有価証券等

Ch 1
Ch 2
Ch 3
Ch 4
Ch 5
Ch 6
Ch 7
Ch 8
Ch 9
Ch 10
Ch 11
Ch 12
Ch 13
Ch 14
Ch 15
Ch 16
Ch 17
総合問題

問題1	有価証券の譲渡損益

(1)　会社計上の簿価

(2)　税務上の簿価

(3)　計上もれ

(単位：円)

	項　　　目	金　　額	留　保	社外流出
加算				
減算				

問題2	取得価額の取扱い

(1)　A株式

(2)　B株式

(3)　C株式

問題3	特別分配金の取扱い

1．受取配当等の益金不算入額

  (1)　配当等の額

  (2)　益金不算入額

2．法人税額控除所得税額

（単位：円）

	項　　　　目	金　　額	留　　保	社外流出
加算				
減算				
仮　　　　計		×××	×××	×××

問題4　売買目的有価証券の期末評価

１．有価証券の譲渡損益

　⑴　会社計上の簿価

　⑵　税務上の簿価

　⑶　過大計上

２．有価証券の評価損益

　⑴　税務上の簿価

　⑵　時価評価金額

　⑶　計上もれ

（単位：円）

	項　　　　目	金　　額	留　　保	社外流出
加算				
減算				

問題5　償還有価証券(1)

(1)　会社計上の簿価

(2)　税務上の簿価

　①　当期末調整前帳簿価額

　②　調整差益

　③

(3)　計上もれ

（単位：円）

	項　　　目	金　　額	留　　保	社外流出
加算				
減算				

問題6　償還有価証券(2)

(1)　会社計上の簿価

(2)　税務上の簿価

　①　当期末調整前帳簿価額

　②　調整差益

　③

(3)　計上もれ

（単位：円）

	項　　　目	金　　額	留　　保	社外流出
加算				
減算				

(単位：円)

	項　　　　目	金　　額	留　　保	社外流出
加算				
減算				

Chapter15　資産の評価損益

Ch 1
Ch 2
Ch 3
Ch 4
Ch 5
Ch 6
Ch 7
Ch 8
Ch 9
Ch 10
Ch 11
Ch 12
Ch 13
Ch 14
Ch 15
Ch 16
Ch 17

問題1	棚卸資産

評価損損金不算入額

1．A製品

2．B製品

3．C製品

4．D製品

（単位：円）

	項　　　目	金　　額	留　　保	社外流出
加 算				
減算				

問題2	有価証券

1．A株式

2．B株式
　⑴
　⑵

3．C株式

4．D株式
　⑴
　⑵

5．E株式

　⑴

　⑵

　⑶

6．F株式

　⑴

　⑵

　⑶

7．G株式

（単位：円）

	項　　　　目	金　　額	留　　保	社外流出
加 算				
減 算				

（単位：円）

	項　　　　目	金　　額	留　　保	社外流出
加 算				
減 算				
仮　　　　計		×××	×××	×××

Chapter16　外貨建取引等

問題1　外貨建資産等の換算

1．定期預金
 (1)　会社計上の簿価

 (2)　税務上の簿価

 (3)　過大計上

2．前受収益計上もれ

3．売掛金

4．当社発行普通社債
 (1)　会社計上の簿価

 (2)　税務上の簿価

 (3)　過大計上

（単位：円）

	項　　　　　目	金　　額	留　　保	社外流出
加算				
減算				

問題2　外国為替相場の特例

1．売掛金
 (1)　会社計上の簿価

 (2)　税務上の簿価

 (3)　過大計上

2．買掛金
 (1)　会社計上の簿価

 (2)　税務上の簿価

 (3)　過大計上

（単位：円）

	項　　目	金　　額	留　保	社外流出
加算				
減算				

問題3　為替予約差額の配分

１．前受収益計上もれ

２．前払費用計上もれ

（単位：円）

	項　　目	金　　額	留　保	社外流出
加算				
減算				

問題4　ミニテスト

（単位：円）

	項　　目	金　　額	留　保	社外流出
加算				
減算				
仮　　計		×××	×××	×××

Ch 1
Ch 2
Ch 3
Ch 4
Ch 5
Ch 6
Ch 7
Ch 8
Ch 9
Ch 10
Ch 11
Ch 12
Ch 13
Ch 14
Ch 15
Ch 16
Ch 17

Chapter17　貸倒引当金等

問題1　法律上の貸倒れ

1．A社

2．B社

(単位：円)

	項　　　目	金　　　額	留　　保	社外流出
加算				
減算				

問題2　事実上の貸倒れ

1．A社

2．B商店

(単位：円)

	項　　　目	金　　　額	留　　保	社外流出
加算				
減算				

問題3　売掛債権の特例

1．A商会

2．B商店

3．C氏

(単位：円)

	項　　　目	金　　　額	留　　保	社外流出
加算				
減算				

⑴　繰入限度額

①　A社

②　B社

⑵　繰入超過額

①　A社

②　B社

（単位：円）

	項　　　目	金　　額	留　保	社外流出
加算				
減算				

⑴　繰入限度額

①　A社

②　B社

⑵　繰入超過額

①　A社

②　B社

（単位：円）

	項　　　目	金　　額	留　保	社外流出
加算				
減算				

問題6 個別貸倒引当金（長期棚上げ基準）

1．貸倒損失認定損

2．個別貸倒引当金

　⑴　繰入限度額

　　①　A社

　　②　B社

　⑵　繰入超過額

　　①　A社

　　②　B社

（単位：円）

	項　　　　目	金　　額	留　保	社外流出
加算				
減算				

問題7 繰入限度額の計算（貸倒実績率）

⑴　期末一括評価金銭債権

⑵　貸倒実績率

⑶　繰入限度額

⑷　繰入超過額

（単位：円）

	項　　　　目	金　　額	留　保	社外流出
加算				
減算				

問題8　繰入限度額の計算（法定繰入率）

(1)　期末一括評価金銭債権

(2)　実質的に債権とみられない金額

　①　原則法

　　(イ)　A　社

　　(ロ)　B　社

　　(ハ)

　②　簡便法

　③

(3)　繰入限度額

(4)　繰入超過額

（単位：円）

	項　　　　目	金　　額	留　　保	社外流出
加算				
減算				

問題9　総　合

1．個別評価金銭債権（A社）

　(1)　繰入限度額

　(2)　繰入超過額

2．一括評価金銭債権

　(1)　期末一括評価金銭債権

　(2)　貸倒実績率

(3) 実質的に債権とみられない金額

   ① 原則法

   ② 簡便法

   ③
(4) 繰入限度額

(5) 繰入超過額

（単位：円）

	項　　　　目	金　　額	留　　保	社外流出
加算				
減算				

(単位：円)

	項　　　目	金　　額	留　　保	社外流出
加算				
減算				
	仮　　　計	×××	×××	×××

総合計算問題

問題 1

計算過程欄(1)

【同族会社の判定及び役員等の判定】

【役員給与に関する事項】

【租税公課に関する事項】

計算過程欄(2)

【減価償却に関する事項】

計算過程欄(3)

【受取配当等の益金不算入】

計算過程欄(4)

【法人税額から控除される所得税額】

【社債に関する事項】

Ⅰ　所得金額の計算

区　　　　　　分	金　　　額
会　社　計　上　当　期　純　利　益	円
加 算	
小　　　　　計	

総合問題

減 算		
	小　　　計	
仮　　　計		
合　計　・　差　引　計　・　総　計		
所　　得　　金　　額		

Ⅱ　納付すべき法人税額の計算

区　　　　分	金　　額	計　　算　　過　　程
所　得　金　額	円	（　　　　　　　　　　）
法　人　税　額		【法人税額の計算】
差　引　法　人　税　額		
法　人　税　額　計		
控　除　所　得　税　額		
差引所得に対する法人税額		（　　　　　　　　　）
中　間　申　告　分　の　法　人　税　額		
納　付　す　べ　き　法　人　税　額		

問題2

I　所得の金額の計算

（単位：円）

区　　　　　分	金　　額
会　社　計　上　当　期　純　利　益	円
加 算	
小　　　　計	

減算		
	小　　　計	
仮　　　計		
合　計　・　差　引　計　・　総　　計		
所　　得　　金　　額		

［租税公課に関する事項］

［保険差益に関する事項］

計算過程(2)　　　　　　　　　　　　　　　　　　　　　　　　　　　　　　　　（単位：円）

［交換に関する事項］

［減価償却に関する事項］

計算過程(4)　　　　　　　　　　　　　　　　　　　　　　　　　（単位：円）

［交際費等に関する事項］

［寄附金に関する事項］

計算過程(6)　　　　　　　　　　　　　　　　　　　　　　　　　　　　　（単位：円）

［貸倒引当金に関する事項］

Ⅱ 納付すべき法人税額の計算

区　　　　　　　　　分	金　　　額	計　　算　　過　　程
所　得　金　額	円	（　　　　　）
法　人　税　額		［法人税額の計算］
差　引　法　人　税　額		
法　人　税　額　計		
差引所得に対する法人税額		（　　　　　）
中間申告分の法人税額		
納付すべき法人税額		

2025年度版

税理士試験教科書・問題集・理論集 ラインナップ

簿記論・財務諸表論の教材

税理士試験教科書　簿記論・財務諸表論I　基礎導入編【2025年度版】	3,630円（税込）	好評発売中
税理士試験問題集　簿記論・財務諸表論I　基礎導入編【2025年度版】	3,300円（税込）	好評発売中
税理士試験教科書　簿記論・財務諸表論II　基礎完成編【2025年度版】	3,630円（税込）	好評発売中
税理士試験問題集　簿記論・財務諸表論II　基礎完成編【2025年度版】	3,300円（税込）	好評発売中
税理士試験教科書　簿記論・財務諸表論III　応用編【2025年度版】	2024年11月発売予定	
税理士試験問題集　簿記論・財務諸表論III　応用編【2025年度版】	2024年11月発売予定	
税理士試験教科書　財務諸表論　理論編【2025年度版】	2024年12月発売予定	

法人税法の教材

税理士試験教科書・問題集　法人税法I　基礎導入編【2025年度版】	3,300円（税込）	好評発売中
税理士試験教科書　法人税法II　基礎完成編【2025年度版】	3,630円（税込）	好評発売中
税理士試験問題集　法人税法II　基礎完成編【2025年度版】	3,300円（税込）	好評発売中
税理士試験教科書　法人税法III　応用編【2025年度版】	2024年12月発売予定	
税理士試験問題集　法人税法III　応用編【2025年度版】	2024年12月発売予定	
税理士試験理論集　法人税法【2025年度版】	2,420円（税込）	2024年9月発売予定

相続税法の教材

税理士試験教科書・問題集　相続税法I　基礎導入編【2025年度版】	3,300円（税込）	好評発売中
税理士試験教科書　相続税法II　基礎完成編【2025年度版】	3,630円（税込）	好評発売中
税理士試験問題集　相続税法II　基礎完成編【2025年度版】	3,300円（税込）	好評発売中
税理士試験教科書　相続税法III　応用編【2025年度版】	2024年12月発売予定	
税理士試験問題集　相続税法III　応用編【2025年度版】	2024年12月発売予定	
税理士試験理論集　相続税法【2025年度版】	2,420円（税込）	2024年9月発売予定

消費税法の教材

税理士試験教科書・問題集　消費税法I　基礎導入編【2025年度版】	3,300円（税込）	好評発売中
税理士試験教科書　消費税法II　基礎完成編【2025年度版】	3,630円（税込）	好評発売中
税理士試験問題集　消費税法II　基礎完成編【2025年度版】	3,300円（税込）	好評発売中
税理士試験教科書　消費税法III　応用編【2025年度版】	2024年12月発売予定	
税理士試験問題集　消費税法III　応用編【2025年度版】	2024年12月発売予定	
税理士試験理論集　消費税法【2025年度版】	2,420円（税込）	2024年9月発売予定

国税徴収法の教材

税理士試験教科書　国税徴収法【2025年度版】	4,620円（税込）	好評発売中
税理士試験理論集　国税徴収法【2025年度版】	2,420円（税込）	2024年9月発売予定

※　書名・価格・発行年月は変更する場合もございますので、予めご了承ください。（2024年9月現在）

本書の発行後に公表された法令等及び試験制度の改正情報、並びに判明した誤りに関する訂正情報については、弊社WEBサイト内の『読者の方へ』にてご案内しておりますので、ご確認下さい。

https://www.net-school.co.jp/

なお、万が一、誤りではないかと思われる箇所のうち、弊社WEBサイトにて掲載がないものにつきましては、**書名（ＩＳＢＮコード）と誤りと思われる内容**のほか、お客様の**お名前及び郵送の場合はご返送先の郵便番号とご住所**を明記の上、弊社まで**郵送またはe‐mail**にてお問い合わせ下さい。

＜郵送先＞ 〒101−0054
東京都千代田区神田錦町3−23メットライフ神田錦町ビル３階
ネットスクール株式会社　正誤問い合わせ係

＜e‐mail＞　seisaku@net-school.co.jp

※正誤に関するもの以外のご質問、本書に関係のないご質問にはお答えできません。
※**お電話によるお問い合わせはお受けできません。**ご了承下さい。

税理士試験　問題集

法人税法Ⅱ　基礎完成編　【2025年度版】

2024年９月６日　初版　第１刷

著　　　　　者	ネットスクール株式会社
発　行　者	桑原知之
発　行　所	ネットスクール株式会社　出版本部
	〒101−0054　東京都千代田区神田錦町3−23
	電話　03 (6823) 6458 (営業)
	ＦＡＸ　03 (3294) 9595
	https://www.net-school.co.jp
執筆総指揮	田中政義
表紙デザイン	株式会社オセロ
編　　　　集	吉川史織　加藤由季
ＤＴＰ制作	中嶋典子　石川祐子　吉永絢子
	有限会社ドアーズ本舎　長谷川正晴
印刷・製本	日経印刷株式会社

©Net-School　2024　　Printed in Japan　　ISBN　978-4-7810-3833-9

落丁・乱丁本はお取り替えいたします。